菲華教育論叢

盧 增 緒 著

菲律濱中正學院校友總會
國立台灣師範大學菲律濱校友會
主　編

文史哲出版社出版

菲華教育論叢

目　次

弁　言

　　教育是百年大計，教育的任務是文化的傳承和人才的培養。華文教育的使命是神聖的、工作是艱巨的、而責任是重大的。

　　我們身處海外，客觀環境要我們改變心態由落葉歸根轉而爲落地生根。我們一方面要在政治上認同地主國，遵循政府政策，遵守當地法律，享同等權利，盡同等義務，一心一德謀求地主國的富強康樂；一方面仍可在文化上認同祖國，保留中華傳統倫理，並將勤勞儉樸、勇敢進取的美德融入菲律濱國家文化，以期徹底改造人性，成爲建國的動力。因此華文教育的目標亦應作適當的調整。而從一九九〇年開始，教育同仁已逐漸凝聚共識，認爲我們的大路向應是要栽培擁有中華氣質的菲律濱公民，使他們既有謀生的技能和學識，在本地能生存，能作出貢獻，又同時能具備中華優良氣質。

　　無可諱言的，菲律濱華文教育自一九七六年教育全面菲化後，由於課程刪改、課時減少、師資難求，引致教學素質江河日下。所幸經過二十五年教育同仁的掙扎奮鬥，於教育目標的確立、教育資源的爭取、師資的培訓、教材的改善等等都有了一定的成效。這當歸功於熱心教育的社團及人士的關心和支持，以及教育同仁和衷共濟的精神與鍥而不捨的努

力。

　　盧增緒教授是一位澹泊寧靜不求聞達、清操厲節不望回報，一生堅守崗位的教育工作者。前後服務菲律濱華文學校達二十年之久，對菲律濱華文教育的情況有確切的體認。在菲期間我們時常過從，談論的都是菲律濱華文教育日趨式微的癥結及其變革之道。

　　一九七六年，他曾以外國教育專家的身份，應邀出席全菲教育家會議（EDUCATORS CONGRESS）並參加針對華語文教學地位的座談。其時正值教育菲化緩衝期結束前夕，暗潮洶湧，此消彼長，在會上他甚感孤掌難鳴、獨木難撐，且面對若干尖銳的詰問，無由迴避，乃慷慨陳辭，指出所謂「因為是中國人，所以要學中文」和「為了中國人，才教中文」等說法的錯誤。並強調中華文化在人類文明中的優越性。宣稱：「學中文是為了學做中華文化所推崇的深具人文精神的人，並無國家的界限」，而「教中文的目的，更是為了充實菲國的多元文化」。這番說詞當場贏得菲總統的賞識和與會者普遍的認同，而得以立於不敗之地。

　　他於課餘主編「菲華教育」週刊，每星期三登載在馬尼拉世界日報，一共一百三十期，題材遍及課堂教學、第二語言教學法、國語注音和漢語拼音、簡體字與繁體字、評鑑制度、督課問題、教學督導、以及菲華師資培育之新途徑，綱舉目張、條分縷析，是理論與經驗的結合。

　　至於一些關鍵的課題，諸如：

⑴「身爲弘揚中華文化的華語文教師，爲何不能開放心胸，把優越的中華文化獻出來，與全人類分享？」

⑵「具體的華語文課該教些甚麼？」

⑶「華語文教學的三項爭議：

(a)應以普通話或閩南話爲教學媒介？

(b)應教繁體字或簡體字？應採取『識繁寫簡』、或『識簡寫繁』的方法？

(c)應採用國語注音或漢語拼音？」

⑷「爲甚麼學生學了十年（小學六年中學四年）還有人聽不懂華語？」

⑸「華語文教學成效不彰是社會的責任、家長的責任、抑或學校的責任？」

⑹「教材內容的取捨與教師素質高下的關係。」

⑺「中學華文課本版本過多。」

⑻「師資培訓的有效途徑。」

等等當務之急，於鍼砭菲律濱華文教育之通病時每能一針見血，深中肯綮，從而作出建設性的啓導和建議，傳達他的理想和卓見。

菲律濱中正學院校友總會和台灣師範大學菲律濱校友會有鑑於盧增緒教授畢生鞠躬盡瘁，作育英才，嘉言孔彰，教澤深長；且憑其體驗建立的一套有關菲律濱華文教育之理念，應予裒集成冊，作爲教育工作者的準繩和指標，乃以其「菲華教育」週刊爲本，編輯而成「菲華教育論叢」，庶幾

藏之名山，傳諸奕葉。

　　茲值該集即付剞劂之際，謹綴數言，以弁其端，並以之悼念已歸道山的盧增緒教授，冥冥之中，他必樂見本書之行世也。

　　北國歲序，已屆深秋，漫山遍野，落葉飄零。那些猶依戀枝頭的，有緋紅的、有絳紅的、有酡紅的、有深紅的、有赭黃的、有米黃的、有金黃的、有綠中帶黃的，把遠山束上一條五彩斑斕的腰帶；那些已掉下歸根的，就舖蓋地面，成為一層紅黃相間厚厚的美麗氈毯，在斜陽下熠熠生輝。我們深信，當節令推移，冬去春來時，這些落葉將轉化成為「護苗」的春泥。盧教授已離我們而去，但他留下的遠見卓識，他遺下的片片紅葉，卻將化作春泥，繼續呵護他畢生熱愛的華文教育。

邵建寅　謹識

二〇〇二年十月九日

溫哥華楓葉飄零時節

序

陳　義　維
菲律濱中正學院校友總會會長

播種者的心情是：

辛勤播種的
必歡呼收割
我們以此自惕
也和校友們共勉

　　人生本是長遠的賽跑，成敗全在自己，所收穫的正是自
己在人生中所耕耘的。

　　菲律濱中正學院校友總會能參與這份對菲律濱華文教育
極有意義的編輯工作實為榮幸，盧增緒教授生前服務菲律濱
華文學校達二十年之久，他把畢生所學，奉獻給菲華教育。
他一再提到有本好書不如有好老師，對師資的培訓，他始終
不遺餘力地推廣，雖然這不是立竿見影的事，但至少不能使
國文成了外國文，國語成了外國語。不怕錯誤，就怕知錯不

改。

　　他深知在七十年代華文教育全面菲化後的情況下，要繼續推動華語教育的困難與癥結，也體會到這是件相當艱巨而又漫長的工作，但他鍥而不捨，默默耕耘，除了在課堂上教導之外，也利用課餘時間，在世界日報主編「菲華教育」週刊，表達他的看法和理念，深得菲華教育界的認同，是一位值得我們尊敬及表揚的教育導師。

　　為了懷念盧教授多年來對菲華教育的付出，菲律濱中正學院校友總會聯合國立台灣師範大學菲律濱校友會出版「菲華教育論叢」，將他的教學方法和理念編輯成冊，提供從事菲華教育工作者以作參攷，深望本書之行世，將有助菲華教育素質之提升。

序　言

柯　里　沓
國立台灣師範大學菲律濱校友會理事長

　　在盧增緒教授於二〇〇〇年十二月十五日在馬尼拉病逝後不久，本會獲悉菲律濱中正學院校友總會有意將盧教授在他所主編的世界日報「菲華教育」週刊所發表的文章彙集成冊，作為教育工作者的準繩和指標，覺得非常有意義，乃獻議由國立台灣師範大學菲律濱校友會與中正校友總會共同出版該書，並即得到中正校友總會的同意。

　　盧教授畢業於國立台灣師範大學，也在母校擔任教授多年，本會共同出版該書，也是本會紀念一位在教育界卓有成就的校友與老師的具有重大意義的一種方式。

　　盧教授是菲律濱華社少有的教育專家之一。由於他曾在此間若干華文學校擔任過多年教職，同時對菲律濱華文學校的情況做了大量的調查研究的工作，對今日菲律濱華文教育所面臨的各種問題，都有精闢獨到的見解。相信該書所收集的一百三十篇文章，對今後華文教育的改革，一定會有很大的幫助。希望從事華文教育工作者，人手一冊，精心閱讀，

以加速華文教育改革之實現。

二〇〇三年元月五日

壹。華校華語文課堂教學

一、該把華語文教學的道理講清楚

自從七十年代中期，華僑學校接受菲化的挑戰，演變成今天所謂的華文學校以來，轉眼間，已經走過了將近四分之一個世紀的歲月。經歷了這次空前的巨變，值得我們慶幸的是，幾乎所有的華人所辦的學校，都還能在學校形式上屹立如故。但是使我們不能不憂慮的是，保留著當年華僑學校傳統的華文學校，在華語文教學的實質上，卻在種種不利因素的強力影響下，成效難彰，甚至江河日下。近十餘年間，呼籲挽救華語文教學之將傾的讜論，此起彼落。爲華語文教學之改進而出錢出力的，也大有人在。或許由於近些年來，中國大陸的日漸開放，商機大增，看好華語文前景的人，也隨著不斷增加。但是真正站在從事華語文實際教學崗位上的人，能夠依然抱持樂觀態度的，不但不見增加，反而像是在日漸減少了。何以如此？因素極多，實在是一言難盡。然而，不論對華語文教學的前途，抱持樂觀或是悲觀態度的人，似乎在實施華語文教學的道理上，大家都不曾仔細的深思過，所以，大家也就只能各說各話，各是其是了。這對站

在華語文教學第一線的華文教師來說，實在是一個極大的困擾或難關。該如何克服，其實正是華語文教學的領導者或主持者，責無旁貸的事。雖然一時之間，我們還沒有辦法，使全菲所有的華文學校，都能在華語文教學的基本道理上，取得普遍的共識，但是，至少在每所華文學校裡，總該在這方面，有個大體上都能被多數人接受的努力方向。同時更由於華文學校都是華社辦的，像這類的學校教學的大政方針，當然必須得到華社，至少是學校董事會的認同與支持。最好能夠把這些華語文教學的道理，變成學校董事會開辦華文學校的基本政策之一。無疑，這是個大工程，有待努力之處尚多，亦非朝夕之功。但是總該馬上行動，不容再蹉跎歲月。

破除成見或偏見，可能是最重要也最艱難的第一步。所謂「革命必先革心」，「革心」正是心理建設的關鍵，而成見或偏見就是「革心」過程中，最大的障礙。最近我聽到一件令我吃驚的事，說是有位華文學校的學生家長，竟然向學校有關人員要求，不要把他的孩子編在有非華人的班上。我真為那位華文學校的負責人擔心，真怕他萬一接受了這類嚴重違背人權要求，深具種族歧視色彩的要求，而誤觸法網，豈非得不償失！從這件事例中，已足見華人保守心態，揮之不去的嚴重程度。

記得在一九七六年，我曾以外國教育專家的身份，應邀出席全菲的教育家會議（EDUCATORS CONGRESS），並且參加了針對華語文教學地位的座談。應邀參加那次會議的華

社教育專家大概也有六、七位之多，可惜全都是只參加了開幕式，連閉幕式都沒出現。像我那樣自始至終，全程與會的竟無一人。所以在那場探討華語文教學的座談會上，真可謂「孤掌難鳴」，獨木難撐大局，承受的壓力極大。因為當時正是菲化巨浪聲中，「華校」過渡為「菲校」的緩衝期結束前夕，華文學校的華語文的教學與課程，雖已在前「華僑學校聯合總會」（即校總）的諸教育先進的鼎力交涉下，得以保住了每日授課兩小時的法律地位，並且落實在華文學校裡。但是由於當時的「僑校菲化」是在相當狹義的愛國主義思想的主導下進行的，菲國教育主管當局主事者，多基於已久的傳統情誼，寧可保持沉默，而華人教育界及領袖一方之碩彥，亦僅能以忍辱負重，委曲求全的鎮定態度處之。然而實質上，卻是暗潮洶湧，此消彼長，強弱懸殊之態勢，也只能心照不宣。但在民主開放的座談會場上，面對若干相當尖銳的質疑與說詞的挑戰，自難充耳不聞，更無由逃避。當時為防止不利氣氛的擴張，乃大膽指出所謂：「因為是中國人，所以要學中文」，和「為了中國人，才教中文」等主張的錯誤。並且強調華語文在中國文化中的重要地位，以及中國文化在人類文化中之地位的優越性。明白指出：「學中文是為了學做中國文化中所推崇的深具人文精神的人，並無國家的界限」，而「教中文的目的，更是為了充實菲國的多元文化」。當時雖非舌戰群雄，但身在沉重而又廣大的壓力下，那番說詞實已可立於不敗之地，並且獲得與會者普遍的

認同。十餘年後，華社教育界提出：「政治上認同菲律濱，文化上認同中國」的主張，似乎也有些類同的想法，只是在實施上，深究起來，有待商榷之處尚多。不過，總的來說，這些全都是我們所說的華語文教學的道理。這是全菲各華文學校實施華語文教學的根本，如果不能徹底的講清楚，又怎能要求我們的華語文教學，真正落實在具體的教學目標和教學活動上呢？試看今天各華文學校實施華語文教學的實際成效，就不難發現我們投注在每個就讀於華文學校的學生身上的時間、金錢和心力，實在不能說是不多。但是大多數苦讀華語文至少十年的中學畢業生，不要說在閱讀華文資訊，撰寫華文文章上的困難，就是在最基本的聽懂和會說最簡單的中國話的能力上，都極感困難。這極可能都是由於我們根本沒有把華語文教學的道理講清楚，所造成的結果。因為我們沒有把華語文教學的道理講清楚，所以教華語文的教師不知道究竟為什麼要教華語文，學華語文的學生更不知道究竟為什麼要學華語、學華文。多少年來，我們一直都是糊裡糊塗的教，糊裡糊塗的學，結果徒然消耗不少寶貴的資源，卻把華語文的教學變成了盲目死記一些無意義的音節，呆板的塗繪出一串串不知所云的中國字。機械的記誦使學生興趣索然，嚴重的，更會因多次的挫折和無情的打擊，而對華語文心生恐懼或充滿反感。堂堂正正的華語文教學，竟然落得這般名實難符，甚至虛有其表的可悲下場，能不猛省？

　　退一萬步來說，就算我們不想去談那些有關文化或政治

的大道理，但至少在華語文教學的課堂上，和在實施華語文
教學的華文學校裡，總該有個較為明確的交待。告訴任教華
語文科目的華語文教師，華語文教學在華文學校裡的地位，
教師教華語文的基本立場、方向、目標、內容、步驟和方
法。也該利用適當的時機，技巧而又有效的把為什麼要教華
語文，為什麼要學華語、華文的道理，淺顯而明確的告訴學
生。還該盡最大的可能，透過華文學校的學校行政管道，把
這些華語文教學的道理，不斷的傳達給學生的家長和華社，
甚至全菲的大社會；否則華語文教學的前途是難以樂觀的。

二、怎樣把第二語言教學講清楚

　　什麼是第二語言教學？雖然在我們這裡，倡導用第二語
言教學的原理和方法，來實施華語文教學，也已經好幾年
了，可是從各有關方面的表現和反映來看，的確可以證明，
並不了解什麼是第二語言教學的人仍然很多，甚至不清楚什
麼是第二語言教學的華語文教師，也不少。因此有不少人認
為這是由於沒有人曾經把什麼是第二語言教學的問題說清
楚，說具體。不過客觀的說，這裡的根本問題，似乎是出在
什麼是「清楚」，或者在於什麼是「講清楚」上。是否「清
楚」？是否「講清楚」？本都是屬於各個人的主觀判斷，是
「講的人」和「聽講的人」，雙方溝通是否成功的問題。
「講的人」和「聽的人」都要對是否「清楚」？是否「講清

楚」？負同樣的責任。公平的說，如果說沒有人「講清楚」
過，固然並不適當，但是說「講的人」對於沒有「講清
楚」，和很多人「聽過」卻「聽不清楚」的事實，一點責任
也沒有，當然同樣也是不適當的。也許基本上，這也是個
「教」與「學」的問題，不過在了解「什麼是第二語言教
學」的問題上，「講」與「聽」，或「教」與「學」的雙
方，全都是成年人，是與學校裡的師生間的教學活動全然不
同的，理應簡單得多。

　　可是根據我們多少年來的實地觀察，發現實際上卻並不
像我們想像中那麼簡單。舉個具體的例子來看，幾乎年年舉
辦的暑期教師進修或研習的活動中，都必然會有不少請人來
「講」給進修教師來「聽」的安排。當然那些「講」與
「聽」的人全都是生活經驗豐富，和教學經驗也不少的成年
人，可是在這種交流或溝通的過程中，所最常見的現象是，
「講的人」似乎就理直氣壯的把自己比做是學校課堂上的教
師；而「聽」講的進修的教師，也就心甘情願的把自己比做
是學校課堂裡的中小學學生。在這種虛擬的氛圍下，「講」
與「聽」雙方這些飽經世故的成年人間的溝通，充斥着酬酢
的形式，卻全然沒有生趣和純真。在這種情況下，想「講」
清楚，「聽」清楚，談何容易？有人仍然認為第二語言教
學，雖已倡導多年，可是至今還是沒「講」清楚，可能正是
由來於此。也許先要打破這種獨重形式的溝通方式，才可能
會有把什麼是第二語言教學講清楚的可能。

　　如果針對「第二語言教學」所進行的講習來說，一九九一年十一月呂必松教授來菲的講學應屬典範。他在那次講學的第一講和第二講中，就分別對於「語言學習」和「語言教學」，做了相當明確的說明。先說「語言學習」，再說「語言教學」，綱舉目張，層次井然，確是個十分理想的安排，足夠把什麼是第二語言教學的問題，講得非常清楚了。如果我們還要挑剔，找些瑕疵。也許只能歸罪於那次呂教授的講學是我們這裡接觸第二語言教學的第一遭，而且參加聽講的人，雖然華語文教師不少，但座中亦不乏深諳語言教學的專家，聽眾的水平參差，取材上或有不易兼顧之處。例如：呂教授在解說「第二語言學習」時，花了不少時間去解釋語言的「形式結構」和「語義結構」，以及「形式結構」與「語義結構」之聯繫的建立，而且還舉了一些頗具體，也頗為生動的實例。然而根據我們對於當前我們的華語教師的素質水平的了解，似乎能夠對於那些解說真正理解的人並不多。再如：呂教授在講解「第二語言教學的性質和特點」時，也花了極多的時間，去比較說明「語言教學」和「語言學教學」的異同，雖然也都能具體的從教學的目的、內容、原則和方法四個方面，頗為深入淺出的詳加比對，可是在那些對於「語言」和「語言學」的了解尚未深入的人聽來，究能理解多少，恐怕還是極難保證的。

　　以上我們所指出來的這些推測和質疑，還可以從呂教授完成每一講的內容講述後的討論內容中來求證。例如：呂教

授在講授部份，已經把第二語言學習和第一語言學習的相同點和不同點，全都相當詳盡的比較說明過，而且還把第二語言學習的過程用實例和圖表表達清楚了。可是在緊接着的討論中，仍有人提出「教完全不懂華語的兒童學華語，如何著手」的問題。也有人提出「該如何鼓勵」那些大多數不想學漢語的學生學漢語，和該不該教閩南話的問題，卻完全沒有人提出與該講次的中心概念——第二語言「學習」直接有關的問題。如果說這是由於所有參與該講次聽講的人，全都對於「第二語言學習」的有關問題，有了通盤的透徹了解，顯然是難以使人信服的。

同樣的，再如呂教授在他那次講學的第二講中，是全力集中於講解「第二語言教學的性質和特點」，「第二語言教學的四大環節」，以及「作為第二語言的漢語教學」這三個重點上，可是在討論中所提出來的唯一問題是：請問呂教授「認為教繁體字好還是教簡化字好」，像這類遠離或無視於「講習」主題的提問，似乎也正反映了參與「講習」者對於「講習」主題的關心程度和理解程度。於此似亦可略窺其講習成效之一二。

從以上說明中，不難了解：今天要想把「第二語言教學」向我們的華語文教師講清楚，就應該先要從正確了解我們的華語文教師在華語文專門知識，和一般學歷的程度上着手，然後才能選定適於他們的程度的材料、過程和方法，去講解第二語言教學是什麼的問題。否則，不論怎麼講，都是

沒辦法讓這些華語教師覺得，是把「第二語言教學是什麼」的問題講清楚了的。在這裡我們並無意對於我們現任的華語文教師的學歷高低置喙，但是我們卻不能不強調，針對華語文教師所舉辦的所有講習，必須面對現實的重要。其實這正如同學校課堂教學的基本原則一樣，不能正確了解施教的對象，就去閉門造車似的，決定教學目標，選定教材、教法和教學過程，當然是不會有什麼真正的實質效果的。

三、華語是全菲中學的選修課嗎？

去年底，曾在一份英文報紙上讀到一則有關教育部將於明年（公元二〇〇〇年）令各中學開設法語課的消息，感到非常驚奇。因為在我的印象中，在菲律濱的法國人並不多，法國與菲律濱的淵源似乎也不太深，菲律濱與法國又離得那麼遠，除了近些年來有些來自法國的投資之外，總覺得讓中學生去學法語，並不怎麼迫切，也不怎麼必要。相反的，在菲律濱的中國人，包括菲籍的華人並不少，中國與菲律濱的淵源既深且久，具有中國人血統的人數幾佔四分之三，而且中國又是菲律濱的近鄰，貿易與投資均極方便，也極需要，而且中國人在菲律濱辦學校教華文華語已經有過近百年的歷史，至今仍有百餘所教華語文的，所謂的華文學校。可是我們從來沒聽說過教育部訂有在中學開華語課的打算，更沒讀到過報紙上有這類的消息，難道我們這裡的中學生學華語的

需要，還低於學法語嗎？還是說華語早已是全部菲中學的外語課程之一了呢？因此，我們不能不認真的在這方面，做些思考，做點檢討。

現在我們不妨先來看看那段中學將授法語的消息的內容和背景。那段消息說，他們是根據教育部、菲律濱師範大學和法國外交部最近所簽訂的一份合約，所做的推測。該合約乃針對菲師大語言研究中心和文理學院一項法語課程所訂立的。該項法語課程為期兩年，係自一九九八至二〇〇〇年，選出學生三十人，接受此項法語訓練，修讀兩年法語期滿後，教育部應負責為他們提供在中學實習及教授中學法語之職位。該段消息並透露，在此項官方合約簽訂前，菲律濱科學中學、馬加地科學中學及奎松市中學已開法語課了。

從這段消息所揭示的一些事實中，已可使我們得到不少啟示。第一，先培養教師再開課是完全正確的。要教法語，就先培養法語教師，當然可能在未來法語教學的成果上增加不少保障。反觀華語教學雖然在菲律濱已有極長的歷史，但始終就沒能建立起一個合理而又合法的華語教師培養的制度來。過去在「華僑學校」時期中正所辦的師範專科學校已是明日黃花。目前中正學院的教育系雖以培養華語文教師為目的，但在課程設計、實習與任用上，顯然都無法與這次菲師大的法語課程相匹比，自然在所培養出來的教師之地位上，也就必會瞠乎其後了。這是百年來菲律濱華語文教師問題始終沒能獲得妥善解決的根本所在，也是華語文教學成效日趨

沒落的主因所在。華僑學校全盤菲化之後這二十多年來的情況顯然更糟。原來的華語文教師雖無適當的培養機構，但至少在華語文教師的任用資格方面，還能基本上維持着一個資格審查和核給教師證件的程序和體制。然而目前的華文學校裡的華語文教師的任用，卻已全無資格之限制，教師任用資格任由各校隨意決定。師資水準空前低落，展望未來，其情況必會因缺乏較完善的師資培養制度，而更難維持華語文教師應有之水準。長此以往，恐怕連華文學校的華語文教師都不易物色，而被迫停授華語文科的教學，又怎敢奢望把華語文變成全菲中學裡的一門外語課呢？

　　第二，師資培養之工作，實在需要有官方的參與，才可能會有較快也較實際的效果。相信這次菲師大的法語師資培養的設計，如果沒有教育部和法國外交部的參與，怕是就不可能這麼順利，這麼有把握。也許若不是由國家所辦的師範大學來推動，可能也不會這麼容易成功。站在華語文教師培養的立場看，如何培養華語文教師的問題，存在已久，但始終未能解決，不能說從未有過官方的參與。相反的，中菲政府一向都十分關注這個問題，可是在基本心態上，不論是菲國或是中國的政府，始終都是把華語文教師的培養看做是純粹屬於中國人的事。這對「華僑學校」時期來說，尚能言之成理，可是僑校菲化後，華文學校已是百分之百的菲校，在菲校中教授華語文，也已經變成了菲國的「內政」，所以中國政府也就在「不干涉他國內政」的方針下，置身事外，似

乎極難有像法國外交部那種積極參與的表現。而在台灣的中
華民國政府雖在主導菲華教育上不遺餘力，可惜又因始終總
跳不出「僑教」這個小圈子，做起事來自然就綁手綁腳，最
後也只能在形式上虛晃幾招，根本也發生不了什麼大作用，
成不了什麼大氣候。看看法國外交部的作爲，能不汗顏？

　　第三，華語文的教與學都不能再墨守成規，至少必須先
從觀念上，突破「只爲中國人而教華語，是中國人才學華
語」的局限。現在世界上不是有很多不是英國人而拚命學英
文的人嗎？學俄語的美國人、學華語的俄國人、學法語的德
國人、或是學日語的菲人，不是都很多嗎？身爲弘揚中華文
化的華語文教師，爲什麼不能開放心胸，把優越的中華文化
獻給世界各國的人民來分享？爲什麼老是執著在讓炎黃子孫
不要「變番」，不要數典忘祖的老觀念上？全球化、地球村
的流行似乎並未對我們產生多少影響。中國這個文明古國的
保守傳統，一時不易擺脫倒還容易理解，可是一向深受美國
影響的菲國，本有民主的進步思想，可是在外語教學上卻不
能用對待法語教學的明智態度，來處理華語教學的問題。應
該怪華語教學工作者和中國政府缺乏積極行動呢？還是該怪
菲國教育部對華語教學有些「歧視」的傾向呢？值得深思。

四、「教學」淺釋

　　在我們這裡，一談到「教學」，就會馬上聯想到教學方

法或教學法的問題。例如：談到華文教學，就會想到華文教師教得好不好，會不會教；於是談到教師進修，也會期望其重點集中在教學方法的學習和改進上。原則上說，這也是不錯的，可惜把整個的教學問題，或是華文教學的問題，僅只局限在「方法」上，自然也不免偏頗；而且更由於長期獨重方法，乃至技術層面的探索，反而對於「教學」上有關教者、習者、教材、教學目標、教學成果等重要因素，卻拋諸腦後，極少重視。其實，這正是當前華文教學上問題重重，困擾不斷的根本原因。易言之，要想真正解決當前華文教學上的種種困難與問題，就要從澄清「教學」的真正涵義入手，否則，捨本逐末，必將徒勞無功。

　　那麼，究竟什麼是「教學」呢？僅從字面上來看，就會知道，教學這個概念，至少包括了「教」與「學」這兩件事，通常我們都會認為：「教」是教師的事，而「學」是學生的事；這也就是說：教學就是教師教、學生學，這顯然是把「教」與「學」兩者間的密切關係給否定了。因此，教師只管「教」，不管學生「學」，所以教師可以很會教，教得很好，但是被他教的學生卻可以學不好，甚至什麼也沒學到。面對這種結果，教師只會把全部責任推給學生，怪學生不用功，不用心聽，或是程度太差。至於為什麼教師那麼會教，教得那麼好，學生卻學不好，什麼也學不到呢？為什麼學生會不用功，不用心聽講？為什麼會程度太差？這一連串的問題全無人過問，連站在教學第一線的教師，也往往只會

視若無睹，或竟感慨嗟嘆，束手無策。何以至此？一言以蔽之，誤解了「教學」。

此外，由於教師只重視所謂「教」的部份，所以在課堂上，教師就會把「教」看做是提供資訊或知識，而滔滔不絕，傾囊相授，於是教師自然要學富五車，而學生則僅能全神貫注，照單全收，除了死記死背，也來不及主動思考，常是生吞活剝，囫圇吞棗，當然這都不能算是教學。而且這種教師「給」，學生「受」的方式，也全然不合乎經濟原則，因為不論教師或是學生，大家都付出了過多的代價，而收穫的卻又太少。而現在科技發達，資訊或知識的來源極多，諸如報章雜誌、書籍、電視、廣播、錄音帶、錄影帶等，無不具有較教師更大更有效的提供資訊和知識的能力。由此可知，在這種情況下，我們仍然堅持重用課堂教授的方式，必定有其緣由。邢就是我們早已發現真正的教學，必須是雙向的，也就是說：教與學是互動的，相輔而行的。近世以來所倡行的「教師要想知道應該怎麼教，就要先行了解學生怎麼學」的說法，正是植基於此。

總之，所謂「教學」必須「教」與「學」兼顧，而學生「學」才是目的，教師只是有目標、有計劃、有內容、有方法的去幫助或輔導學生學好學會；而教師協助學生學的歷程，便是教學。不過，其間牽涉之因素與問題甚多，尚須進一步探討。

五、學校課堂教學淺釋

「學校課堂教學」這個概念，乍看起來似乎顯得十分累贅，可是只要仔細想想就會發現，這樣指稱，還是非常必要的。一則由於教學活動處處都有，並不限於在學校裏，例如：在家裏父母可以教孩子學着如何與家人相處，在教堂裏的傳教士教人們學着了解宗教等；再則學校裏的教學活動也並不限於課堂上，例如：在運動場上教師教學生如何遵守運動規則，在聯課活動中教師教學生如何與別人分工合作等。由此可知所謂「學校課堂教學」是僅指在學校裏的課堂上所進行的教學活動說的。不過「學校課堂教學」總歸還是「教學」和「學校教學」的一部份，所以要想了解什麼是「學校課堂教學」，就要從了解什麼是「教學」？什麼是「學校教學」？甚至於什麼是「課堂教學」？這些問題上下手，然後才能釐清這些有關的概念，真正掌握所謂「學校課堂教學」的真義。

首就什麼是「教學」這個問題來看，相信大家都能理解「教學」是「教」與「學」的互動過程，可是通常人們都容易把重點放在「教」上，無形中卻會忽略了「學」在「教學」中應有的重要地位，因而滋生了許多弊端。例如：在過去我們所肯定的「教師權威」與「教材中心」的課程設計，形成了單向的活動，教師要具有豐富的知識，始能提供正確

而又足夠的資訊，學生極少有主動的思考與探索的學習活動，教學效果自難理想。因此，現代的「教學」已逐漸揚棄了要學生去遷就教師的辦法，而產生了以學生或學生活動為中心的「教學」，主張教師要尊重學生的經驗與能力，強調學生主動學習的興趣與需要，把「教學」看做是教師與學生間雙向溝通的活動，認為「教學」就是教師幫助學生學習的過程。當然可取之處甚多，不過如果只是一味的強調學習者的主動性，甚至把全部的教學活動全都放在學習者的意願與興趣上，也常會事倍功半。運用廣播和電視等大眾傳播媒體來進行教學，不易產生立即的教育成效就是最顯著的例子。尤其是對於尚未成年的孩子來說，我們更不能只是等待他們的興趣與需要，因為我們所需要的「教學」，必須是具有明確的教育意義的「教學」。這也就是說：教那些該學的內容才叫「教學」，教那些不該學的內容就不能叫「教學」。更具體的說：教人學好、學對的才是「教學」，教人學壞、學錯的就不是教學。但是問題往往發生在這些價值上的要求，與學習者的學習興趣或意願兩者間的衝突上。大家都知道學習者具有較強的學習興趣或意願，教學效果則較大，強迫學習者去學他不感興趣的事物，效果必會大減。然而如果孩子有興趣學，或喜歡學，願意學的，並不是我們認為他們該學的；而我們認為他們該學的，卻不是他們有興趣學的，或喜歡學，願意學的，那又該怎麼辦呢？格外是處在這個資訊科技十分發達的現代社會裏，孩子們能夠接觸到的資訊太多，

而且也太容易接觸到各種資訊。儘管我們明顯的標出「兒童與未成年者不宜觀賞」，須在父母輔導下觀賞，或設計出過濾不良資訊之軟體來，但在實施上仍會力猶未逮，效果難彰。可能這正是「學校教學」日趨重要的地方。

　　但是什麼是「學校教學」呢？簡單的說：所謂「學校教學」至少要具備以下兩個基本的必要條件：第一、「學校教學」必然是符合教育意義的，價值導向的。也就是說，所有在學校裏實施的教學，都必定是教「該」教的和學「該」學的內容和材料，用「該」用的教法和學法。因此「學校教學」不論在教學內容或方法上，都是依據既定的價值標準來選定的。而這些選擇也都是按照學校教學的對象——未成年的孩子的實際狀況和條件為導向的。也就是兼顧到社會與孩子雙方之需要的。不過，遺憾的是近代的社會與家庭，對於學校教育的期望過高，學校對於這些期望也許諾的過多。結果諸如社會安寧、環境保護，納稅義務，乃至家庭計劃等問題，全都被擠進了「學校教學」的內容，而學校教學的時間有限，往往會力不從心，何況還有些內容並不甚適合教給未成年的孩子。因此，近年來逐漸又有了重新回到着重基礎教育的呼聲，讓「學校教學」能夠真正做些該做的事，能切實做到符合教育意義的要求。第二、「學校教學」必然是有計劃、有組織、有制度、有方法，並且要有具體成效的。也就是說，「學校教學」必然是以未成年的孩子為對象，有計劃的把一批學有專長的專業教師組織起來，去選定適當的教學

內容與方法，依既定的計劃去實施教學，並須於原定的制度
與時限內，達成預期的教學目標才行。「課堂教學」就是典
型的「學校教學」。

所謂「課堂教學」，雖然有其無法克服的限制，但由於
是在周詳的計劃下進行的，所以仍然有其一定的成效與價
值。通常學校裏的課堂教學都要求寫出具體的教學計劃來，
而且又是分為若干不同學科，分別計劃的。如以華語文科為
例，無疑是說，學校裏的華語文科的課堂教學，就該按照事
先既定的教學計劃來進行。談到教學計劃也該是完整的，不
能是片斷支離的。所以學校裏的華語文教學就要先有個全盤
的計劃，例如從小學一年級到中學四年級的華語文教學計
劃；進而據以寫每個階段，每個年級，每個學期，每個單元
的教學計劃，最後落實在教師每堂課的教學計劃（或稱教
案）上，這樣才能有真正的「學校課堂教學」。

六、課堂教學計劃的基本原則

課堂教學不能沒有計劃，這是勿庸置疑的。可是究竟該
如何擬定教學計劃，格外是每堂課的教學計劃，卻有許多不
同的說法。根據我們華文學校目前的華語文教學實際狀況
言，由於似乎從未脫離過去所謂「教務」與「訓育」業務分
工的舊傳統，總還是把教學劃入「教務」的領域，所以課堂
教學計劃的擬定，自然就不必多考慮所謂「訓育」的問題。

久而久之，課堂教學計劃的重點也就順理成章似的，全都集中在教材的安排或充實上。後來又加上了「教學方法」的考究，然而所謂的「教學方法」，卻往往都是從教師的方面去要求的。擬定課堂教學計劃時，當然就會把全部精力放在教材的充實與準備上，偶爾只在形式上註明一下所用的「教學方法」的名稱而已。至於有關接受教導的學生方面，就沒有多少時間和精神去注意了，所以結果就會把教學變成了教師表演的獨腳戲。連一些具有示範性質的觀摩教學，也常把學生當做「活道具」，在教師事先安排好和演練好的條件下，做些機械式的配合，藉以突顯教師表演的精彩。教學的意義卻必然會因而大打折扣，甚或意義全失，實在是得不償失。近年來，不少人開始重視「教室經營」（CLASSROOM MANAGEMENT）的問題，但又是以「管理」學生的想法來主導的，亦未能把「教室經營」的理念融入教學，其效果難符預期，自不足為怪。是以於今之計端在謀求對這些缺失的彌補，或許在掌握課堂教學之計劃時，找出一些把「訓育」和「管理」學生的問題，全都納入課堂教學計劃的基本原則，可能會產生些較積極的影響。

　　基於以上這點想法，所以想從「教室經營」的觀點出發，來談談華語文課的課堂教學計劃的基本原則：謹舉其要者如次：

　　一、教師在課前擬定或編寫課堂教學計劃時，應記得為學生提供課堂上足夠的具體明確學習目標的活動，期能使全

班每個人都能在課堂時間內忙於學習活動，而絕不致使任何一個學生感到無事可做。只要學生在課堂上，能於教師之主導下，為教師課前準備好的學習活動而忙個不停，又怎會有精神和時間，再去做犯規或擾亂教學活動的事呢？

　　二、課堂教學計劃應以學生的學習活動為中心，千萬要注意在課堂教學中不能有盲區。也就是說在課堂教學的時間內，每個學生在每一分鐘內，都要有做不完的事。教師絕不該僅止於考慮到教師在課堂上做什麼，而不去計劃好學生在課堂上該做些什麼，能做些什麼。

　　三、課堂教學時間內，安排教師講述和講解的時間要格外謹慎。原則上，教師講授的時間不宜超過全部課時的五分之一。就算在中學階段的課堂教學上，如果由教師不斷地講上十分鐘或十五分鐘以上，學生就會騷動，無法靜靜的聽下去。教師講解雖有其必要與價值，但應集中於關鍵性的要點上，而且也該在運用現代各種教學媒體的前提下進行。

　　四、課堂教學計劃要以了解學生為起點，教師不但要了解全班學生的一般能力、興趣與需要，還得了解全班學生中的個別差異狀況。教師要根據這些資料和知識，才能為學生規劃課堂上的學習活動。不但要提供適合於學生的學習材料、過程和方法，還要能保證使他們能知道如何做，做到什麼程度，達到什麼樣的要求和成果。因為全班學生間的個別差異現象本所不免，所以教師就不能沒有個別學習與輔導的安排；小組活動也是必要的。無論如何，教師是不能把一班

學生當成一個人去計劃教學，去實施教學的。

　　五、課堂教學計劃要格外重視學生學習動機的問題。過去在教學過程上格外重視「引起動機」，但是現在我們卻知道動機的引起是遠不如能使學生將學習動機持續下去來得重要。影響學生學習動機的因素甚多，諸如教室氣氛、學習心態、教材、教法、教師的專業素養等，都是不能忽視的。最淺顯的基本原則是要極力避免千篇一律的機械形式，所以教師在課堂教學中應設法尋求生動的變化，針對課堂上的學生的實際狀況，多方設計和行動才行。

　　六、課堂教學計劃應將課堂教學與教室常規相配合，並進而相互結合為一體始可。教室常規多屬規範學生在教室內行為所必需，課堂教學必須隨時遵行並加強其效能，教師更可運用課堂教學之時機，鼓舞學生自動自發與自律的精神，使成為教學活動的助力，讓學生做學習的主人。

　　七、課堂教學計劃中應格外重視學生作業的設計、指定與實施。學生作業之種類或方式並不止一種，但不論是在課堂上做的，或是在課後帶回家去做的，都要讓學生能全然了解作業的內容、方法、過程、步驟，以及預期的要求或結果。顯然這些都是需要教師在課堂教學計劃中仔細的用心思考才能決定的。例如近年來有些人提出在華語文課上，要採用「精講多練」的辦法，但是該「精講」些什麼，怎麼「精講」，和該「多練」些什麼，怎麼「多練」等問題，都是與我們所關心的「教室經營」問題密切相關的，也同時都是與

課堂教學計劃一而二，二而一的事。

總之，課堂教學計劃的目的是爲了使課堂教學能夠眞正達到預期的教學目標。當然無可否認，計劃得好，只是達成預期目標的保障之一，並不能僅依賴計劃。可是在課堂教學計劃上，如果僅着眼於教材的準備，而忽略了學生的反應，顯然是會差之毫厘，謬以千里的。

七、華語文課上該教些什麼？

雖然我們都知道，在華語文的課堂上，該教的當然是華語和華文，但是我們也知道華語和華文所包含的內容，實在是太多太多了，而華語文課的時間又是太少太少了。要想在這麼少的有限時間內，去教那麼多豐富的內容，實在讓我們不能不認眞思考，究竟華語文課上該教些什麼的問題。嚴格的講，這是個極爲嚴肅而牽涉甚廣的大問題，解答起來更非易事，萬萬草率不得。不幸的是我們在這方面一向都做得太差，結果衍生出來許多不該發生的窘況，得不償失，後悔莫及。說是積重難返倒也未必。因爲只要我們眞能痛定思痛，馬上設法補救，仍然是有可爲的，謹提管見如次：

首先我們認爲要想解答「華語文課上該教些什麼」的問題，必須要先弄清楚兩項前提：

⑴我們必須先承認，在這裏教華語文是把華語文當作外國語文來教的。這些年來很多有識之士不斷在宣導用「第二

語言教學」的觀念，可是實際上能夠眞心認同這種主張，而且又能眞正按照這種主張的要求去教華語文的人，究竟有多少卻難斷言。如果華文學校的華語文教師都還不能在這方面取得相當程度的共識，那麼在解答「華語文課上該教些什麼」的問題時，也只能是紙上談兵。目前我們所面臨的困擾正導因於此。

　　(2)我們必須確信語文科目的教學目的，不但要學生知道，而且還要學生會做；不但要會做，而且還要眞正做到；不但要眞正做到，而且還要能從中得到成就感和滿足，願意主動的不斷的做下去。具體的說，教華語文並不是教會學生知道華語文的讀法、寫法、用法，而且能使學生眞的會讀、會說、會寫、會用華語文，還要能使學生喜歡說華語、讀華文、用華語華文，而且會因而覺得自己通華語文是件值得驕傲的事。如果我們的華語文教師連這些最基本的信念都沒有，自然對於華語文課上究竟該教些什麼的問題，就不可能眞正關心，更不可能去重視了。關心和重視這個問題的人少了，問題當然就會越來越嚴重，再想解決都怕太遲了。

　　其次，我們認爲應該先回顧一下，這麼多年來，我們的華語文課上都是教些什麼的？因爲現在華文學校裏所謂的華語和華文這種課，實質上都是延續過去華僑學校裏的「國語」和「國文」而設的，所以所教的大致上也都是一仍舊貫，沒有多大改變。最多也不過是教得簡單些或是淺顯些而已。有些華語文教師更直接了當的說，華語文課上該教些什

麼，全然決定在學校選用的課本上，課本上寫什麼，教師就教什麼，這也可算是最忠實的反映。不過客觀的說，課本雖曾更換過，但實質上卻從未改變過「認字讀書」的那種中國教育傳統。要教「認字」才能教「讀書」，「認字」當然是最基本的，但是該怎麼教認字呢？那就要教近兩千年來所教的字形、字音、字義，而且所教的這些內容的重要性，幾乎也全是按這個順序排列的。也就是說最重要的是教字的形體，其次教讀法，最後才教字的意義。所以直到今天，絕大多數學華語文的學生，都能把所學過的中國字「畫」出來，也能憑着注音符號讀出來，至於那個自己會「畫」出來，也會讀出來的中國字究竟是什麼意思，則茫然不知。顯然這都是由於我們一直把華語文這門「外國語文」的課，當做「本國語文」來教的必然結果。真不該去責怪那些學華語、華文已經學得夠辛苦了的學生。

　　至於第二次世界大戰結束後，隨着促進國際間相互了解之要求而興起的，教外國語文要教聽、教說、教讀、教寫作的基本主張，能對我們的華語文教學產生些較為具體的影響，也不過是近十來年的事。然而實際在教華語文的課堂上，究竟該用什麼材料教聽、用什麼材料教說，卻漫無頭緒，甚至是一片空白。在教讀和教寫作的材料方面，表面上看起來像是無虞匱乏，但如何與教聽和教說的材料，做整體而又有機的結合，我們似乎就從沒想到過，又怎能侈談問題的解決？因為根本上這是教材取捨與編寫的問題，也是所謂

課程發展的問題。所以要解決這類問題，必須要有全盤的了解與規劃，而且做這些事的人，也必須要有各項有關的專門和專業的基本知識與素養。絕不能像我們這樣，任由一些中文根基差，對中國語文學習、兒童語言發展、以及教育心理和教育學理，也都全不具備合格背景的人，去草率從事。

　　最後，我們願針對當前的實際需要，就華語文課上該教些什麼的問題，提出三點較為具體的，也較為原則性的意見就教於大家。

　　⑴從孩子開始學華語就該教「字義」。教「音」不同時教「義」，如同教孩子練習無意義音節，全無語文教學的意義與價值。連去年新出版的，僑委會發行的菲律濱版新編華語課本首冊，都還是把教注音符號當做學華語的第一步，完全忽略了在我們這裏教讀音該跟孩子能了解的「字義」相結合的重要。只教「注音」，不教「語音」，當然是錯的。因為注音只是無意義音節，語音才是有意義的音，也才是語文課上該教的。

　　⑵從孩子開始學華語就該教「聽」。要知道教師在教室裏對學生講的話，就是學生學聽最主要的內容，所以教低年級華語的教師必須具有高水準的說華語的能力和經驗，不但能在發音上字正腔圓，而且在運用詞彙、語法、句型上也要能中規中矩，切合學生的學習程度、能力與經驗。可惜我們這裏卻是反其道而行，常安排一些華語說不清楚多少句的新進教師去教初學華語的學生。這正證明我們並未重視「教

聽」。

(3)從孩子開始學華語就該教「說」。教語文要從教說話開始，教發音也是爲了教說話。前面提到的那本華語課本首冊，也是從「先教說話」開始教注音符號的，可惜每課所提供的說話教材，不論在詞彙、語法或句型上，都遠遠超出了初學華語的孩子的了解能力，就算憑不斷練習也能說出那些形同無意義音節的種種組合，但是全然不懂自己所說的是什麼，豈不變成了訓練鸚鵡「說話」？又怎會有教語文的意義與價值呢？至於平常的華語文課上，能教學生「說」的機會和時間實在少得可憐，學生學不好華語也就不足爲奇了。不會說當然就不會寫作，也就不會有閱讀的能力和興趣。只有使多數學生學會說自己懂的華語，才能達到教華語文的預期要求。

八、淺談「規準關聯」的教學

所謂「規準關聯」的教學，是從英文的 CRITERION - RELATED INSTRUCTION 一詞直譯過來的。要想了解其眞正義涵，本該從這個概念所以產生的時代背景，和歷史背景上着手的，但是那樣做，卻必會因「說來話長」，而無法在有限的篇幅中，及時提出我們所必須關注的重點。因此，我們姑且先從這個詞彙的字面意義上了解起。

要想了解什麼是「規準關聯」的教學，當然就要先了解

什麼是「規準關聯」。而「規準關聯」中的「規準」這個詞，應用到教育領域中來，是把教育當作是一種科學來進行了解和研究之後的事。起初大家所普遍關心的教育現象是，孩子接受過學校教育以後的實際表現和收穫。通常大家總希望自己的孩子，在接受過學校教育之後，都能出人頭地，至少也該達到一般孩子所能達到的水準，也就是一般所謂的普普通通，差強人意的「中等」。而那些能夠遠超過這個水平的孩子，則被認為是超乎平常的優異或優秀。相反的那些遠遠落後於一般水平的孩子，則會被認為是愚鈍或低劣。後來人們就把這個決定優劣的一般水平叫做「常模」（NORM）凡表現高於常模的叫做「好」，低於常模的叫做「不好」。

　　可是從各地或各國的學校教育的實施經驗中，卻明確的發現，所謂常模，是會因時因地而不同的。從學校教育實施上來看，是會因為學校教育的成功，而提昇常模的水平的。這就是說：學校教育成功的地區或國家的常模，必會高於學校教育失敗或落後的地區或國家的常模。由此可知，常模的高下是與學校教育實施的成敗息息相關的。於是，真正認真實施學校教育的地方或人士，無不在致力提昇其常模之水平的過程上努力不懈。針對本身當前實際之常模的現實，規劃出自己心目中所追求的，最實際的，必須限期達成的具體目標。有人索性把這些目標，看做是在學校教育實施過程中，每個階段中不可或缺的最低要求或標準。舉個最具體的華語或華文的教學實例來說，例如：我們要求讀過小學一年級華

語的孩子，必須要會說出自己的中文名字，或聽懂「你叫什麼名字」這句中國話。這就是小學一年級，華語教學的最低要求或標準。而這類在教學上，預先提出來，要求教學後，必須達成的最低要求或標準，也就是教學實施上，必須如期達成的教學目標，和教學成果或教學成效。這些教學上的最低要求或標準，也正是我們所說的「規準」。

知道了什麼是規準之後，再來探討什麼是「規準關聯」，和什麼是「規準關聯」的教學的問題，自然就容易多了。簡單的說：「規準關聯」就是與「規準」密切關聯，或密切相關的意思。而「規準關聯」的教學，當然就是指與規準密切關聯的教學。更簡捷了當的說，就是指教學必須與「規準」緊密結合的意思。引申開來說，就是指所有的教學都不能沒有規準，教學過程中，要隨時隨地以「規準」為導向，不能忽視了「規準」在教學計劃、進行教學的過程，和評鑑教學成效等活動中的重要地位，更不能不充份了解和把握教學「規準」的具體內涵。嚴格的說，凡是未能確實做到這些要求的教學，都不能算是學校教育上的教學。或者說，學校裡的所有教學，都必須是「規準關聯」的教學。單就華文學校的教育來說，如果華文學校的華語文教學，不是「規準關聯」的教學，那麼我們就可以斷言，華文學校必然會成為虛有其表，名不符實的幌子，白白消耗寶貴的資源，名存實亡的結果，是必然會被時代所淘汰的。但是究應如何力挽狂瀾？實在不能不立刻從了解「規準關聯」的教學之基本原

則上做起。

　　談到「規準關聯」的教學之基本原則，或不止一端，但僅就當前華語文教學的根本問題來看，顯然，針對「規準關聯」教學在教學目標，和教學內容上的基本原則，做番澄清或說明，確是當務之急。不過面對當前華社教育界，習於因循舊章，不務實際，崇尚空名，打腫臉充胖子的不良風氣，要想具體的從華語文教學的教學目標，或教學內容上，去探究其基本原則，根本毫無可能。因此，我們在這裡，也只能提出個極為淺顯而廣泛的原則來，讓我們一起來開始思考。那就是：華語文考試的內容，與華語文教學的內容，重疊的部份越多越好。未知閣下對於這種說法和主張認為對嗎？好嗎？請三思！

九、華語文教學應該「有教無類」

　　「有教無類」是孔老夫子的教育理想，也是這位偉大教師的基本教學態度。相信這是我們菲華社會，格外是從事或熱心菲華教育工作的人，都非常熟悉的事。我們為了崇敬這位舉世推崇的萬世師表，並且也為了發揚孔老夫子終身誨人不倦的偉大精神，所以把紀念孔子誕辰的日子做為教師節，每年舉辦慶祝教師節的活動。其用意不外希望教師們能於歡度自己的節日的時候，也能同時想到孔子獻身教育事業的種種，而知所自勵自勉，實踐孔子的教訓，效法孔子的精神。

可是實際上，每年教師節所最常見到的，卻是頒獎、聯歡、摸彩一類的熱鬧場面；鮮花、禮品、敬師金，都比行禮如儀的慶祝大會來得更受歡迎。至於孔老夫子的言行、教育主張和學說，教育理論和理想，早已束諸高閣，乏人聞問久矣。所以連「有教無類」這麼基本的教育主張，都變成了人云亦云的空洞口號。而且還有人說，在今天的華文學校的華語文教師中，連不知道孔子是誰的都有，更不用說，要他們去了解什麼是「有教無類」了。這實在是對於我們菲華教育的一大諷刺。因為我們認為，我們在這裡辦華文學校，教學生學習華語、華文，並不是僅只為了要讓華人子弟，學會說幾句中國話、認識幾個中國字而已；而更重要的卻在透過華文學校的設立、和華語文的教學，來讓更多的人能夠有機會去接觸、了解、及體認中華文化的內容與價值，並且同時還可以因此將這裡的華人結合在一起，成為宣導和發揚中華文化的核心力量。孔子的教育思想堪為中華文化精華的代表，華文學校的校長、主任，和全體華語文教師們，都必須深切體認孔子的教育主張和思想，並且還要身體力行的，把孔子的教育理念明確的落實在華語文的教學上。我們主張華語文教學應該「有教無類」，就是着眼於此。要說明我們為什麼這樣主張，就必須先從了解什麼是「有教無類」談起。

　　「有教無類」一語見論語衛靈公：「子曰：有教無類」。一般的解釋是施教不分對象的意思，也就是教學絕不會因施教的對象的不同，而予以不同的待遇的意思。用現代

的話說，就是指教師應該對於所有的教學對象（學生），全
都一視同仁，平等對待，無分厚薄。更時髦些的說法，則是
指對於任何一個學生，都不能因為其貧富、貴賤、智愚、乃
至性別、種族、宗教信仰等之差異，而有所歧視。可是看看
今天西方主導的社會，雖然不斷的高唱平等和人權，反對歧
視，可是他們所關心的，卻往往僅止於性別和種族兩方面，
在教育上力斥性別歧視和種族歧視，但對於學生的貧富、貴
賤、智愚、以及宗教信仰，卻有意或無意的有所輕忽。例
如，至今他們仍然可以理直氣壯的去辦些專收富有人家之子
弟的貴族學校，也可以同樣的氣勢去精挑細選的去辦所謂知
性貴族（INTELLECTUAL ELITE）的精英教育。宗教信仰上
的歧視更是所在多有。這比兩千多年前，中國孔子所說的
「有教無類」豈非落後甚多。可惜我們在西方文明的優勢
下，盲目的認同西方的說法和做法，卻將自己本該萬分熟悉
的孔子主張拋諸腦後，或竟不明就裡，只當口號來喊，實在
是愚不可及的。也許這也正是今天我們的華文學校，在華語
文教學上的成效，一年不如一年的真正原因。至少我們該深
信，只要我們的華語文教師，真正能夠了解孔子所說的「有
教無類」的道理，確實在華語文教學的課堂上實踐，我們那
些學習華語文的學生們，必定會在學習華語文的興趣上，動
機和態度上，甚至學習成效上，就都會有顯著的改善。

　　那麼，華語文教學如何進行才是「有教無類」呢？簡單
的說，這全得靠華語文教師對於「有教無類」的了解，和在

教學上的認真實施。相信只要每位華語文教師，真能做到絕不歧視任何一個自己所教的學生，同等的去關懷、協助、輔導、和尊重每一個自己所教的學生，「有教無類」的精神就必然會落實在華語文的教學上。具體的辦法是要從每位華語文教師在自己的教學上進行反省、檢討和謀求改進開始。首先教師先要認真反省自己在教學上，對於學生的基本態度，例如：是否經常認為太多學生的華語文程度太差，不用功、不專心，不知上進，有負教師諄諄教導的一片苦心？甚至有時還會感到不堪造就的學生太多？如果確有這樣的感受，那就得好好留心調適，因為這正是形成教師歧視學生的根源。再如：自己在教學上，是否有心目中所偏愛的或格外喜歡的學生？如果有，就該進一步去反省那是如何形成的？原因何在？我們該知道教師對於某些學生的偏愛，相對的就是造成對於其他學生產生忽略乃至歧視的主因。不少教師在課堂上的教學，常會僅只關注在幾個自己所喜歡的學生身上，對其他同坐在一個教室裡聽課的學生，卻可能全不關心他們的感受，對於他們的反應，不是視若無睹，就是深惡痛絕，顯然這都是極不公平的態度。其實教師還能更深入的去找出自己偏愛某些或某幾個學生的原因，如：是否因為那些自己格外喜愛的學生，對教師特別奉承順從？或長得好看？或是家世顯赫多金？或伶俐乖巧？還是因為教起來容易，可以省心省力？或是因為那些學生較能或較易滿足其教師的「優越感」和「權力慾」呢？如果不幸，教師確是由於這些不正當的理

由，而僅只去關懷和教導少數自己所喜愛的學生，實無異於對於其他學生的歧視，當然是不合乎「有教無類」的精神的，也是我們所極力反對的。但願我們的華語文教師都眞能平等對待、平等關懷教導每個學生，所以我們說：華語文教學應該「有教無類」。

一〇、「因材施教」的根本問題在哪裡？

所謂「因材施教」，不知道是從什麼時候起，就已經成爲我們教育界所公認的一項金科玉律了。但是到底什麼是「因材施教」？說法卻很多，也很不一致，好在所有的說法，幾乎全都是持肯定的、推崇的、積極的立場的。前些日子在世界日報看時局專欄上，讀到投石的「要因材施教，不要墨守成規」的文章，他給「因材施教」的說明是：「因材施教，即按照教學對象，根據其能力和需要進行教學」。老實說，給「因材施教」做界說，最易產生困擾的就在「材」這個字上，顯然投石先生是把這個「材」字解釋爲教學對象的能力和需要的。放在今天的學校教育制度中來看，我們從來都是依據學生的能力和需要來分階段、分年級施行教學的。例如我們分托兒班、幼稚園、小學和中學等階段，並且在各個階段又都分別區分爲一年級、二年級等不同的年級，基本上我們都是根據學生的能力和需要來區分的。因爲我們相信同年齡的孩子的能力和需要，大體上是相同的；所以我

們才把同年齡的孩子放在同一階段的同一年級來教學。今天我們華文學校的華文部，實際上也是採用這種辦法的，難道這不正是遵照「因材施教」的原則嗎？不過客觀的講，每個人都知道，事實上同年齡的孩子的能力和需要並非必然相等或相同，學校教師在這方面的體認尤其深刻，所以不少教師都極力主張學校採用能力分班的辦法。理論上說，是為了更能符合「因材施教」的原則，實質上卻只是為了教師教學上的方便。至於能力分班的辦法是否也有利於學生的學習，確實難得會有教師去關心和思考，橫豎好班、壞班這種分法，會受害的必定只是學生，絕對不會是教師。因此，在理論上對於能力分班的辦法爭議雖大，但是卻不易獲得教師和學校當局的重視。對於那些反對能力分班的聲音，「因材施教」反而變成了最有力也最有效的擋箭牌。

也許有人會說：直至目前為止，華文學校的華語文教學並無真正採用能力分班的，最多也只是開辦些屬於補救性質的「特別班」或「加強班」而已。當然事實上也確是如此，不過如果我們去看看今天華文學校裡，華語文課堂教學的實際狀況，就會發現在我們的華語文教師中，全然無視於「因材施教」這項大原則的固然不少，但有意或無意的，片面奉行着「因材施教」的原則的卻更多。例如：幾乎每位華語文教師，都會在自己所教的班上鑑定出幾個或一兩個「尚堪造就」的「材」來，刻意教導，而對某些學生則判定為只要強制其死記些死課文、死材料就已經算是不錯了的庸「材」。

被劃入不堪造就的「材」的，任其自生自滅，不予教導的就更多了。難道這種做法，也可以美其名被叫做「因材施教」嗎？要知道，我們今天的華文學校裡的華語文教師，普遍的素質並不高，真正的專業教師更是絕無僅有。絕大多數的華語文教師，甚至所有的華文學校當局，似乎全都認定要孩子學華語文，就只有進華文學校這一條路，要學華語文也不能不過華語文教師這一關。因此，每位華語文教師都具有「一夫當關」的優勢地位，學華語文的學生學華語文的成敗，和他們的家長的榮辱命運，似乎也不能不全操在這些「一夫當關」的華語文教師手裡。於是「因材施教」就變成了這些教師的冠冕堂皇的藉口，理直氣壯的找些或製造些證據來判定學生是哪種「材」，該接受哪種待遇和教法。學生和學生家長是不會有什麼置喙的餘地的。學生苦苦哀求自己的父母，同情他的悲慘處境，恩准他放棄學華語文，或是在學生家長忍無可忍的情況下，一怒而讓孩子放棄學華語文的個案，也屢見不鮮。難怪近世以來，不少人反對學校教育制度，認為學校正是製造人為的不平等的地方，而製造這種人為的不平等的罪魁禍首，卻正是那些全然不具備教師專業資格的教師。這怎能不使我們在高唱「因材施教」的時候，要對決定教學對象的「材」的問題格外審慎，格外警覺呢？

　　簡單的說，如果我們真的認同並且願意按照「因材施教」的原則去進行教學，就必須在所謂「材」的認定上，仔細考慮清楚。就算我們把所謂「材」的概念界定在學生的能

力與需要上，也還是得認眞推敲，所謂的學生的能力究竟該以什麼來代表。至少我們不該一味相信人們能力的高下，全都是來自於先天的。根據現代科學心理學的研究，過去我們確曾有過迷信智商（Ｉ・Ｑ）的瘋狂時期，可是早在六七十年前，心理學的研究已經證明人們用來測定智商的智力測驗這種工具，在理論上就站不住腳，而且在測定的內容上，也有絕大部份都是後天學習的結果。同時心理學的研究也已證明，除了極爲少見的處於所謂「上智」與「下愚」這兩個極端的個體之外，每個孩子都具有學會任何事物的潛力，這些潛力能否充份實現或發揮出來，又都決定於孩子所接受的教育是否適切。這也正是大教育家杜威所指出的，世間並無教不來的學生，只有不會教的老師的道理。如果把這些道理運用在華語文的教學上，就是說：每個孩子都有學會華語文的潛能，但能否眞正學會華語文，就全得看他是否能遇到個眞正會教的老師了。由此可知，把孩子不同的遭遇所造成的不同的學習結果，看做就是孩子的能力，就代表這個孩子的「材」的優劣或高下，當然是不正確，也不公平的。這也就是說，「因材施教」或有其可取處，但其根本問題卻發生在如何確定何謂「材」，和如何判斷「材」的高下或優劣上。所以專業的教師在運用「因材施教」的原則時，是會以孔老夫子所訓示的「有教無類」爲前提和基礎的，凡我華語文教師實不可不知，不可不愼。

一一、「華語課難上」，怎麼辦？

前些日子，讀到劉伯「當教師難」的專欄文章上說，當教師「至少有四難」，「其二是上課難。特別是華語課難上。按老辦法上，學生水平接受不了，怎麼教也教不會。又不能打不及格分數，就抄幾個問題，讓他死記硬背吧，社會家長又要批評說，讀了十幾年華語，卻連一句話也不會說。說是有新教法，第二語言教法，那又是什麼呢？以前聽也沒聽過。第二語言教法是怎麼上的？誰也沒說具體？何去何從？做了幾十年老師了，從來也沒有碰到過這麼難的難題」。相信這段文字確實在忠實地反映着今天若干華語教師的心聲。的確，「華語課難上」，但是該怎麼辦呢？總不能不積極的想想辦法。好在文中也具體的舉出了一些「華語課難上」的難點，我們不妨就針對文中所舉出來的這幾個主要難處，提出些粗淺的看法，至於能否用來真正克服這些困難，卻似乎仍待推行華語文教師在職進修活動的諸大德專家亮察。

先說「按老辦法上，學生水平接受不了，怎麼教也教不會」的問題。什麼是「老辦法」？該文中雖未明確的說，但從其上下文中看，似乎是指與「第二語言教法」相對待的第一語言教法說的。或是指與所謂的「新教法」相對待的「舊教法」說的。如此看來，所謂「老辦法」該是指過去所用的

教第一語言的「舊教法」說的。可是該文卻說：「學生水平
接受不了，怎麼教也教不會」。顯然所謂的「老辦法」，並
不是只指狹義的「教法」的老舊，而是還包括教材的難易在
內的。因為與「學生水平」是否接受得了的主要因素，常是
教材的難易，而不是在於「教法」的新舊。由此足見，「按
老辦法上」確實是行不通了，應該立即揚棄，另尋現在「學
生水平」接受得了，能把學生教會的「辦法」。而最重要的
切入點，似乎就是華語課上的教材和教法的改變了。不過教
材和教法的改變仍然是需要從正確了解「學生水平」開始。
其實根據「學生水平」去選擇教材，決定教法，原本就是
「老辦法」，並不是什麼新花樣。其關鍵僅在於華語教師是
否真正能夠正確了解並掌握教育的意義，和教學的基本原
理。否則「老辦法」在過去也不該會有什麼效果。

　　其次則談到「又不能打不及格分數」的問題。認真的
講，我們必須先要了解，華語教師為什麼「不能打不及格分
數」？而且事實上華語課得不到及格分數的學生不是也很多
嗎？筆者就曾見過某華文學校，華語課不及格的學生，普遍
的都比其他學科不及格的人數來得多。相信「不能打不及格
分數」絕不是格於學校的規定，最多也只可能是些心腸較
軟，和些較為重視教學原理的教師間的默契。而且這些默契
形成的緣由、動機、背景也是千差萬別的。其中較為成熟的
看法是，認為給學生個分數只是形式，實質上並沒有任何一
個學生真學會了，及格與不及格並沒有什麼不同，給學生不

及格分數，旣無必要，亦無公平公正可言。當然這仍然是十分消極的看法，在我們這個普遍極端重視學生分數的社會裡，每個學科的教師都更該格外嚴肅的去了解「分數」的意義與價值。並且竭盡所能的去善用「分數」這個在教學過程上，最具影響力的誘因。分數、考試、考試命題、教學效能等，都是教師必須深入了解的課題。

再其次則談到「抄幾個問題，讓他死記硬背」，「社會家長又要批評」的問題。老實說，「抄幾個問題，讓他死記硬背」的「辦法」，就算沒有「社會家長」的「批評」，教師也該知道自己那麼做是不對的，也是不應該的。大家都知道「死記硬背」正是我們今天華語課教學上的致命傷，不論任何理由，教師都不該讓學生「死記硬背」。因爲誰都知道「死記硬背」不但根本沒有什麼教育意義，而且連半點教學的性質都沒有，這種最淺顯的道理，沒有人不懂，是用不着多做說明的。如果教師眞個是採用這種「抄幾個問題，讓他死記硬背」的「辦法」，實在是極不負責任的，如果還把「社會家長」對這種「辦法」的不滿，當做是當教師的難處，實在是有悖常理的。如果華語教師的「水平」果眞也如此，又怎不使致力於教師在職進修的當局警惕？

最後談到有關「第二語言教法」的問題。的確，「第二語言教法」對於我們這裡的華語教師來說，算得上是「新生事物」。「以前聽也沒聽過」的人該不會少。就算最近聽說過的，但仍然弄不清楚「第二語言教法」是什麼的人，也必

然會有。「第二語言教法是怎麼上的」？也許並非是「誰也沒有說具體」，而是眞能說具體的人並不多。回顧我們這裡的「第二語言教法」在華語教學上的應用，如果從一九九一年十一月，呂必松教授應邀來菲講學，把第二語言的教學理論和教學實踐介紹給我們算起，到現在也已邁入了第九個年頭。可惜在中國國內深諳第二語言教學的專家本就「供不應求」，所以能夠約聘到眞正富有第二語言教學實際教學經驗的專家，到我們這裡來，把「第二語言教法是怎麼上的」說具體的機會當然不多。好在呂必松教授已經給了我們一個極好的開始，而且他那次講學的講稿，也已經編印成書，書名是「華語教學講習」，由北京語言學院出版社出版發行，有心改進華語教學的教師，眞該仔細而認眞的去讀讀這本書。主導華語教學的華文學校當局，更該重視這本極具啓迪作用的著作，設法協助校內所有華語教師，去具體了解該書中的基本框架和精神，並鼓勵華語教師把該書中的某些重要的觀念、學理和方法，試着在自己的華語教學課堂上，去運用、去印證。甚至校聯在舉辦暑期教師講習時，也該以該書爲參考，去舉行眞正的教師研討，讓實地從事本地華語教學工作的教師，能夠有個把教學理論與教學實際相結合的眞實體認。讓「華語課難上」的問題，能多獲得一份解決的契機。

一二、「教學進度」帶來的問題

　　從很久以前起，華文學校裡負責教學行政的教務處，就都會有在每個學期，或每個學年開始數週內，要求教師確定或填妥全學期或全學年教學進度表的規定。也有些學校各年級的教學進度都是由教務處擬定的。從這些教學進度表的內容來看，倒也簡單明瞭，差不多都是根據當時所使用的教科書來填寫的。習慣上也都會按照學校定期考試的次數，把要教的課數平均分配在各次考試的階段裡，也就是事先規定好每個階段所該教完的課數。有的更明確規定下來，各個階段該教完哪幾課，不得任意變更，這個辦法在過去確曾發生過不錯的效果。可是沿用至今，填具教學進度表的好處，似乎越來越少，常見到的卻是「教學進度」所帶來的種種問題，爭議時起，實應及時檢討，早做因應，否則教學進度表的填寫必將淪於形式，無助於教學之實際。

　　如果針對我們當前的華語文教學的實際需要來看，也許我們最該馬上檢討的就是去徹底澄清一下，所謂「教學進度表」的性質和實質意義。具體的說，「教學進度表」本該是學校裡教學計劃的一部份，或是某種層次的教學計劃。大家都知道，學校裡的所有教學活動都必須要在有計劃的規範下進行。「教學進度表」正是這類的規範，形式上容有繁簡之不同，但目的上卻均在求實用。就華語文教學來說，「教學

進度表」是根據學校實施華語文教學的整體計劃而擬定的。
也是教師教學華語文的基本依據。例如：教師編寫教案進行
教學時，就要在教學目標、教學內容、教學時間分配上，與
「教學進度表」的種種要求充份配合才行。可惜我們今天所
沿用的「教學進度表」，往往缺乏以學校實施華語文教學的
整體計劃為依據，而「教學進度表」的內容又過份簡略，對
教學目標、教學內容等要項均未觸及，對教師編寫教案進行
教學並無實質上的幫助。唯一關心的僅在時間的分配上，於
是每個學期或學年末，教師「趕進度」的問題就成了規定教
學進度的後遺症。教師趕著把規定要教的課數教完，可能並
非最大的困難，最值得耽心的是學生在這種「教學進度」
下，是否真能學完。

　　如果更深入去看，教學進度是根據教科書擬定的，目前
我們所有的教科書，不論用哪一套，都無法按時把全本書教
完。選幾課來教是最通用的辦法，然而要根據什麼標準或原
則來選？似乎又毫無共識，任意來選又怎能去思考有關教學
目標與內容的問題呢？例如：六年小學共有華語課本十二
冊，每冊只能教一半或不到一半的課文，試問又怎能達到讓
小學生六年內學會一千個中國常用字的目標呢？太多常用字
都沒教過，又怎能侈談華語文的程度呢？

一三、淺說教學上的熟練原則

　　前年底，曾在本論叢第四十二期發表的那篇「學華語應求熟練」的短文上，提到上個世紀初，美國教育心理學家THORNDIKE 所提出的「練習律」，和美國芝加哥大學教授MORRISON 所提出來的「熟練公式」，並且用以說明學華語應求熟練的道理。認爲強調「學」華語應求熟練，也就是強調「教」華語應求熟練的重要和必要。文末更說：「理論的透徹了解才是實施成功的保障」，但限於篇幅，所以並未詳述。本文就是接着那篇短文的觀點，從理論方面去談一談熟練原則在「教」與「學」上的基本問題。

　　在此應該格外說明的是，從理論上說，「教」與「學」是截然不同的兩件事，傳統上我們都會相信，教師「教」和學生「學」的道理。可是由於種種科學的研究和發現，已經證明也已經使我們相信，「教」與「學」兩者雖然立場和要求各不相同，但是兩者卻是緊密關聯，相互作用的整體。只不過所謂「教學」，過去是把重點放在「教」上，認爲「教學」就是指「教」說的，「教學法」形同「教法」，相對的必然會忽略了「學」的重要。等到後來發生了所謂：「教師」要想知道究竟應該怎麼「教」，就要先知道「學生」究竟怎麼「學」的說法之後，了解學生究竟怎麼學的實驗和研究越來越多，於是「學」的理論就出現了。而「教」的理論

卻是從「學」的理論的基礎上發展起來的。教學上的熟練原則也正是如此，所以我們也有要求熟練的「教」的理論，和要求熟練的「學」的理論，當然這兩種理論之間的關係也是密不可分的。也許我們就可以用我們這裡的華語文教學做實例來說明一下：

　　例如：不少人抱怨把孩子送到華文學校去學華語文，學了十年，可是仍然聽不懂華語，不會說華語，也不會讀華文書報，更不會用華文寫作。因此，我們可以質疑，這些學生的華語文是怎麼學的？甚至我們還可以懷疑，這些學生究竟有沒有「學過」華語文？從常識的層次來解答這樣的問題，可能會說，這些學生確實「學過」華語文，可是並沒有學好，或並沒有學會。或者說，他們確「已學過」，「已學好」，「已學會」，可是現在卻全都忘記了。如果從理論層次來看，就算「學過」，「學好過」，「學會過」，只要現在已經全忘記了，全不會了，那就不能算做「已學過」。因為從學生在學校裡的課業學習的結果來看，只有「已學過」和「未學過」的區別，「已學過」就是指學好，學會，更要記住，否則就如同「未學過」，就是「未學過」。可是在我們的經驗裡，常會認為這種學習是會有學習上好壞程度的差異的，其實學了一半或一部分，或在快要學好了，或是尚未學好就忘了，都不能算是「已學過」。所以有人說這都是由於在我們的學校教學上，一向習慣於用及格分數的辦法所誤導的結果。而實際上，學校裡的學習正如同游水過河一般，

只有百分之百的游過河上了岸，才能算是已過了河。這也是
所謂教學上的熟練原則的初步理論說明。

　　近代從理論上去探討教學上的熟練原則的研究，可以一
九六三年，美國心理學家 JOHN B. CARROLL 所提出來的
「學校學習模式」理論，影響最著。他的主張中較重要的有
如下三點：

　　一、他肯定「性向」（APTITUDE）在學校教學上的重
要，但是他對於所謂「性向」，卻提出與過去心理學上全然
不同的看法。他指出，過去人們都相信學生學習某種課業的
成果之高低，是與其學習該種課業的「性向」，具有正相關
的關係。例如：我們相信數學性向高的學生，學數學的成果
必然亦高。因而就會把性向看做是學習成果的指標。但是這
種看法並不正確，因爲事實上，性向只是學生學習的速率，
也就是學習快慢的指標，所以他認爲學習某一學科（譬如學
華語文）的性向，就是學生學會或學好該學科所需時間的長
短。而且他認爲每個學生學習任何學科，都能達到一定的學
習成果，其不同只是每個學生所需要的時間，各有其不同之
長短而已。也就是認爲學生的學校學習，只有學得「快」與
「慢」的不同。儘管各個學生的性向不同，但是只要能夠給
他們適合其需要的時間，仍然是可以使每個學生都達到某種
相同的學習成果的。由此可知，學生是否眞正能夠將全部的
課堂時間全都用在學習上，正是學生課堂學習成敗的關鍵。

　　二、他提出著名的學校學習模式，來說明熟練原則的意

義。他認為，如果學生實際上用於學習的時間，與他學會所需要的時間相等，其學習成果必然很好，也就是已達熟練的程度。如果他實際花在學習上的時間，少於他學會所需要的時間，其學習成果也就必然會依其不足時間之多少，而有不同程度的降低。影響學生用在學習上的時間長短的因素有兩個：一個是學生的學習機會，用時間表示就是課堂時間；另一個則是學生是否願意或能夠投注在學習上的決心，意願和堅持。而影響學生學會所需時間的長短的因素則是：(1)學生的學習速度，也就是所謂的性向；(2)教師教學的品質；和(3)學生對於教師教學的了解程度。

三、他根據以上所舉的那些看法，提出他的熟練教學理論，其要點可歸納為以下四點：

(1)要想使學生的學習達到熟練的要求，就必須讓教師知道學生需要什麼樣的教學方法。每個學生都有各自不同的需要，教師就不該用同一種教法去教全班每個不同需要的學生。

(2)學生對於教師教學的了解至關重要，所以教師教學必須要用學生能了解的教材和課本，必須要用學生能了解的語言。

(3)學生學習的意願和興趣是他學習成敗的關鍵。發覺和培養學生的學習興趣和學習意願，是教師最重要的工作。

(4)在課堂上學生的學習機會越多，則學生克服學習困難，獲得學習成就感的機會也越多，其學習意願和興趣也越

會因而提高。但這一切全都有賴於教師如何善待課堂上的每一個學生。

一四、華語文教學應多用診斷測驗

中國人一向就有個鼓勵人們「但求耕耘，莫問收穫」的傳統想法。也是中國自漢儒以來，廣受認同的，「正其誼，不謀其利；明其道，不計其功」這種思想的具體實踐。其實這種想法和實踐，主要在期勉人們都能身體力行，實幹苦幹，不要在功利上多計較。可是在今天這個瞬息萬變，強調競爭和「時間就是金錢」的功利社會裡，中國人的這種偉大情操，卻常飽受抨擊，誤解時生。因此，在今天的華人社會裏，仍然有許多嚴謹持重的老實人，兢兢業業，碌碌終生，但到頭來，卻最多只能換些「苦勞」，難得有什麼具體的「功勞」。菲華教育界和華文學校裏，似乎就有不少這一類的典型。客觀的說，所謂「但求耕耘，莫問收穫」，絕非認為僅憑一份愛心和善意，就可以盲目行動或墨守成規，堅持到底；而是勉勵人們均能秉持原則，努力做好自己份內該做的事的意思。當然自己份內該做的事，也必會隨着時代的改變而改變的，且莫忘記中國更古老的傳統，日新又新的自強精神正是倡導力行的另一環。

用這樣的觀點來看華語文的教學，絕大多數的教師都習慣於承襲過去靜態社會的方式，不論是教學內容或方法，幾

乎都堅持着以不變應萬變的心態，眞個是「數十年如一日」，極少變革。可是如果眞能平心靜氣的想想，今天的華語文教師在教學上該做的事究竟是什麼？該怎麼教？就會發現今天的課堂教學，一切均須以了解學生爲起點，教師必須根據自己對課堂上，每個學生的適切了解，去調整教學目標，選取教材，決定教學方法，安排教學過程。了解學生學習華語文的舊經驗，例如其華語文已有的程度、興趣、能力與潛力，或其弱點與缺失，實爲實施華語文教學的首要部份。善用、多用診斷測驗就是直接了解學生學習起點之眞相的最好途徑。

　　不過我們目前的普遍問題是有關診斷測驗的觀念，基礎尚弱，實在無法敵得過「考試」與「分數」這類的深厚傳統。如何使教師和學生都能正確認識考試的性質，和分數的意義，是克服目前華語文教學成效不彰的第一步。而教師的心態更是關鍵，只要教師能夠多肯定考試和分數在教學上的診斷意義和地位，我們的教學就必能得到眞正改進的保障。另一個普遍的問題是，華語文教學上所需要的診斷測驗缺乏，基本上也許更由於我們的華語文教學上所用的考試觀念和方法，始終處在不景氣的谷底裏，教師們連考試命題的基本理論和方法技術，都沒有起碼的知識，通常都是抄襲台灣用的「惡補」材料，積習已深，改進無由，實在需要深自反省，從編製診斷測驗上作起才好。

一五、論華語文教學上的三項爭議

在第三屆東南亞華文教學研討會上，研討有關華文教學的論題甚多，而其中最能引發本國與會代表普遍關注並願熱切參與研討的論題有三：⑴教國語（普通話）或教閩南話；⑵教繁體字或教簡體字；⑶採用注音符號或採用漢語拼音，而這三項論題也都有其不同程度上的爭議，可論述如次：

一、教普通話（國語）或教閩南話（方言）的問題，從歷史上看，似乎早已解決，並不再存有任何問題，本欄曾於前年（一九九八）四月二十八日發表過「菲華學校國語運動的今昔」的文章，指出所謂「國語」這個概念的產生，是以國家的統一為前提的。所以也是從民國建立，有了現代國家的觀念之後，並且開展建國大業時，才有了「國語」和「國語運動」。在菲律濱，第一所華校中西學校成立之初即開設國語一科，所以教「國語」在菲律濱實與華校的歷史同長短，而實質上，華校教「國語」卻是基於實際的需要。因為早期閩粵兩地華人來菲，各操不同方言，溝通困難，誤會時起，嚴重影響同胞間的情誼，華校成立初期仍採閩粵學生分班，各以其不同方言授課。第一所全面使用「國語」教學的華校就是現在的僑中學院之前身——華僑中學。「國語運動」的開展直若一日千里，但不幸由於二戰的爆發及戰後國際政局的動亂，菲華社會幾與中國全然斷絕來往，菲華學校

也幾乎陷於半孤立的狀態，並長達近半世紀之久，「國語」的推行也只能各自為政，自生自滅。菲華社會在這種大環境的逼迫下，也就自然而然的變成了一個越來越封閉的社會。教閩南話，和用閩南話教學就是這種封閉社會下的產物。幾十年下來，再加上中國人傳統的保守性格，教閩南話的想法至今雖面對處處開放的大局，卻仍有其根深柢固的威力，大岷地區以外諸城鎮的華校表現尤顯。先教閩南話，再教普通話的說法，只是個不得不的妥協，爭議的空間已經縮小了。另一個值得思考的問題是，現在的華文學校已經是道地的菲校，不再是中國人的僑民學校，我們不再用「國語」這個詞，而用「華語」的名稱，照理說教「華語」就是教「中國話」，就是教中國的共同語言（COMMON LANGUAGE）——普通話，而不是教中國的地區方言（閩南話）。這是大家都能同意的。由此可見教普通話或教閩南話的爭議，只在於要不要把教閩南話當做教普通話的過渡的問題，也許目前可採因地制宜的辦法。

二、教繁體字或教簡體字的問題，本欄也曾於去年六月間刊出過專文，明白指出漢字簡化是個嚴肅的學術問題，同時也是個實用的現實問題。過去對於漢字簡化運動的讚同與反對，至少在菲律濱的華校裡，完全是由政治因素所決定的。今天菲國與菲華社會都具備了開放的基本條件，但是如何消除過去對立與敵視的心結，仍然要靠政治大局來左右。今天審慎看待這個問題的菲華教育界人士，都有與政治無涉

的呼籲，可是爭議起來卻仍然是「事與願違」。這在研討來
自台灣的賴明德教授一篇「中國文字的結構原理和教學運
用」的論文中，表現得尤為突出。其實在我們這裡對於這個
問題，早已形成了「識繁寫簡」的共識，在那次研討會上，
似乎也並沒有多少不同的聲音。可能現在的問題只是在於我
們的華文教師們，如何去理解「識繁寫簡」的真義，以及如
何把「識繁寫簡」的原則，真正落實在自己的教學上的問題
了。然而根據筆者的了解，目前我們的華文學校的華語文教
師，對於「識」的了解與重視，普遍都嚴重不足，但是對於
「寫」的要求和重視，卻超乎平常。心理學上早已告訴我們
「寫」比「識」難得多，「寫」是「再生」（REPRODUC-
TION），「識」是「再認」（RECOGNITION）。可是我們
的華語文教學卻普遍捨易就難，學生學華語變得只有
「寫」、「寫」、「寫」，連學聽、學說，都要靠能「寫」
出來，才算學過，學會的證明。甚至把「寫」字變成了
「畫」字，學了十年華語文，只學會了把一些中國字（不論
繁或簡），一個個的「畫」出來，而全然不知道自己所
「畫」的是什麼。（也就是不「識」），又怎能算是學過華
語文或學會華語文了呢？由此可見，我們今天最該重視和調
整的是：如何少「寫」多「識」，就算學生只會「識」，卻
全然不會「寫」，也要比只會「寫」而不「識」來得好。如
果我們能同意這種說法，相信教繁體字或教簡體字的爭論，
就不會顯得那麼重要了。因為漢字的繁與簡對於「識」來

說，無論如何是沒有像對於「寫」那樣，具有那麼顯著的差異的。

　　三、採用注音符號或採用漢語拼音的問題，本欄也發表過「注音、拼音的爭論價值何在」的短文，明白指出，「注音也好，拼音也好，形式雖有不同，但實質上都同樣是些標音的符號，我們教孩子學注音或拼音的目的，都是為了使孩子學會聽懂華語，和學會說華語時，能更容易，更有幫助，絕不是打算用那些符號來取代中國字。任何形式的標音符號，永遠都只能是些視覺符號，這些視覺符號無論如何都是不會被看出聲音來的。過去孩子學注音，離了注音符號讀不出字音來，我們實在懷疑改用拼音，就必然不會發生孩子也改成依賴拼音符號的現象。畢竟學會注音或拼音並不等於學會聽懂華語和學會說華語。除非能夠證明哪種標音符號確能使孩子更快更容易的學會華語的聽與說，否則任何爭論都是沒有什麼價值的。事實上我們也常會發現，有些學生還可以用他自己「發明」的標音符號，來有效的協助自己正確的把字音讀出來，這也可以證明標音符號只是工具或手段，並不是目的。展望未來，似乎可以交給「市場」來決定，使用的人多了，教的人、學的人就會更多；反過來說，使用的人少了，教的人、學的人也同樣會少，刻意去爭、去宣傳，至少對我們的華語教學來說，是沒有多少必要的。

一六、華語文教學改革的第一步

　　爲什麼華語文教學需要改革？這個問題可以從兩個方面來回答。第一從我們主觀的經驗來說，在菲華社會裡，有越來越多的人深深的感受到，我們華文學校裡的學生，學華語文的成果越來越差，根本無法與過去相比。在華文學校裡，學上十年華語文，仍然不會聽、說、讀、寫華語文的情況，日形普遍。可是我們投注在華語文的教學上的時間和金錢，格外是金錢，非但沒有減少，反而相對的增加了。極可能導致學生學華語文的成效低落，甚至是江河日下的極重要的一項關鍵因素，就是華語文教學。華語文教學成效不彰，徒然浪費寶貴的資源，當然不對；而且確保教學應有的成效本就是教學本身應負的責任。現在越來越證明我們的華語文教學，的確未能達成其應有的教學效果，當然就該進行華語文教學的改革。

　　第二從教學活動的客觀需要來說，學校裡的教學，不論是任何一種學科的教學，都免不了會有一些極爲顯著的保守傾向。幾乎每位學校教師都或多或少的，具有一種拒絕改變，或抵制改變的心理，因循舊章，習以爲常，是教學上極爲普遍的現象。這正是學校教學進步遲緩，跟不上社會進步的腳步，或與社會逐漸脫節的主要原因。同時這種教學上的保守性格也容易使教師產生職業倦怠，使教師的士氣低落，

且易與教學成效不彰形成嚴重的惡性循環。所以在學校教育的實施上，必須不斷運用各種不同的方式來推動各種的改革，格外是教學上的改革，來彌補教學上保守傾向所產生的那些缺失。華語文教學自然也無法例外，所以今天進行華語文教學的改革，是非常重要也非常必要的。

怎樣推動華語文教學的改革呢？華語文教學必須改革早已是我們的共識，可是究竟應該怎樣推動改革，卻是眾說紛紜，莫衷一是。有人說應該先行改編課本，重訂教材；有人說應該先去改變教學方法；也有人說應該先去培養合格的好教師；還有人說應該先去充實教學設備，運用現代科技，走電腦化教學的路；更有人說應該先行建立教師教學督導制度，加強對教師的考評，或提高教師待遇；甚或還有人說應該先要從培養教學行政上，合格的華文主任或校長，始能在領導得人、領導得法的前提下，進行真正的華語文教學的改革。但結果卻只是議論盈庭，見諸行動而又能堅持下去的卻少之又少。說的多，做的少，不少人禁不住要大聲呼籲，不要讓改革流為空談。

怎麼邁出改革的第一步？坐而言，不如起而行，是人人都相信的簡單道理。可是俗語說：「萬事起頭難」，也常會使人因而躊躇，或即失去馬上行動的勇氣。當然三思而後行仍然還是非常必要的。改革本來就是行動，不是空談。邁出改革的第一步就是改革行動的開始，沒有開始就沒有改革。怎麼邁出改革的第一步，正是需要三思的部份。例如：

一、先要想清楚第一步的行動是什麼？就算是心理建設性的準備工作，也該想好該採取的第一個具體行動，然後按照事先規劃好的步驟去做。我們過去曾爲改革延宕時日，可能就是由於沒訂好行動計劃，改革無疾而終。也可能是由於計劃不好，和並未想清楚改革的第一步究竟應該是什麼。

二、要主動的從本身開始行動，不能被動的等待別人催促。也許由於我們習慣於由上而下的領導方式，而忽略了今天公眾事務處理上，必須由下而上的民主領導方式，教師和學校都是教學改革行動的主體，其行動的前提只在於教師與學校對於教學改革計劃的充份了解。因此計劃與決策的全體參與仍是不可或缺的。

我們認爲開放就是華語文教學改革的一步。開放就是一種行動，也是一種態度和精神。開放就是公開化、透明化，也就是把一切事物全盤開放給所有關心和有關的人，讓更多的人了解和參與。開放更是改革的前提，不開放就無法眞正改革。因爲改革並不是只爲了特定的少數人，而是爲了更多的全體。改革是爲了改進或改善，要改就要先了解過去的得失，得失並不能只憑少數人主觀的判斷，而該有更多的人來檢驗，來客觀判斷。開放需要每個人都開放，每個人都用行動來證明自己的開放，不論由上而下，或是由下而上，並沒有一個人可以容許例外，這是開放社會的特徵。華語文教學要在開放的社會裡，憑藉開放的行動和精神，才能進步，才能發展，也才能滿足社會的期望和需要。否則華語文教學是

無由進步和發展，也無由進行改革的。

怎樣開放？姑且不論今天我們的華語文教學的大環境的開放程度如何，單就華語文教學本身來說，應該立即採取的開放行動仍然很多。例如：

一、教師要把自己教學的課堂開放給全班每個學生，把本屬於學生的，格外是學生的權益還給學生，不要把自己的課堂變成了封閉的「一言堂」，不要僅期望學生唯命是從。

二、教師要把自己教學的課堂開放給自己的同事、主任和校長，讓更多的人能真正了解自己在教學上的真實狀況，包括自己的成就和缺失。多聽別人的意見，也要去了解了解別人的課堂教學的得失，與同事進行經常性的真正交流。

三、華文主任和校長在華語文教學的領導上，要採用開放的領導方式，運用專業知識的權威，鼓舞士氣，共同參與教學的計劃、決策與檢討。對外亦應將自己學校在華語文教學上的心得與困難，與他校進行坦誠的交流。不要僅向同行展示自己的成就，也該在自己所遭遇的困難上，與友校進行切磋，共謀因應對策。

總之，開放之途徑多不勝舉，開放卻僅只是為了我們同在一條船上，我們必須同舟共濟，因此我們認為開放是華語文教學改革的第一步。

一七、另類學習華語文的途徑

　　自從一百年前，華人在菲國創辦華人自己的學校，教育華人子弟以來，華語文教學就是華校中極受重視的一個學科。其顯著的特徵是：不論是教學目標、教學內容、或是教學方法，全都是以中國國內的要求爲藍本的。這對漂泊異域，期盼早能衣錦還鄉，或是認同「落葉歸根」的中國人來說，當然是正確的，也是必要的。可是緊接着時代的變遷，國際間的動亂，新生事物和思想的衝擊，菲律濱已經成了個主權獨立自主的國家，在種種因素的脅迫下，中國人毫無抗拒的，全然失去了在這裡開辦中國學校的權利和機會。華僑學校全盤菲化，華人集體歸化入菲籍，於是突然間似的，一所華人學校也沒有了，中國籍的華人也大幅度減少。但是所幸華語文的教學，卻還能被准許保留在前身爲華校的菲校裡，當作外國語，在每天不得超過兩小時的規定下實施。不幸的是「改制」後的華語文教學，似乎無視於所有主客觀情勢的急劇改變，竟依然因襲過去的有關成規。近些年來，雖也有些較具眼光的人士，大力提倡視華語文爲「第二語言」來實施教學，可惜眞正能夠認同這種主張，而有確實以「第二語言」來教學華語文的教師，眞若鳳毛麟角，所以迄今尚難有顯著的改變或成效。顯然傳統的，以教「母語」的辦法來教華語文的，依然是目前華文學校裡教華語文的主流。其

教學成效日趨低落，本意料中事，何足爲奇？問題僅在於廣大的華社和衆多的華校學生家長，究竟對於這份龐大的金錢、時間與精力的投資，是否能永不後悔，永遠不計較這份毫無代價的付出？不過我們相信總有一天，他們一定會去尋找另類的學習華語文的途徑。

　　什麼是另類學習華語文的途徑呢？那就是在華文學校校門外的，由私人或社團所開辦的華語文班。目前這類班次在全菲各大都市都頗常見，但多半以成年人或青少年爲對象，這些學華語文的人，也多半較有學習的需要和意願。主動性較強，學習時間也必然比在華文學校裡學來得少。不過這些學華語文的人，往往要求比較具體，也比較多，只要確能滿足他們的需要和要求，他們就會堅持的學下去，否則他們是絕不會輕易浪費他們的金錢、時間和精力的。根據當前的情勢看，菲國需要學華語文的人，必然會越來越多，關鍵僅在於開辦成人華語文班的人，是否眞能於預定的時間內，教出預期的效果來。老實說，我們確曾見過一些轟轟烈烈開班，但卻無聲無息的消失了的實例。我們熱切期盼這類的華語文班能辦得成功，說不定還可以救救我們的孩子，免得讓他們爲學華語文而受那麼長時間的折磨。

貳。聽、說、讀、寫的教學

一、菲華學校「國語運動」的今昔

　　最近這幾年，宗聯大力倡導講華語的運動，做得有聲有色，相形之下，反而顯得華文學校在這方面的努力有些被動了。其實菲華學校在推動「國語運動」上，一直都居於主導的核心地位，只是由於近半世紀以來，社會變遷快速，學校的傳統地位也面臨着不小的衝擊，菲華社會的多元發展，也多少左右了菲華學校教育的內涵和成效。就僅以「國語運動」而言，實已今非昔比，我們要在這裏探討這個問題，似乎也該先澄清一下三個關鍵性的觀念。一、所謂「菲華學校」是指過去的華僑學校和現在的華文學校；二、所謂「國語運動」是指過去華僑學校時代的「國語」和現在華文學校時期的「華語」的推廣；三、所謂「今昔」之別則以華僑學校全盤菲化為分界。

　　首就「國語」這個概念的淵源說，必然是要以國家的統一為前提的。中國雖然是個文明古國，但近世以來，飽受舉世列強之侵略，直迄民國建立始具現代國家之觀念，開始了建國大業。「讀音統一會」是國語運動的先聲，注音符號的

公佈是學校裏教「國音」學「國語」的開端。菲華學校始建於清末，後來教授「國語」，雖然也深受中國國語運動的影響與協助，但實質上卻是基於實際的需要，在多位先進教育家的領導下，才漸具規模和成效的。早期閩粵兩地華人來菲，各操不同方言，溝通困難，誤會時起，嚴重影響同胞間之情誼。迄華僑學校設立初期，仍採閩粵學生分班，各以不同方言授課。中西學校成立之初即開設國語一科，但僅為開教學國語之先河，難獲廣大之實效。先賢大教育家王泉笙先生領導下的普智學校，對國語運動的推行貢獻最大，其他著名之國語教授，除王泉笙先生以外，喬伯明、王景波、何祖炘和伊靜軒諸先生也都是菲華學校國語運動的大功臣。菲華學校推行「國語運動」最具體的行動，就是全面實施國語教學，第一所用國語教學的學校，就是華僑中學。據說當時的僑中教師多為江蘇浙江人，多不習用閩粵方言，其國語教學頗為有效。由於中學開始用國語教學，小學便不能不格外注意學國語、用國語了。可是當時的華校小學教師中，能講流利國語的甚少。馬尼剌華僑教育會在王泉笙先生的促成下，自中國聘請國語專家喬仲敏先生來菲講學，藉以培訓小學教師以國語教學，效果顯著。後來伊靜軒先生更創辦中華國語學校，並在暑期辦教師國語講習班，參加者十分踴躍，和今天為了湊足聽講時數，或為符合領取獎金條件而參加暑期講習的情況相比，真是不可同日而語啊！教和學的雙方都是熱心而積極的，所以在推行國語運動上的進步也就又顯又速。

再加上學習國語的風氣已逐漸形成，國語唱片、國語電影、國語小報、甚至國語廣播，無不全力配合，學校也利用晚間及星期假日，開辦學國語的成人班或速成班，成效都極爲驚人。只可惜第二次世界大戰爆發，以及戰後給菲國帶來的政局動亂，菲華社會幾與中國全然斷絕往來，陷於半孤立的菲華學校，在國語推行上，也只能各自爲政，自生自滅了。

　　次就「華語」這個概念的淵源說，在菲華學校裏，無疑是「華僑學校」菲化下的產物。主要的是因爲「華僑學校」本就是外國人的學校，而菲化後的「華僑學校」已經變成了百分之百的本國人的學校，是教授部份華文華語科目的菲校。而且菲國自正式獨立建國以來，也在大力推行自己的國語運動，那便是在學校裏，推行用菲語教學的運動。所以今天的「華文學校」，站在菲校的立場說，「國語」該是指「菲語」，而不是指「中國語」。因此，我們今天就用「華語」這個詞來取代過去所說的「國語」。所以「華語」與「國語」在實質上所指的應該是同一種語言的，根本不該有什麼爭議。可是由於近半個世紀以來，菲華學校在教學上並沒有明確一致的語言政策，多年沿襲下來，連對「華語」這個概念的涵義都產生了歧異，不少人認爲「華語」就是「中國話」的意思，當然中國的任何一種方言，都不能說不是「中國話」。在這裏通用的閩南語，當然就是這裏的「中國話」、這裏的「華語」。因此，近二十年間，不少華文學校採用以閩南語爲「華語」的政策，甚至反對用「國語」教

學。「國語」沒學好，連閩南語的習慣也破壞了，是不少人的看法。他們仍然認為學閩南話遠比學國語有用又實際。堅持「國語」教學的學校，也由於跳不出菲華社會通用閩南話的局限，和教學內容與方法上的刻板化，也教不出多少顯著的成果來。因此，目前菲華學校有先教閩南話再教「國語」的；有同時教閩南話也教「國語」的；也有只教「國語」而不教閩南話的；可是卻沒有人主張只教閩南話而不教「國語」的。由此可見推行「國語運動」仍然是目前所有華文學校共同追求的終極目的。不過由於華文學校在教國語的過程中，產生了應否再經過教和學閩南話的階段的不同意見，是否也會影響到「國語運動」推動的速度或進程的問題，似應深思。

總之，菲華學校推行「國語運動」已有八十年以上的歷史，也有過相當不錯的成績。如今採用了「華語」的概念，如果因而視閩南話即華語，顯然是種頗為保守的看法。近年來，大家似乎已有視華語為「第二語言」而進行教學的共識，對於華文學校全面實施「國語」教學，無疑會產生極大的助長作用。更何況國際間中國語言的日趨普遍，以及中國大陸的開放政策的影響，中菲兩國間商業、旅遊和文化交流的頻繁，在在證明「國語運動」的積極價值。極可能在不久的將來，菲華學校的華語文教學不但必須馬上走出本地閩南語的局限，而且還必須放眼天下，走向世界。菲華學校的國語運動正是形勢大好，盼我華文教師和衷共濟，全力以赴。

二、也談「通用語言」的改變

　　讀到世界廣場版劉伯的專欄文章——通用語言變了，他說：「以前在華人社區，閩南方言可以通行無阻，而現在，在華人社區不會菲律濱方言，通行的空間已不那麼寬廣了」。還說：「在多元民族的社會裡，在強勢語言大環境的影響之下，作為華人社區的通用語言，肯定也是會改變的」。從這些話裡，使我們警覺到「通用語言變了」的問題。但是什麼是「通用語言」呢？如果從語言的作用上來看，語言是人類相互間溝通與瞭解的有效工具，「通用」本是其不可或缺的條件。可能發生的問題僅在「通用」的範圍或地區的廣狹上。這在地域遼闊、方言多，山川阻隔，交通不便，而又不甘於保守、封閉與落後，企圖追求進步、開放與發展的國度裡，「通用語言」的問題就必然會發生。例如：中國的福建省要想發展和進步，閩南和閩北就不能沒有通用的語言。同樣的，如果早期那些分處在廣東省和閩南的中國人，都留在他們原來居住的地方，不要離鄉背井渡海到菲律濱來，他們也就用不着去推行國語來做為他們的「通用語言」了。由此可見，「通用語言」的形成，基本上是基於現實的需要。而其形成過程之長短，每易因是否有足夠的推動力量而不同。諸如國家的語言政策，學校教育的教學，大眾傳播媒體的運作等，都是極為重要的推動力量，有了這些

條件的充份配合，就可以在較短的時間內，形成「通用語言」以滿足現實的需要。不過，縱使沒有這些條件，在現實需要的壓力下，也一樣能夠自然演變出所需要的通用語言來，只是需時較長罷了。我們都知道美國人統治菲律濱僅有半個世紀，比起西班牙的統治時間來說，實在極短。但是美國人能在明確的語言政策下，透過學校教育的手段，就能迅速的把英語變成全菲的「通用語言」。記得三十年前初到菲律濱時，連華人區的馬車夫都能用不錯的英語，跟乘客聊天，可是今天，怕是連開計程車的都有不少全然不懂英語的，眞個是「通用語言變了」。這種改變也同樣是政府大力推行菲語的語言政策及其學校教育的教學、和大眾傳播媒體之運作的結果。談到我們華社的「通用語言」，早期採用國語，無疑是受中國國內推行國語的政策所主導。可是自從第二次世界大戰後，受到世界上和中國國內的政治動亂的影響，菲國與中國的來往中斷，華社因而變成了一個全然封閉的社會，所謂的「通用語言」就只能在自然演變中發展。閩南語則因使用的人數在華社中居於多數而成爲華社的強勢語言，更由與中國的相互隔離長達近三十年，幾乎全無非使用閩南語的華人移入，所以在這個閩南語爲強勢語言的華人社會裡，閩南語就變成了華社的「通用語言」。可是這種幾近全然封閉的華社，面對著政府雷厲風行的菲化政策和措施，和中國的改革開放等因素的挑戰，閩南語這個形成基礎本就脆弱的「通用語言」，要想繼續保持其在華社中的強勢地

位，當然並不容易。由此亦可證明華社本身還是需要有個明確的語言政策的，否則原居華社之強勢語言的閩南話必將逐漸失去其主導地位，甚至使華社不再有自己的「通用語言」，這對居於少數的華人族群來說，確是十分不利的。可是語言政策的確立，並非等閒，如稍有不慎，一旦採用了不當的語言政策，是會導致難以彌補的不良後果的。當然在語言政策的執行上，也必須同樣審慎，否則仍然是免不了會自食其惡果的。這些年來，政府大力推行的雙語政策和菲語教學，就是個最現實也最生動的例證。

據說當年政府採用雙語政策，是在強烈的國家主義的主導，和反美情緒的推波助瀾下所確立的。「雙語」雖指英語與菲語等量齊觀，但在骨子裡，「雙語」可能只是過渡，最終目的則在以菲語取代英語。就今天的實情來看，菲語是否已成為全國通行無阻的「通用語言」，雖難斷言，但英語的確已不再是全國通行無阻的「通用語言」了。是禍？是福？爭議不斷。但事實擺在面前，八百萬的海外勞工所憑藉的就是熟諳英語，要執行人力出口的政策，就先要培養會英語的人力。有人更強烈質疑，電腦的國際網路普遍使用英文，舉世各國都在鼓勵和加強英語教學，為什麼只有我們卻要倡導不要學英文？在我們看來，強力推廣菲語又多方毀棄英語的教學，只是封閉社會下的產物和成見，確屬不智。其實這類錯誤的決策，並非不可避免，這只是人謀不臧罷了。換句話說，我們要用哪種語言來做為我們的「通用語言」，也並非

全是無可奈何的，去被動的隨波逐流；相反的，在某種程度上，人還是有相當的掌控能力的。

劉伯在他那篇「通用語言變了」的專欄文章結尾斷言：「作為華人社區的通用語言，肯定也是會改變的」。可是只根據這段話，是極難看得出該文的本意，是說這種肯定會有的改變，是主動的、積極的、樂觀的鼓舞？還是被動的、消極的、悲觀的慨嘆？老實說，站在獻身菲華教育工作的崗位上來說，我們堅決主張採取主動、積極的樂觀態度。因為我們都知道今天的社會是瞬息萬變的，「改變」是無可避免的必然，但是會怎麼變？會變成什麼樣子？我們總不該全不關心，也全無意見。逆來順受、隨波逐流，正如同墨守成規、以不變應萬變的心態一樣的不智。畢竟人活著總不能不有點理想，該盡己所能讓自己的未來能變得比較接近自己的理想。也許我們並不敢迷信「人定勝天」，但是「事在人為」也絕非全無道理。華社的「通用語言」必將改變，應該變成什麼樣子？應該如何變成我們所期望的樣子？正是今天我們該深思熟慮的問題。

三、我看華語「聽力課」的教學

在語文教學上，把聽、說、讀、寫當做四項具體的目標去實施教學，似乎是第二次世界大戰後，在美國總統 DWIGHT D. EISENHOWER 呼籲促進國際了解，追求世界和

平下，全球爭相學習外國語的結果。我們這裏的華語文教學標榜聽、說、讀、寫的教學目標，卻只是近二十年間的事。為達成教華語的「聽」的目標，而專設「聽力課」就更遲了。「菲律濱中小學（十年制）華語教學大綱」出現後，才有了專設華語聽力課的設計，直到最近這兩三年，才在僑中學院的大力推動下，按該「教學大綱」之規定，從中學一年級開設正式的華語「聽力課」，算是菲律濱華校正式開始設立華語「聽力課」的先河。當然在這之前，全菲華校的華語文教學本都有培養聽力的部份教學，只是沒有專設的「聽力課」罷了。但是什麼是「聽力課」？為什麼要專設「聽力課」？其間牽涉到的問題很多，值得商榷的地方也不少。郭金鼓教授曾經在他的一篇「關於華語聽力課的教學」的文章中指出：華語的「教學內容可以由不同的課型來分擔。不同的課型可以根據它們承擔的任務的性質命名。例如，語音課、閱讀課、語法課、聽力課⋯⋯」

　　「如果某一課型同時承擔兩項任務，可以根據所承擔的任務的性質來命名，如聽說課、讀寫課。如果只設一門課來承擔全部教學內容，就可以稱為綜合課。」他還說：

　　「是分科教學還是綜合教學，應根據不同的教學對象，不同的教學目的要求來決定。一般地說，大學裡⋯⋯需要開設多種課型，對成年人的第二語言教學，一般也採用分科教學。」

　　從郭教授的這些說明中，我們不難了解華語「聽力課」

的性質，和華語「聽力課」的適用教學對象。但也使我們不能不懷疑，究竟這樣的「聽力課」是否眞正適用於我們這裡的華文學校裡，華文部的中學生？因爲這些中學生畢竟並不是在大學裡學華語，更不是成年人，眞會適合採用這種分科教學的方式去學華語嗎？否則，我們爲什麼要改變原來所用的綜合教學方式，去增設分科的「聽力課」呢？也許要想解開這些疑問，需要從以下兩個方面着手：

第一方面要了解，分科教學的「聽力課」爲什麼通常都認爲適用於大學裡和成年人？要知道那絕不是只因爲大學裡是專門學語言的，也絕不是只因爲學習的人是成年人；而實際上是由於以下兩個主要的原因。我們就拿學華語做例子來說明一下：

第一個原因是：那些在大學裡學華語的人，和那些學華語的成年人，都是從進大學之後和成年之後，才開始學華語的，也就是說他們在進大學和成年以前，完全沒有學過華語，又沒有學華語的環境或背景，可是他們都已在他們的母語方面，具有相當深厚的能力與經驗；華語對這些人來說，當然是道道地地的外國語。對這樣的教學對象，採用分科教學，不但必要而且也較易獲得及時的成效。這與中國學生進了大學才開始學法語、德語、日語或西班牙語的情況並無二致。

第二個原因是：那些在大學裏開始學華語的，和那些成年之後才開始學華語的人，雖然都能夠集中全部的精力和時

間，專門去學華語，但在時間上多少總還是有限的，所謂
「速成」正是他們普遍的要求。因此在安排針對這些人的華
語教學時，就必須採用密集的形式，並且分科把幾種不同的
課型及教學內容，幾乎不相先後的同時進行。在這種要求下
所安排的華語「聽力課」，當然萬分重要，更屬不可或缺。
可是在「聽力課」的教學內容上，就必須注意所用生詞量、
語速、句子長短、以及知識背景等因素的影響。在教學方法
和過程上，更要有完整而周到的設計和準備。否則是極難獲
得預期的教學效果的。

　　第二方面則要了解我們的華文學校教華語，一向採用綜
合教學的實際狀況。由於我們在菲律濱創辦學校教授華語華
文，已有百年歷史，而在這一百年中，有超過四分之三的時
間是在純中國學校裡教華語華文的。所以在一九七五年學校
全盤菲化以前，華校的華語文教學都是以中國國內的中小學
為藍本的。小學有「國語」，中學有「國文」。今天的華文
學校裡，小學的「華語」和中學的「華文」，就是因應「華
僑學校」全都改為菲校的需要，而改用的科目名稱，但實質
上卻依舊沿襲着原有的觀念、內容和方法。最顯著的特徵是
小學的教學以「語」為核心，中學則專注於「文」。過去小
學的「國語」課也曾仿照中國國內的小學，採用過分科教
學，把「國語」課區分為讀書、說話、寫字、作文四種課型
進行教學。顯然那時並沒有把「聽」這項目標當做教學的重
點來實施。至於中學，則因為偏重「文」的教學，閱讀、欣

賞和文學才是重要的，當然更不會去重視聽力的培養。無疑的，這樣的課程安排，在一九七五年所有華校全盤菲化之後，必然就會與我們的現實距離越來越遠了。於是學上十年的華語文，卻仍然聽不懂華語，也自然就變成了非常普遍的現象。幸而最近十餘年間，部份有識之士，在若干來自中國國內的外語教學學者專家的協助下，大力推動所謂「第二語言」的教學，才算使我們這裡的華語文教學，開始有了一點面對現實的勇氣，和積極謀求改弦易轍，從頭做起的契機，「聽力課」就是在這樣的背景下開設的。只因過去我們並無專設「聽力課」的經驗，初期採用中國國內大學裡或教成年人的模式或內容，當屬權宜之計，如能假以時日，自能有所突破，盼我全體華語文教師能群策群力以赴。

透過以上這兩方面的說明，似乎就比較容易來看清我們當前華語文教學的真相，更可以進而提出一些自己對於華語「聽力課」教學的看法。

首先我們不能忽略，在我們這裏，絕大多數學華語文的孩子，都是在正規的學校——華文學校裡學的。從小學一年級，有的甚至是從幼稚園或托兒所開始，一個年級接一個年級的直到四年制的中學畢業，前後至少也花上十年的寶貴時光。華語文教學自然可以按部就班的照着預定的計劃去進行，根本用不着去考慮採用密集的教學方式、求速成。客觀的說，華語文教學也本就可以充份配合孩子正常的身心發展的狀況，循序漸進以完成。不論從理論上或是從實施上都不

難證明，對於一個四五歲的孩子，開始不斷的同時接觸或學習幾種不同的語言，並不會有那麼顯著的，「第一語言」或「第二語言」的區分。要有也都是由於他們的日常生活中，對於不同語言應用的機會各有多少之不同而造成的。但無論如何，這些小孩子的第一語言，絕不會像成年人那般熟練，那般根深柢固。嚴格的說，對於從小就學華語文的孩子來說，過份強調用第二語言教學的方法，也是矯枉過正，不切實際的。如果從這個角度來看，我們的華語文教學的對象，全都是從小就開始學華語文的孩子，全都不是長大了才開始學華語文的成年人。而且我們又有長達十年以上的相當足夠的時間，用不着急就章。那麼我們又怎能不懷疑，把華語支解為聽說讀寫，然後採用像「聽力課」、「說話課」這類不同的課型，去進行華語教學的真正效果呢？

　　其次，我們也不能忽略，我們的華語文教學，雖然一向都是採用所謂的綜合教學的方式。小學的華語課和中學的華文課，都該是負責聽說讀寫全部教學內容的綜合課型。但是實際上，分出一部份時間來，用某種課型來教學某些內容的也很普遍。例如前面已經提過的讀書、說話、寫字、作文等。只是在倚輕倚重的出入上，由於我們對於語文教學普遍缺乏整體的認識與了解，而常會發生一些不可原諒的錯誤或誤導。基本上，最大的缺失是把獨特的課型變成了孤立的形式。在聽力的培養方面，雖然從來都未曾受到過應有的重視，但是像「聽寫」這樣的練習卻是滿普遍的，在注音符號

的教學上，表現得更爲突出。可惜由於都被孤立成一個個「詞」和「音」，只能使孩子學會辨「音」，卻沒有辦法使孩子學會辨「義」，根本扭曲了聽力培養的方向和目的。專設「聽力課」可能就是爲糾正這類偏失，然而事實上，由於教材的缺乏和教法上的呆滯，再加上教師們在這方面的了解和經驗都不多，所以專設「聽力課」究竟能有多少效果，仍值得懷疑。

　　第三、抛開專設「聽力課」上，有關教學對象、教學內容、教學方法和過程的問題不談，只看「聽力課」的教學目的和基本要求，有待商榷的地方也很多。根據郭教授的文章所指出來的是：「聽力課」的教學目的在「培養學生聽課和日常生活交際的語言能力」。在基本要求方面，雖曾明確列出了中學各年級的具體要求，但主要的還在於使學生「聽懂」和「正確理解」故事、會話等內容之意義。而又格外看重「語速」與「帶點兒方音的口語」。這其間，有待商榷的是：使學生「聽懂」並「正確理解」故事或會話的內容，特別是會話（包括生活會話），本就是華語文課堂上不可或缺的部份。任何年級，任何班級的華語文課的教師都不可能不跟學生講話，如果教師講的話，學生們都聽不懂，教師又怎能繼續教下去呢？不過我也曾聽到有人說，在中學的華文課上，聽不懂教師在講些什麼的學生極多，可是教師卻依然能自說自話的照教不誤。也有人說，不用華語而用菲語去教華文，可能教學效果還會比較好些。也許這也正是我們打算在

中學，專設「聽力課」的眞正原因。是也？非也？尙可不去
管它，然而萬一中學華文課上，聽不懂教師在說什麼的學生
眞的太多，或者聽教師用華語教華文的機會眞的太少，專設
華語「聽力課」自然有其必要；不過滿足這樣的需要而設的
華語「聽力課」，究竟應該如何安排？如何設計？如何教
學？才能保證有效，卻依然是不易解決的難題。

　　基於以上這些想法，所以我對華語「聽力課」的教學，
有以下幾點看法：

　　一、對於所謂的華語「聽力課」，我們該從培養學生
「聽懂華語」的基本目的上，去做最廣義的界定，絕不能用
教成年人學外國語（第二語言）的辦法去把「聽力課」孤立
出來，單獨教學。相反的，卻該盡量與華語課的其他部份，
至少與說話的部份密切結合在一起去教學。如果要排一堂
「聽力課」，也該把它當做考驗或診斷學生的華語聽力用，
或是做爲複習學過的詞句用。

　　二、華語「聽力課」的教學就是一般華語教學中的一部
分，可以安排成一堂課，也可以是一堂課中的十分鐘或五分
鐘。但最好的辦法是隨時隨地，只要在課堂上，教師就在教
聽力，學生就在學聽力，教師在課堂上所說的每句話，都是
學生學聽力的材料和內容。因此，教師上華語課就要多說，
增加學生學聽的機會，可是教師在課堂上說話就要注意用詞
遣字。句子的長短、語速的快慢、與重複的次數，一切都要
有計劃、有組織的去說，絕不能任意發揮，口若懸河，全然

不顧學生聽力的程度的去說。

三、華語「聽力課」的教學應該適當運用現代的教學媒體，如語言實驗室及影視設備等是大家都熟知的，也就不必多說了。

四、教華語語音應有的基本認識

教與學，本就是兩個截然不同的層次，也是兩個截然不同的地位和立場，相信就算是從常識上來判斷，每個人也都可能明白看出，至少教的人該比學的人高明。只不過究竟教的人要比學的人高明多少，卻常會發生許多誤解。例如，不少人認為我們的教師，雖然在他們所教的學科方面所具備的有關素養並不高。但是去教些對該學科一無所知的孩子，卻依然會是綽綽有餘的。因此，也會有不少人認為，教幼稚園或小學的學童學華語，並不需要聘請華語文程度很好的人去教。也有不少教華語文的教師，對於自己確能勝任教華語文工作的強烈自信，也是在這種心態下，逐漸形成而鞏固下來的。說不定，不少華文學校會指派一些新進的，也全無教華語經驗，和華語文程度較差的教師，去教小學一年級的華語。對於教幼稚園華語的教師，也極少嚴格要求其華語文程度，可能這都是基於這些常識性的認知所造成的。其實只要稍為深入點兒去想一想，就不難了解，如果教的人對於自己所教的內容，只是一知半解，教起來自然就容易錯誤百出。

如果讓這樣的教師去教程度較高或較好的學生，或者還可能從學生的質疑中，得到些「教學相長」的效果；可是如果讓這樣的教師，去教那些全無有關經驗，甚至全無或極少判斷能力的孩子，當然只會是有害無益的。而且初學的孩子，如果一開始就給教錯了，教壞了，過後再去糾正或彌補，也是會事倍功半的。今天我們的孩子在華文學校學華語的成效極差，無可諱言，我們在孩子開始學華語的「啟蒙」階段，未能做好「慎始」的工作，確是個極重要的原因，其中語音教學就是最顯著的例子。

　　具體的說，這是因為我們在這裡教華語，都是先教發音。過去我們都採用台灣所用的教法，先教注音符號的認、唸、寫。最近這些年才有了漢語拼音的教學。可是由於我們對於華語語音的教學，普遍缺乏應有的基本認識，所以才會把所謂的「國語注音」和「漢語拼音」，分別簡化成「注音」和「拼音」，於是整個的華語語音教學也就只在發音的層次上用力，反而把極為重要的「語音」置諸腦後，全不予以重視。不少教華語語音的教師，曾為「注音」好還是「拼音」好的爭議，耗費許多寶貴的精力，卻不在「語音」的基本了解上用功，實在都是捨本逐末的。要知道只教學生學會用符號把不同的「音」、「注」出來或「拼」出來，但是卻並不知道自己費盡千辛萬苦，才能「注」、「拼」和「發」出來的「音」，究竟是什麼意思，那麼這些學生所真正學到的「音」，最多也只是些無意義的音節（SYLLABLE），並

不是該學到的「語音」。因為「語音」並不就是「音」，或者說，並不是所有的聲「音」都是「語音」，「語音」只是指有意義的「音」，只有「音」而無意義，當然就不是「語音」。由此可知，教華語語音是不能只在發音是否正確，是否標準，以及該用哪種符號去「注」或「拼」上計較，而不把所教的「音」和那些「音」的「義」結合在一起去教，無論如何都是不合乎華語語音教學的基本要求的。所以我們認為這該是教華語語音應有的最重要的一項基本認識。

其次，由於我們這裡教華語語音，似乎對於標音的方法，如用國語注音符號或是用漢語拼音的問題，一向就格外重視，爭議也特別多。我們並不否認在語言學研究上，不同的標音符號間，可能確有優劣之別，但是站在實用的立場看，我們卻相信任何一種標音符號，都必會有其所獨具之短長，重要的是要看其使用者的原有經驗與背景，以及其使用該種標音符號是否習慣與熟練，並不能一概而論。例如：我們並不能因為我們覺得在我們這裡，使用漢語拼音確比使用國語注音符號來得方便，就能否定日本人或韓國人覺得學華語語音，用國語注音符號比用漢語拼音方便的事實。另外一個可能決定我們該採用哪種標音符號的重要因素，是該標音符號是否被普遍接受，或是否能在較廣的地區流行。例如：漢語拼音的日受肯定，就是由來於此。顯然這是得益於英語的通用全球，並不必然是全由於漢語拼音本身的素質高，這正如同英語在語文本身的素質上，雖然並不比華語文高，但

受到政治、經濟，格外是像好萊塢電影、電視、廣播和電腦等這類大眾傳播媒體的強力推廣的影響，無疑至今仍然是比華語文流行廣得多的語文，雖然世界上使用英語的人，遠遠沒有使用華語的人數那麼多。這是個極富趣味的現實，教華語語音的也該腳踏實地的去面對。針對學生的不同背景去選定標音符號來用，該是較為實際的原則。好在標音符號只是個工具，會讀會說才是目的。明乎此，教華語語音時才不會在爭論用哪種標音符號比較好的問題上，虛耗精力。拋開成見，着重實效，也可算做是一種基本的知識。

　　最後則談到教華語語音應有的一些實質上的基本認識，那就是有關語音，甚至是語音學上的基本認識。誰都能理解，不具語音或語音學的基本知識的人，是無法去教語音的。雖然我們並沒有明確的證據或有關資料，但是僅只根據我們的觀察，幾乎就能斷言，在我們目前所有教華語語音的教師中，真正具有語音或語音學的基本學養的人，必然極少。試問一個連元音、輔音、音位、音素、或音綴等詞指何而言，都不清楚，不知道華語語音的特質，也不知道菲語或菲方言的語音特質的教師，又怎麼能夠教好華語語音呢？千萬不要誤認為會說流利的華語的人，就必然知道該如何教華語語音，就必然會教華語語音。也許這正是我們教華語語音上，最該立予加強的一種基本認識。

五、試評注音符號的教學

注音符號，原稱注音字母，公佈於民國七年（一九一八年），迄一九三〇年始改稱注音符號。中國國內各省市正式實施注音符號教學，亦始於一九三〇年。菲律濱華校的注音符號教學，則是在推行「國語運動」的浪潮下，逐步展開的，其推展進程較諸中國國內，幾乎同步，並無遜色。不過由於我們這裡的國語運動，始自中學階段的實施國語教學，所以在注音符號的教學方面，卻是從教成人和教漢文教師學注音符號開始的。第二次世界大戰前，伊靜軒編著的注音符號速成一書，可為早期的代表作品。至於從小學一年級學生入學開始就教注音符號的辦法，卻較中國國內為遲。採用中國國內教科書，第一冊前另編之首冊，專教注音符號，則是遲至六十年代的事。但是這種辦法自實施以來，至今並無多少改變。在注音符號的教學方法上，也是一直沿用中國國內四十年代先後多次實驗研究的結果證明最好的一種方法，叫做注音符號綜合教學法。去年（一九九七年）由僑委會印行的菲律濱版，新編華語課本，首冊，注音符號專用本及其教師手冊中，均明白揭示注音符號教學採綜合教學法。

什麼是綜合教學法呢？根據僑委會印行，新編華語注音符號教學指引（國語注音符號綜合教學法）一書，第二章，第一節內的說明，認為：「注音符號綜合教學法，實際上是

先綜合而後分析的方法。一開始先從綜合的教材入手」。也就是先學習語句，再從語句中分析出需要認識的語詞，從語詞中再分析單字，又從單字中分析出需要教學的符號，最後應用教學的符號，練習直接拼讀，進而練習聽寫。「所以綜合法的過程，是：先綜合，後分析，再綜合」。並且說：「綜合法的優點就是有趣味，因爲一開始就從有意義有趣味的學習內容開始，兒童容易發生興趣」。在該書第二章第四節中還說：「讓兒童認一個個抽象的注音符號，既沒有意思，又需要機械的背記，趣味非常淡薄」。「注音符號的教學，要使它產生表達意義的作用」，「就是把符號拼合起來，成爲有意義的詞句。要如何把拼合成的符號，產生有意義的詞句呢？這得先透過說話，使符號語意結合」。「所以，採用綜合法教學注音符號，先要教學說話」，「從有意義的句子教起，就是先教說話，從說話中辨認代替句子的符號；從整句的符號中，認識語詞的符號；從語詞中認識單字的符號，再從單字的符號中，認識每個注音符號的音和形」。也就是說要「先從有意義的說話開始，認識語句，逐漸認識符號，最後教學音和形」。同章第五節中又說：「注音符號是不宜孤立教學的」，「注音符號是抽象的，必須作有意義，有目的的學習活動，所以每個階段都透過語意（說話）和符號的混合教學活動，進而辨認抽象的符號」。

　　根據以上所引資料及說明，足夠使我們對於近半世紀以來，我們一直沿用的注音符號綜合教學法，有些基本的認

識，其中包括了對這種教學法的基本理念，實施步驟與過程，教學特點與優點的了解。然後就可以進而檢討我們多年來，運用這種方法教學注音符號的實際成效。雖然我們在注音符號的教學成效的評鑑上，尚無全盤性的科學研究資料做根據，但是仍可依據普遍的印象和了解，做些粗淺的判斷。

一、僅就對於注音符號的「認」、「念」、「寫」來說，確是相當成功的，幾乎所有學過注音符號的學生，大體上都能具備這些能力，看到注音符號拼寫的華語音節，就能讀出正確的聲音。但是在聽到華語的音節，能用注音符號寫出來的能力就較差。也就是說，這裡學過注音符號的學生，普遍的現象是「認念」的能力高於「聽寫」的能力。不過在四聲方面，不論聽說或辨認上的能力則均甚弱。

二、如從注音符號教學目的來看，其具體目標在使學生能運用注音符號的拼讀能力來幫助說話、發音正確，運用注音符號的聽寫能力，來幫助識字、提早寫作。可是在我們這裡，學習注音符號的結果，卻只能使學生在發音上有些收穫，在幫助說話上幾乎看不到多少效果；在聽寫或注音的能力方面，也看不出對於幫助識字會有多少效果，提早寫作更無可能。這也就是說，孩子雖然學會了看到注音符號拼寫的華語詞句，就能讀出正確的聲音來，但是卻並不必然會說流暢的華語；因為發音正確與說華語根本就是截然不同的兩件事。同樣的，能夠把聽到的華語音節，用注音符號寫出來，也能正確讀出注有注音符號的詞句來，但卻並不必然會寫字

或認字。我們這裡的確有太多學生只學會了注音符號，沒注上注音符號的華文書，就一個字也讀不出來，只要注上注音符號，他們就能順利的讀出來。不過他們會的只是正確的讀出來，但讀出來的是說些什麼，卻全然不知。所以，我們這裡有些華語文教師說，這都是被注音符號害的。也有些學華語文的學生，誤認爲注音符號是一種較爲簡單的中國字。何以如此？實在不能不說是我們當前華語文教學上的一個大問題，當然注音符號的教學更該擔負更大的責任。質言之，檢討其得失，並迅謀改進或補救之道，實乃當務之急。

　　整體而言，我們的注音符號教學成效並不理想，其主要原因不外以下三種可能：(1)我們採用的綜合教學法並不好，不該採用；(2)綜合教學法雖好，但並不適合於我們；(3)綜合教學法很好，但我們並未認眞運用。但這三種原因中，哪種才是我們的實際情況呢？值得深入探究。

　　雖然我們知道我們這裡學過注音符號的學生中，絕大多數都能在注音符號的「認」、「念」、「寫」三方面達到相當不錯的水平，但是我們仍然認爲我們的注音符號教學並不成功。主要的是因爲學生學會了注音符號的「認」、「念」、「寫」，卻並不能幫助學生說華語，和認識中國字。要知道教學生學注音符號，只是幫助學生學會說華語、認中國字的手段或方法，學會注音符號「認」、「念」、「寫」的本身並不是目的。如果注音符號教學的結果，只能使學生依賴注音符號，發出所謂「正確的」聲音，卻完全不

了解這些聲音所代表的意義，豈非正像教鸚鵡說人話？如果在教注音符號時，只是一味在所謂「正音」上嚴格要求或訓練，豈非捨本逐末？如果我們投注了那麼多人力和物力，去編注音符號課本和培養教注音符號的教師，但到頭來，卻僅能教會學生，去記誦一些無意義的符號和音節，不但徒勞無功，而且還把學生學說華語和認中國字的興趣，全都折磨殆盡，又怎是教學注音符號的本意呢？

有了以上這些認識和看法，就該進一步去找出造成這些現象的原因。前面曾經提出有關注音符號教學成效並不理想的三種原因，似可做爲我們思考的起點。認眞的說：採用綜合教學法教注音符號是否最好，如未經認眞運用及檢討得失，是極難否定這種方法在中國實驗證明優良的結論的，也無法斷定是否適合我們這裡採用的。因此，要想解答這個問題，就要先去了解我們注音符號教學的實際情況。由於我們這裡，正式在學校教初學華語的學生學注音符號，從開始就是師法「台灣經驗」，由來自台灣的注音符號教學的專家所主導的。幾乎我們這裡所有教注音符號的教師，全都是這些專家們教導出來的，這也正是我們的注音符號教學一直採用綜合教學法的最大原因。不過根據筆者個人的觀察和了解，這些教注音符號的教師中，眞正能夠按照綜合教學法的基本要求去教學的，實在並沒有幾個人。甚至能夠對注音符號綜合教學法，有些正確了解的也不多，更不必去談使用綜合教學法的經驗與心得了。探究起來，可以發現不外以下兩個可

能的原因：第一，到這裡來教我們的教師注音符號的專家們，都把重點放在教注音符號上。所謂「正音」才是他們關心的，至於用什麼教學法教注音符號的問題，卻極少詳談。這可從歷年來教師暑期研習或進修課程內容中找到證明。而且那些專家在教我們的教師學注音符號時，是否就是採用綜合教學法的，也是值得懷疑的。第二，我們這裡經常都是指派新進的，並無教學經驗的教師去教初學華語的小學一年級學生。有時這些新進的教師自己對於注音符號的運用能力，尚未具備應有的基本水準，又怎能要求他們去了解和使用綜合教學法，去教注音符號呢？真可說是：「非不為也，是不能也」。因此所謂採用綜合教學法，真是有名無實。

然而換個角度來看，按照注音符號綜合教學法的規劃，其教學過程是從「教學說話」開始的，然後依次是「認識語句」→「分析語詞」→「分析單字」→「分析符號」→「練習拼音」→「複習」→「聽寫」。可是在我們這裡實施起來，最感困難的卻正是「教學說話」。「教學說話」碰上了極難克服的障礙，幾乎就等於無法按規劃的應有過程開始教注音符號。舉個具體的例子來看：在去年（一九九七）由僑委會發行的菲律濱版新編華語課本注音符號專用、首冊的教師手冊中，所提供的第一課、第一節課的說話教學活動，是這樣寫的（見該書第三十頁至三十二頁）：1、老師操演布偶，邊演邊說：「我是衣吾雨」。（連說三遍）2、老師把布偶掛在黑板上面，指著布偶，自問自答：（三遍）「他是

不是衣吾雨？」「是的。他是衣吾雨。」3、老師指著衣吾雨問學生：「他是不是衣吾雨？」⑴問全體⑵分組問⑶個別問（如果學生答不來，指導學生回答）4、老師操演布偶，說：「我是衣吾雨。我愛吃糖。」（連說三遍）5、老師自問自答：「衣吾雨愛吃什麼？」「衣吾雨愛吃糖。」（連說三遍，說到「衣吾雨愛吃糖」，就展示糖果給學生看，並問學生：「這是什麼？」指導學生回答「糖」）6、老師問學生：「衣吾雨愛吃什麼？」⑴問全體⑵分組問⑶個別問。7、老師拿著糖果，個別問學生「這是什麼？」學生答對的，就賞他一顆糖。

相信只要對於我們這裡初學華語的孩子的語言背景稍有了解的人，就必定會發現這些說話教學活動，雖然豐富，但對這裡的孩子來說，卻極不實際。而且在第一課的第一節課上，就提出了那麼多，那麼難的語詞，那麼複雜。那麼艱深的句型和語法，要孩子在一節課內去聽懂、會說，實在強人所難。衣吾雨這個名字姑且不說，我、他、這、是、愛、吃、糖、是不是、愛吃、什麼、是的等等，請問對我們這裡初學華語的孩子來說，哪個語詞不是無意義音節？恐怕這絕不是老師在一節課裡，賣力演出和「連說三遍」，就能讓孩子聽懂、會說的。

此外，還要求在「聲調練習時，應隨機提示這個音節在某一聲調時，它在日常生活用語中的意義，以提高學生學習的興趣，同時可以增進說話的詞彙」。例如「阿姨」的

「姨」、「烏龜」的「烏」、「遇見」的「遇」、「高矮」的「矮」等，哪個詞是這裡初學華語的孩子所能了解的呢？孩子無法了解，老師也沒有去說清楚，最後只好把注音符號當無意義音節，去死認死念，結果當然對認字說話都不會有什麼幫助。這就是我們教注音符號的現實，如何面對？請有關教師和專家深思！

六、評注音符號「海外教學法」

今年四五月間，在校聯主辦的暑期教師研習班中，張孝裕教授曾主講華語語音，在他的講義中提出「注音符號的四種教學法」，那就是分析法、綜合法、折中法、和海外教學法。不過根據該講義末之「註」中所說：「本注音符號前三種教學法，係參考何容、王玉川等教授編寫之《國語注音符號概論》」。言下之意，似顯示所謂海外教學法乃張教授所創發。依其說明謂：「海外情形特殊，中文學校學生學習中文，多利用週末，每個學生每週大約只有兩三個小時學習中文，學習的意願大多數都不很高，如果以台灣小學生所用的綜合法去學注音符號，在海外就得花八個月了，這在海外不大容易行得通的，所以擬就一種『海外教學法』」。

從這段說明中可以知道，所謂海外教學法似乎是針對美加地區或美國的情況而設計的，至少並非針對我們菲律濱，因為我們這裏的學生學華語文每週都有十小時的時間，比起

「每週只有兩三個小時學習中文」的標準，的確好得太多了，但是能否據此而推斷說：「如果以台灣小學生所用的綜合法去學注音符號」，在我們這裏就只要花一個多月的時間呢？只要稍有教注音符號經驗的菲華教師，都會知道並無可能。嚴格的說，所謂海外教學法，仍然是爲教注音符號而教注音符號的方法，並沒有多少教華語語文的意義，似乎仍然沒有避免把「語音」教成「注音」的缺點。要知道「注音」教學只要求「發音」正確，而不去關心學生對於這些會發的音，有無透徹的了解其意義，實無異練習無意義音節。就算會認會寫會讀注音符號，也無助於聽懂或會說華語，因爲只有「有意義的音」才是「語音」，我們該教的是「華語語音」，而絕對不只是華語「注音」。

此外，張教授還說：「這種教學法就是先教韻母一、ㄨ、ㄩ，然後教聲母ㄅ、ㄆ、ㄇ，最後教拼音……，因爲聲母單獨沒有字，所以先教韻母，再教聲母，這時可以利用已學過的聲母和韻母來學習拼音。這樣可以避免分析法的枯燥和綜合法的花費時間」。這裏所說的「因爲聲母單獨沒有字，所以先教韻母，再教聲母」，固屬事實，但並非僅在海外如此，在台灣何嘗不然？但台灣何以可先教聲母？顯未說明。其實這正是由於在海外教華語，應按教外國語的辦法教，不能當本國語教的緣故。也許正由於這裏主張在海外先教韻母，再教聲母的理由，未能抓住重點，所以在海外教學法上，也就只能止於紙上談兵，連去年由僑委會新編的華語

課本中，在注音符號專冊裏，依然採用綜合教學法教學，給本地華文學校在華語教學上，增添了不少額外的困擾。主管當局實該深自檢討。

七、什麼是「注音符號字母」？

「注音符號字母」這個詞，的確有些怪異，只要認識「符號」和「字母」這兩個詞的人，就會馬上發現把這兩個詞連起來使用，何止是不倫不類，甚至是連究竟指何而言，都把人給弄糊塗了。因為畢竟符號是符號、字母是字母，根本是兩個全不相同，也全不相干的概念。所謂「符號字母」是指符號？還是指字母？說「符號字母」不說「字母符號」，是否此兩者又有指稱對象的不同呢？什麼是「注音符號字母」？只要稍有注音符號的有關常識的人，就會知道，我們現在所用的注音符號是由讀音統一會制定的，當初於一九一八年十一月二十三日公佈時，是把「注音符號」叫做「注音字母」的。到了一九三零年才由教育部正式把「注音字母」改稱為「注音符號」。這是一種修正，也是一種進步，算是終於把用來標注「字音」的符號，和拼音文字所用的「字母」，明確的區別開來了。換句話說，「注音字母」和「注音符號」所指稱的都是同一個對象，不過，過去叫「注音字母」，現在進步了，都用「注音符號」這個名稱。但是卻從來都沒用過「注音符號字母」這個奇怪的詞。不幸

的是，這個怪詞卻一再出現在中華民國八十六年（一九九七）二月初版，由僑委會發行的，菲律濱版新編華語課本注音符號專用首冊的教師手冊中。同時我們還發現，該手冊在全書十課的注音符號的教學活動中，都列入「分析字母」與「習寫字母」的項目，逕將「符號」改稱爲「字母」。雖然我們並不知道該手冊編者們，採用這些詞的原因和根據，但是我們仍敢斷言，那樣做是不妥的，是錯的，是該負責公開更正的。

我們所以這樣說，一方面是由於我們從心底認同中國人深信「名不正則言不順」，格外重視「正名」的可貴傳統，另方面也是由於認眞界定關鍵詞彙之意義，是解決所有問題不可或缺的起點，和尊重科學精神的體現。更重要的是因爲這些語意含混不清，甚至根本錯誤的語詞，出現在我們所用的教師手冊上，確實是個十分嚴重的問題。要知道編寫教師手冊是要協助教師，或教導教師得到一些正確的概念和資訊的，如果在教師手冊這類書籍上，出現了欠明確或欠正確的詞彙，豈非直接誤導我們的華語文教師，也間接教錯了我們學華語文的學生？而且我們這裏的華語文教師，格外是教注音符號的小學低年級教師，華語文素養本不太高，「盡信書」的人甚多，尤其對於僑委會發行的書籍，向具信心，每深信不疑。前舉錯誤，如不愼重更正，則必以訛傳訛，貽害無窮。於此亦願鄭重呼籲僑委會能一本過去輔導菲華教育之熱忱，繼續協助本地華語文教學之改進，但在編輯用書及派

員來菲講學時，均請格外審慎將事，以利事功。

八、學華語不宜用「漢語拼音」嗎？

　　前幾天在學校圖書館翻閱舊雜誌，無意間看到去年三月出版的一期「華文世界」上，台灣大學鄭昭明談「華語文的學習何去何從」的文章。文中認為今天把華語當作第二語文去學的人，有三類共同的問題，其所列第三類問題是：「使用哪種音號系統學習漢語的發音？」並且提出「國語注音符號第一式」和「漢語拼音」的使用問題。文中似乎就把「漢語拼音」視為該文作者所稱的「羅馬音號」，而且做出其「外國人不適宜用其熟悉的羅馬音號學漢語」的結論。言下之意，實無異於說：外國人也不適宜用「漢語拼音」學華語。我們這裡在華文學校學華語的學生，雖然不宜被視為純粹的外國人，但他們對於所謂的「羅馬音號」，也具有與外國人極為近似的熟悉，所以使我們不能不關心，在華校學華語的學生是否也不適宜用「漢語拼音」的問題。其實在我們這裡討論「注音符號」與「漢語拼音」的文章與意見也不少，這個問題也曾是華語文教學上最熱門的話題之一。不過都是着眼於比較兩者之優劣，卻似乎還沒有提出過說哪種不適宜用的結論。因此，迄目前為止，用「注音符號」和用「漢語拼音」來學華語的都有。這是否也顯示我們認為兩者是各有其得失的呢？所以在我們這裡是兩種都有人用。

　　可是鄭先生的文章卻指出了外國人不適宜用「羅馬音號」學華語的結論，當然值得我們重視。現在不妨就先看看鄭先生舉出來的理由。他說：「語言與語言之間發音雖可能有其雷同的地方，但卻不盡相同。譬如，中文的『ㄅㄚ』與英文的『ＢＡ』兩者的音位雖然相同，但釋放氣流的『程度與型態』卻是不同的」還說：「當外國人使用ＢＡ唸『ㄅㄚ』時，無異是鼓勵以其母語發音的內在標準ＢＡ來檢驗自己的發音，如此，縱使唸出來的音是ＢＡ的音，與其內在標準相比，是吻合的，因此就不覺得有錯，也就難謀求修正」。所以他的最重要的理由就是「會產生正音的困難」。可惜這樣的理由，放在我們這裡教華語的實際經驗裡，卻沒有什麼說服力。因為我們發現學生看了ＢＡ這樣的符號，就能發出音來，就算正音會有困難，但也總比看了「ㄅㄚ」這樣的符號，連音都發不出來好得多。何況學語音總免不了會有發音上的困難與錯誤，正音是必要的，會有正音的困難，更是常見的正常現象。而且使用「ㄅㄚ」這樣的符號，也根本無法保證在發音上一定正確，不需要正音，或是正音時就一定不困難。畢竟學發音是無法單憑視覺符號就能學會的。根據我們自己的教華語經驗，總會覺得用「注音符號」和用「漢語拼音」，實在是各有其得失的，似乎用哪種「音號系統」去學華語發音，並不是最嚴重的問題。真正值得我們重視的問題卻可能是：如何激發學生學華語的意願，樂於多化些精力和時間去學華語的問題。

　　鄭先生的文章裡說：「目前外國人，華人與華僑在學習漢語的時候，則傾向於使用『漢語拼音』或其習慣的母語羅馬音號，而不使用『注音符號第一式』……這種因為熟悉性的原因而產生的偏好，可以理解，但並不是理性的」。這些話都是事實，也都是對的，因為任何「偏好」都不可能是非常理性的。至於說：「他們既然有心理準備學習千萬個中文字、詞的使用，卻獨獨害怕三十七個注音符號的學習，本質上是不理性的」，卻是錯的，也是「不理性的」。因為他們有心要學的是中文字、詞的使用，而三十七個注音符號並不是中文字、詞，只是些無意義的符號，就算「怕」學，也是相當合理的，怎麼能說是「不理性的」呢？除非是像我們這裡那些在華文學校學華語的學生一樣，幾乎全無心準備學中國字詞的使用，才會在學注音符號上獲得被動而又機械的學習結果。會認、會寫、會唸注音符號，卻不認識中國字。會唸出注有注音符號的課文，沒有注上注音符號的中國字，就唸不出來。而且更嚴重的是，就算能正確唸出注了注音符號的中文字詞或文章，卻全然不了解自己所唸的字詞或文章的意思。有的學生甚至誤認為「注音符號」是一種寫法簡單的中國字。不過，如果根據這些現象就說，學華語不宜用「注音符號」，當然也會是「不理性的」。因為錯在誤用「注音符號」，而不在「注音符號」本身。

　　鄭先生的文章還指出：「另一個不理性是，中文教師也同意，或甚至於鼓勵，外國人以羅馬音號來學漢語」，並不

認同「不要讓他們增加注音符號學習的麻煩，如此可使他們早點閱讀中文」的理由。然而站在學習心理和教學目的的角度來看，鄭先生的這些看法卻極可能是不適宜的，也是「不理性的」，甚至還可能是不對的。至於他說：「表面上，外國人使用其習慣的羅馬音號，好像能較快的學習中文的發音。但初期練習得較快者，並不保證後期使用得較好」，由於用了像「較快的學習」、「練習得較快」、和「使用得較好」等這樣的語詞，在了解其所指的具體涵義上，並不太容易掌握，也就只好不去猜測了。可是該文文末的一句話卻頗堪玩味，他說：「一個音號系統既已被用來學英文的發音，就不適宜用來學漢語的發音」，這似乎就是說：「羅馬音號」系統已被用來學英文的發音，「漢語拼音」正等同「羅馬音號」，所以「漢語拼音」當然就不適宜用來學漢語的發音。但我們不禁要問「羅馬音號系統」已被用來學英文的發音，是否就不適宜用來學法語、德語、或葡語的發音呢？「漢語拼音」是否就是一種「羅馬音號系統」呢？「漢語拼音」本就是為了學漢語的發音所設計的，至今還未曾被用來學英文或其他語言的發音過，是否趕快用「漢語拼音」來學漢語的發音，還是適宜的呢？盼識者教正之。

九、注音、拼音的爭論價值何在？

所謂「注音」是指國語注音符號說的，是中國早期為促

進全國的實質統一，而推動「國語運動」的產物，一九三〇年以前叫做注音字母。在我們這裡，中西學校創立未久就開辦的國語班，就是教授「注音字母」的，其目的也是在消除當時本地閩粵兩大族群間的語言隔閡。後來華僑中學全面實施國語教學，各校響應，也都是以教學注音符號爲主要的方法的。由此可知我們的華校使用「注音」來教學華語文的歷史頗長，迄今幾滿百年。而所謂「拼音」則是指「漢語拼音」說的，是中國面對由五十六個民族所組成的十二億全國人民，爲了實施全民教育，推行全國通行的共同語言（COMMON LANGUAGE），或稱普通話，在注音符號教學的經驗基礎上，透過各方的研究發展而制定的。在時間上，當然要比注音符號的出現遲得多。在我們這裡的華語文教學上，出現得就更遲了，大體上是與近二十年來中國的改革開放，同步推廣的，所以至今仍不如注音符號的使用來得普遍。這樣看起來，「注音」與「拼音」兩者間，正如同「舊」與「新」的接觸，相互間的激盪與衝突自屬不免。因此，這兩者間，在我們這裡，早期確曾有過相當激烈的爭論，現在似乎相對的說，已經沉寂多了。

　　回顧這些爭論，有些是學術性的，有些是政治性的，也有些是學術與政治兩者兼而有之的，當然還有披着學術的外衣，骨子裡卻在表達其政治立場的。至於基於個人的愛惡而訴諸情緒表達的也所在多有。可惜在這些爭論中，眞能把爭論的焦點集中在應有的爭論目的上的，卻不多見。最近又讀

到幾篇主張教學漢語拼音的文章，雖然較為「務實」，但是依然在強調漢語拼音的易學、易認和適合用來教那些有英語背景的孩子，卻似乎並未重視教孩子學那些易學、易認的拼音的目的是什麼。還有篇文章上說：初見注音符號還以為是日文，卻似乎不知道把「拼音」看做是英文的人更多。這都可證明我們在這個問題上的討論進步仍少。

要知道：「注音」也好，「拼音」也好，形式雖有不同，但實質上都同樣是些標音的符號。我們教孩子學「注音」或「拼音」的目的是為了能使孩子學會聽懂華語，和學會說華語時，更容易，更有幫助，絕不是打算用那些符號來取代中國字。任何形式的標音符號，永遠都只能是「視覺符號」，這些「視覺符號」無論如何都不會被「看出」聲音來。過去孩子學「注音」，離了注音符號讀不出字音來。我們實在懷疑改用「拼音」，就必然不會發生孩子也改成依賴「拼音」符號的現象。畢竟學會「注音」或「拼音」並不等於學會聽懂華語和會說華語。除非能夠證明哪種標音符號確易使孩子學會華語的聽與說，否則任何爭論都是沒有什麼價值的。

一〇、為什麼學十年還聽不懂華語？

在這裏大多數人都承認，把孩子送到華文學校去學華語，經過小學六年，中學四年，總共十年的時間，還是聽不

懂華語的相當多。何以如此？客觀的分析起來，大體不外以
下三類原因：(1)來自華語本身的；(2)來自學生的；(3)來自教
師的。茲分述如次：

(1)來自華語本身的原因：例如華語的確太難學，無論如
何學十年是不夠的，必須學更長的時間才行。然而事實上，
不論學多麼難學的語言，都用不了十年，何況世界上已有太
多人，曾有在遠比十年短得多的時間內，學會聽懂華語的經
驗。而且學了十年華語，也不該連一兩句最簡單的華語都聽
不懂啊！可見這類原因，並不能成立，也不是學不會聽懂華
語的眞正原因。

(2)來自學生的原因：例如說：學生太笨、太懶、太不注
意、太不用功，或者說學生學習的方法太不好等。但是這些
說法都不是合情合理的，到學校去的學生，絕沒有只在學華
語時太笨的，凡是有能力學其他學科的學生，就不會笨到無
法學華語。但是說學生太懶、太不注意、太不用功，或學習
方法太不好，卻是非常可能的。不過正是因爲學生們極可能
會有這些缺失，所以學生的家長才會把孩子送到學校去，要
求教師運用其專業的知識與技能，去糾正學生們的那些缺
失。如果我們把教師份內的工作和責任，都推給學生，做爲
學生學不會聽懂華語的理由，顯然是不公平的，也是不對
的。

(3)來自教師的原因：例如說：教師沒有教、教師不會
教、教師教的方法不好、用的教材不對等。根據我們的觀

察，這些理由似乎都是十分可能的。「聽」雖是華語教學四大目標——聽、說、讀、寫的首位目標，但在實際的華語教學中，真正專注教「聽」的華語教師並不多。幾乎所有華語教師都把全副精力集中在教「讀」和「寫」上，教師不教「聽」，學生又怎會學會「聽」呢？認真的講，正由於教師長期的普遍的不重視教「聽」，所以也變得不會教「聽」，更談不上教「聽」所用的方法和材料的好壞了。從這裏似乎也可證明，學生學了十年華語，依然聽不懂華語的真正原因，正是由於教華語的教師沒有認真教「聽」、不會教「聽」，教「聽」所用的方法不好，所用的材料也不對。於今之計，端在對症下藥，不但要嚴格要求華語教師教「聽」，而且還得教華語教師如何教「聽」。教「聽」的方法和教材都是華語教師必須馬上進修的重點。

　　此外，也常聽人說：學生學十年華語，仍然聽不懂華語，該歸罪於大社會的環境不良。其實認真想想：學校就是安排學習環境的地方，試問學生在學校裏學其他學科，如數學、物理、化學等，又何曾依賴過大社會的學習環境？為什麼學華語就不能全靠學校的教學呢？

一一、該讓學生在課堂上練習說華語

　　多少年來，經常不斷的聽到不少人抱怨說，他們的孩子在華文學校裏，學了十年的華語、華文，卻仍然不會說華

語。雖然他們大都把這些失敗，歸咎於社會語言環境的不利，對於華語文教學的要求和指責並不多。但是平情而論，華文學校的華語文教學對於這些抱怨，也是該負起部份該負的責任的。具體的說，華文學校教華語、教華文的基本目標就是培養學生在華語文方面，聽、說、讀、寫的基本能力。如果其教學結果，竟然無法達成預期的教學目標，又怎能找個藉口，就把該負的責任推掉呢？簡單的說，教會學生說華語是教華語文的四大基本目標之一，其教學本應有其具體可行的方法與步驟，並應在其預定之全盤規劃的過程中，有效完成的。如果確實不能達成其預期的目標或要求，也該及時檢討，針對其缺失，提出有效的改進策略，並付諸行動，怎能延宕時日？

　　要知道語言學習，最重要的就是要靠多練習，學華語不多練習說，又怎能學會說華語呢？根據筆者的觀察，發現我們這裏的華語文教師，絕大多數都極着重教師自己本身在課堂上的表現。因此在華語、華文的課堂上，絕大部份的時間也都是由教師使用的。教師花在「講」上的時間最多，學生在重重的傳統要求下，也只能靜靜的坐着，完全被動的注意聽、用心聽，絕對禁止任意發言，說話被認爲是擾亂課堂秩序的錯誤行爲。課堂上的學生噤若寒蟬，教師卻可「唯我獨尊」。眞個使課堂變成了教師恣意揮洒的舞台，也許在課堂上聽講的學生的存在價值，極可能因此而被忽略或被否定，但是只要教師的權威足以鎭壓住，教師扮演獨角戲的場面，

依然是可以被接受或被肯定的。甚至在某些示範教學或觀摩教學裏，大家所關注的也常集中在教師的「表演」上，任由聽講的學生被安排得像些傀儡似的，也毫不計較。

可能正因爲我們的華語文教師都具有這般強有力的優勢，所以他們都有較多的練習語言表達的機會。我們看到不少強調說國語，以國語教學的華文學校的華語文教師，教了幾年華語下來，也能把國語練習得頗爲流利。這可以歸功於課堂上學生始終保持沉默的結果。要知道在華語華文的課堂上，本該是學生練習說華語的地方，絕不該是讓華語文教師練習說華語的地方。希望我們的華語文教師認清這一點，千萬別忘了留些課堂上的時間，給學生去練習說華語。否則學生該在什麼地方，用什麼時間去學着練習說華語呢？很多華文學校不是都有不錯的語言實驗室，和有關的器材和設備嗎？教師們爲什麼不充份利用，讓學生用來多練習說華語呢？

一二、學華語應求熟練

我們這裡的學生的華語文程度逐年下降，一年不如一年，華社中幾乎每個人都在慨嘆，其實這並不是華語文這門課所獨有的現象。老實說，學生素質普遍下降幾乎是每個地方，每個國家都很常見的現象，先進國家如美國，又何曾例外？什麼學科的程度不是在下降呢？這究竟是爲什麼？也許

我們只能說，這是學校教育普及和全民化過程中，配合條件
不足所造成的必然結果。例如到學校裡去讀書的學生，突然
間比過去增多了好多倍，但是國家和社會卻沒有相對足夠的
經費和有效的計劃，去及時培養出足夠的合格教師來。甚至
學生到學校裡去，究竟該學些什麼，學生、教師、學生家長
和社會人士，都缺乏共同的看法或主張。教師的素質也跟着
來源的匱乏而下降，學校卻必須把更多的學生，分到這些教
師手上。教師的素質不如從前，但學生卻比從前的人數多得
多。教師只能匆匆忙忙的教，學生得不到應有關顧，也就只
能糊裡糊塗的學，程度不下降也難。對於來自各方的指責，
在我們這類發展中國家的教師，則習慣於把全部的責任都推
給學生或別人，說學生不用功，根基差，實在太笨，或者說
大社會的環境使然。在先進的國家裡，則常會有教育學家去
悉心分析問題，致力研究，提出解決問題的辦法來。所謂的
教育理論，教學原理或方法，就是靠這種日積月累的努力所
形成的結果。強調熟練在學習上的重要，提出「熟練原
則」、「熟練公式」，建立「熟練學習理論」等，都是最顯
著的例證。教華語文的教師，實在應該對這些學理有點基本
的認識和了解，否則怎能改進自己的教學？

　　但是，什麼是熟練呢？中國人相信「人一能之，己十
之；人十能之，己百之」的道理，也常說「熟能生巧」，這
其間多少都含有熟練的意義，然而如何把這些有關熟練的涵
義，變成具有教學意義的「熟練原則」或「熟練學習理

論」，卻不能僅憑常識去臆測。例如：有些華文學校把規定學生定時繳大小楷的作業，看做是要求學生「練習」寫毛筆字的最好方法。其實這種「練習」，次數再多，也無法產生「熟練原則」應有的效果，因爲那只是一種盲目的練習，並沒有多少教學意義。眞正具有教學意義的「練習」，可以本世紀初，美國著名的教育心理學家THORNDIKE所提出來的「練習律」爲最早的雛型。除了排斥盲目練習外，尤以強調「過度學習」（OVER LEARNING）的看法，最受肯定。例如日常生活中，我們學會打字或騎單車等，都是因爲我們練習的次數，遠超過學會所需的基本次數。所以具有這樣的過度學習，就可以使我們能把學習的結果，保持得更長久，不致遺忘。學華語也正需要有這樣的過度學習。

所謂「熟練公式」（MASTERY FORMULA），是美國芝加哥大學教授MORRISON，於一九二六年，在芝加哥大學實驗學校的教學實驗中，提出來的；其教學意義更爲豐富，因爲他認爲學校教師必須輔導學生，把規定的學習材料，學到十分純熟的程度才行。如果學生尚未學到應有的熟練程度，教師的教學任務就不能結束，教師仍須繼續輔導學生學習，直到學生學得十分熟練爲止。顯然，如果我們的華語教師，能夠把這種理念，運用在華語的教學上，學生學華語的成果又怎會不好呢？如果我們能再進一步去看看「熟練公式」的內容，就更能認清其在教學上的重要了。因爲這個公式，實際上就是個完整的教學過程。簡單寫成：教學前的

測驗→實施教學→測驗教學結果→調整教學方式→再實施教學→再測教學結果→再調整教學方式→再實施教學，直到完全達成純熟的程度爲止。如果我們的華語教學也能運用這個公式所列出的過程，就可以從教學前的測驗中，獲知學生的已有基礎和程度，然後就能針對學生的能力和需要，去設計和實施教學；再從測驗教學成果中，發現教學得失，調整教學方式和內容，再次實施教學，周而復始，自可達成熟練的要求。等學生有了這樣的學習基礎，然後再要求他們自己去練習，才可能產生「熟能生巧」的效果。反觀今天我們的學生學華語，從一開始似乎就沒有人認真去了解過學生學華語的能力和需要，只是把我們從課本上拿來的材料，強制學生去學，所以教學的設計全然缺乏針對性。雖然我們也重視測驗教學結果，但是我們卻常偏重「學」的結果，絕少在「教」的方面做檢討，當然也就不會去發現教學上的得失，據以調整教學方式，再次實施教學了。所以學生學華語的結果，恐怕連達到學會的最低要求，都極爲困難，又何曾期望過熟練呢？教師和學生對於自己「教」和「學」華語的期望都不高，甚至連什麼期望都沒想過，那麼學生又怎能學會華語呢？

　　當然，我們在這裡強調「學」華語應求熟練，也就是強調「教」華語應求熟練的重要和必要。雖然借助了所謂的「熟練原則」和「熟練公式」，來檢討我們當前華文學校裡的華語的「教」與「學」，但是卻並不在於詳盡的介紹或解

說熟練學習理論。不過,如果不能真正了解熟練學習理論,仍然是無法徹底解決實際運用「熟練原則」和「熟練公式」時,所可能發生的困擾的。其實,這也正是「熟練學習理論」建立的背景和原因。同時所謂「熟練學習理論」也並不是只針對語言學習而提出來的,而是針對學校裡的教學,和學生在學習活動上所發生的問題,不斷謀求改進和解決而形成的。也是與單元教材、單元教學的應用和實施緊密結合而演進的。總之,理論的透徹了解才是實施上成功的保障。

一三、我看「精講多練」

所謂「精講多練」的說法,似乎是從一九九一年呂必松教授應邀來菲講學,大力倡導華語應以「第二語言」教學的主張所衍生出來的。因為他那次的講學是「把課堂教學,也就是怎樣上課,作為討論的重點」的,所以在他的第三講—課堂教學(1)中,曾經明白指出「課堂上是學生操練,而不是老師操練,老師的作用是指導。就好比唱歌,老師是指揮,而不是自己唱。又好比演戲,老師是導演,而不是演員。我們常常看到這樣的情況,在第二語言教學的課堂上,老師是歌唱家,是演員,學生是聽眾。這不符合第二語言教學的要求」。看看我們的華語文課堂教學,似乎正是學生操練少得幾近於零,主要的全是教師在操練。因此就有人提出了「精講多練」的口號。本意當然是說:教師要「精講」,學生要

「多練」。說「多練」就是爲了要糾正我們的華語文課堂教學上，一向不重視學生操練的缺點，這是大家所容易理解，也容易接受的。但什麼是「精講」？教師該怎麼講才算「精講」？顯然在了解上均不如「多練」所表達的那麼明確，那麼容易了解。因此基於各人理解之不同，就有了不同的「精講」法。例如就有人誤認爲「精講」就是「少講」的意思。教師「少講」，才有較多的時間讓學生「多練」。課堂上教師不能不講，但卻該盡可能的少講。顯然這種認爲要「精」就必定要「少」，要「少」才可能「精」的看法是不正確的。因爲「精」並不一定要「少」，而「少」也未必就「精」。所以在這裡最該掌握的是要正確了解什麼是「精」，什麼是「精講」。

　　簡單的說：「精講」該是要求教師在課堂上講話時，要講得明白，正確，要合乎語法，用字遣詞要嚴謹也要美；要有條理，有層次，合乎邏輯；更重要的還要使所講的都能適合聽講的學生的能力與興趣，不但要使學生容易聽得清楚，聽得懂，還得使學生喜歡聽。換句話說，教師在課堂上要十分嚴謹的有計劃的計劃好再去講，絕不能信口開河，言詞閃爍，語無倫次，不知所云。否則不論講得多麼少，都無法達到「精講」的要求。此外談到教師在課堂上講的少或多的問題，通常由於我們所說的要學生「多練」是指讓學生多練習「說」所說的，相對的卻忽略了學生練習「聽」也是十分重要的。教師「講」得太少，學生要練習「聽」的機會，當然

也就必然不多。何況練習「聽」是練習「說」的前提，學生不能先練習好「聽」力，是不容易去練習「說」的。昨天在菲律濱版的大公報上，讀到小公園版內羊城寫的「主持人式教學法」一文中，就推介上海大學兩位教授所創的「主持人式教學法」，並且舉出丁迪蒙教授所強調的，「學習語言，聽力是至關重要的。只有聽得懂，才能模仿着說，學得快。要學生多聽，則要教師多講」。文中還說，李白堅和丁迪蒙兩位教授都認為他們所創的「主持人式教學法」，「對於學習第二語言的外國人而言，最是適宜不過」。所以我們認為所謂「精講多練」，絕不是說要教師在課堂「少講」，也絕不是說學生在課堂上所要「多練」的，只是指練習「說」，實際上也包括練習「聽」。教師該重視的是如何講得「精」，而不只是講得「少」，而學生多練「說」，也要多練「聽」。教師「多講」仍是有其必要的。

一四、學華語的好環境在哪裡？

最近這些年來，大家都為華語文教學的成效日趨低落而憂慮，把孩子送到華文學校去學華語、華文，可是學了十幾年，到中學畢業了，依然沒學會說華語，甚至也聽不懂華語，至於讀華文書報和用華文寫作，就更無可能了。部份學生家長於失望之餘，只好自行設法彌補，其中有些人利用暑期把孩子送到中國大陸或台灣去學中文，雖然時間有限，但

卻有顯著的成效，只是費用過高，代價太大。沒做這種投資的人，則普遍責怪我們這裡學華語的客觀環境太差；較爲激烈的則要求華文學校嚴格規定在學校裡，不得用當地方言或英語交談。較爲溫和的則呼籲父母們，多用華語與子女溝通；較爲消極的則認爲華語教學已病入膏肓，沉疴難起，畢竟時代已變，「重英輕漢」乃大勢所趨，學華語失去了好環境，怎來成效？莫再徒勞。顯然這些說法，均各有其道理，也各有其所堅持，但共同點卻全在強調學華語的大環境的重要，似乎都相信學華語的環境不好，是沒辦法把華語學好的。但是我們的孩子學華語的好環境究竟是在哪裡？卻不能不面對現實認眞思考。

　　根據我們常識性的了解，雖然無法否認語言環境對語言學習的影響和重要，但是我們仍然相信日語、德語、法語，也並非必須都到日本、德國、法國去學不可。相反的，我們也知道許多人從未離開過菲律濱，卻仍能學會說流利的外國話。這證明語言環境的重要性並不像想像中那麼大，而眞正最重要也最基本的因素，還在於學的人要不要學，教的人會不會教。學華語最好的環境就是由教華語的教師和學華語的學生共同塑造出來的。在中小學裡學華語，教師的責任更大，因爲學生要不要學華語，本是學習興趣的問題，學生的學習興趣是靠教師去設法培養的。至於教師會不會教的問題，就更該由教師或學校負起全部的責任來了。簡單的說：我們這裡的孩子學華語的好環境，就在我們的華文學校裡華

文教學的課堂上。換句話說，學華語的好環境就是由華文學校、華文教師和學華文的學生共同培養出來的，不能寄望他人。

因此，華文學校不該把學校裡華語教學成效不彰的責任全推給家庭和社會；華文教師也不該把孩子學不好華語的責任全推給學生不用功、程度差，沒有學習興趣；學華語的學生也不該把自己學不好華語的責任推給自己缺乏學華語的好環境。因為正是由於家庭和社會無法教孩子華語，才辦華文學校。孩子學華語不用功，程度差，沒興趣，所以才需要聘華文教師。也正由於學生自己沒有學華語的好環境，才進華文學校學華語。只要認清這些，就會相信學華語的好環境就在華文學校教華語的課堂上。

一五、我看「置之莊嶽之間」學華語

暑假到了，有些華社社團號召學華語文的學生，和教華語文的教師，組團到中國（包括台灣地區）去學華語；也有些學生家長利用暑假帶孩子到中國去旅遊，藉以增加其學華語的機會。當然這都是加強華語學習效果不錯的辦法。只不過那麼做是極不經濟的，而且也不是我們這裡每個學華語文的學生之家庭所能負荷的。何況我們這裡本有教華語文的華文學校，從托兒所、幼稚園、小學到中學，甚至還有大學，至少花上十年以上的時間，讓孩子學華語文，就算沒有機會

到中國去學習，也該有不錯的華語文程度。也就是說：到中國去學華語並不是人人都需要的。至於教華語文的教師，如果能多到中國去進修華語文，當然是不錯的，也是相當必要的。

可是我們這裡對於孩子學華語文的成效不彰，學生華語文的程度江河日下，常歸咎於大環境不用華語，缺乏學華語文的有利環境。上個月讀到鍾藝的「置之莊嶽之間」的文章，引用了孟子、滕文公下篇裡的一段孟子與宋國大臣戴不勝的對話，說明「置之莊嶽之間」，「是讓孩子學好華文的一個有效方法」。固能言之成理，但是怕的是會對一般人習於把孩子學不好華語文的責任，全推給大環境不利的看法，產生助長的作用，摧折了我們改進華語文教學的勇氣與意願。因而願於此對這些想法，做些說明：

一、安排有利的學習環境本是學校和學校教師責無旁貸的事，並不能全賴學校以外的大環境。否則像自然科學、數學等學科之教學，又怎樣使學生學會有關的知識與技能呢？在外國語教學方面，為什麼就非得「置之莊嶽之間」呢？如果我們真都能到英國去學英語，到法國去學法語，到中國去學華語，我們又何必在這裡辦英語班、法語班和華文學校呢？所以我們認為「置之莊嶽之間」雖是個有效的方法，但卻是過份昂貴，也不切實際的方法，更不是「最好」的方法。

二、孟子「置之莊嶽之間」的例子只用來說明國君左右

的小人多，君子只有一個，是不易匡正國君的道理，並不是專爲說明「外語」教學的。何況那是兩千多年前的事，相信那時人們對於語言教學，還沒有專門的研究與經驗：可能語言教學都是全靠在自然的環境裡自學的。可是現在教授語言早已變成了專門的實施與研究的領域，所以凡是學外語的人都要找專門的外語班或外語學校去學，才能獲得最經濟而又最有效的效果。換句話說：正因爲我們這裡並不是中國，我們也不可能或不必到中國去以全副精力學華語文，所以才把孩子送到專教華語文的課堂上去學華語文，教華語文的華文學校是該爲學生的學習成果負責的。

一六、談談寫字教學

在中國的學校教育傳統中，寫字教學是件非常重要的事，因爲寫字不但代表認字，而且字寫得好也代表學問好。所以學校裏的教師要教學生寫字，學生也要花不少時間來練習寫字。不但要練習寫硬筆字，還要練習寫毛筆字。學寫硬筆字就要先學筆順、筆劃、和字體的組織和結構；學寫毛筆字還得學運筆、筆法、甚至磨墨、選紙等。若干考究在今天看起來，都變成了專門的知識和學問，並不是一般教師所能了解的。於是學校裏教寫字也就自然而然的簡化了。能夠保存下來的大概也只有筆劃名稱和筆順，而且在筆劃名稱上也有了硬筆字與毛筆字各異的現象，寫毛筆字的要求也漸漸少

了。近些年來由於現代科技的進步，中文打字，中文電腦的普遍使用，寫字的重要也跟著降低了。學生寫的字也越來越差。不但毛筆字寫不好，就連硬筆字也普遍寫得像「鬼畫符」。有人說，這代表現代精神，「時間就是金錢」，誰還願在這類「雕蟲小技」上花時間？

可是看看我們這裏，學華語文的學生，差不多都能寫一筆不錯的中國字，這種成就常受到外來人士的讚賞。可是只有我們自己才知道，這都是我們一向格外重視寫字，常常讓孩子練習寫字的結果。教師給學生的作業全是抄寫，連準備考試也都要靠一遍又一遍的抄寫考卷上的答案，如果字寫得不好，還要扣分。當然這並不代表我們的寫字教學成功，因為學生能把中國字寫好，全是靠自己「過度練習」的結果。他們可以不知道筆劃的名稱，也不知道筆順，但是卻可以運用其畫圖畫的天份，把一連串的中國字的形狀和順序，從下面畫上去，結果卻完全正確。這也許就是所謂的熟能生巧吧！遺憾的是教師並未能在寫字教學上，產生應有的作用。白白讓孩子浪費了太多寶貴的時間，無法再有較充份的精神和時間，去眞正學華語華文了。孩子練習寫字的時間多，主要的是因為學華語文就要得到及格的考試分數，考試全用筆試，只要能把答案正確的「畫」出來，那怕全然不懂其中意義，一樣可以得滿分，學生就得如此。

另一個更奇特的現象是各華文學校都把寫大小楷定為必有的作業。有的甚至規定從小學中年級就要寫毛筆字，主要

的理由是保存國粹。但實際上，連真正會寫毛筆字的教師都不多，批改大小楷的教師給分標準只是有沒有按時繳，也有設法鑑定是用哪種筆寫的。試問對於書法全無認識全無經驗的教師，又怎能批改學生的大小楷作業呢？就算有些學校也把寫毛筆字排在課表裏，讓學生當場揮毫，但是教師該怎麼教呢？盲人瞎馬，無非時間、精力、金錢的多重浪費！

一七、認字與寫字

認字與寫字本就是兩件截然不同的事，例如：我們可能會寫我們根本不認識的字，也可能不會寫或寫不出我們根本不認識的字，何況所謂「會寫」並不像所謂「會認」那麼容易界定出明確的意涵來。例如：「會認」中國字就是指對某些中國字，在不同的情況下，再讀到時，都會了解那些中國字的形、音、義；可是「會寫」中國字就不那麼簡單了，不但寫出來的結果（字形）要完全正確，而且在寫的過程中，還要按照一定的筆順，如果所說的寫字是指寫毛筆字、大小楷，考究就更多了。「會寫」就可能還包括了運筆、用墨、筆法乃至行氣等，那叫書法，要真正「會寫」字是要花費大功夫的，「會寫」的界定也就更困難了。當然在我們這裡談寫字，是只指學校裏學華文的學生，學寫中國字說的。一般人對於我們這裏學華文的學生所寫的字，評價普遍極高，的確，他們寫字的程度，遠高過他們認字的程度。遺憾的是太

多「會寫」中國字的學生，對於他們所寫出來的中國字，卻無法全都認識，而常常只是用死記的辦法，把那些中國字的字形「畫」出來的。顯然這也正是認字全然不同於寫字的地方。

　　從學習心理學的角度來看，認字是屬於「再認」（RECOGNIZE）的範圍，具有辨認的性質，例如：我們認得我們的總統的樣子，不論在任何情況下，只要我們的總統或他的照片，出現在群眾中或與好多人的照片同時呈現時，我們都能正確無誤的辨認出哪一位是我們的總統。學校裏考驗學生對於自己學過的材料的「再認」能力，來證明他們的學習結果時，用出選擇題的方式，就是把正確答案放在幾個不正確的答案中，組成幾個選支，讓學生根據自己學習的結果，選出他們認為正確的選支來。當然學得好認識得清楚的學生，就比較容易選出正確的答案，學得較差的學生自然就容易選錯；無可否認的是，必定也可能有些學生全無學習成就，僅憑猜測作答，這也就是在用選擇題時，計分要採用扣除猜測機會的適度分數的理由。至於寫字則是屬於「再製」（REPRODUCE）的問題了。「再製」不但要求能辨認無誤，而且還要求能把自己所認識的事物，用指定的方式，重新表現出來，寫出來或畫出來，藉以驗證其辨認正確。用前面舉過的例子來說，「再製」是要求我們用適當的方式描述出來、說出、寫出或畫出我們的總統的樣子來。可是由於這種要求易受各個人的表達能力、技術與經驗各不相同的限制，往往

不是每個人全都能輕易的把自己所認知的，一無遺漏的充份表現出來。學校裏用問答題或填充題來考查學生的學習結果，正是運用「再製」的方法和原則的代表，全然可以避免學生單憑猜測去作答的缺失，但是如果學生已獲得了固定的、呆板的答案，只是憑死記那些固定的答案，考試時不必再假思索，只求一字不錯的默寫或默「畫」出來，當然也就完全失去其考查學習成果的眞義了。

　　根據以上的了解，來看華語文教學上的認字和寫字，可能極易發現，雖然認字和寫字確是截然不同的兩件事，可是在華語文教學上，認字和寫字兩者間，卻也有不少相互關聯的緊密關係。在中國的傳統教學中，認字是爲了讀書，而寫字也被用來做爲認字的方法和手段。因爲中國字的構成本身，常是包含了字形、字音和字義三重意義的，中國字中形聲字格外多，更是最好的說明。因此認識字的部首或者指明一個字構成的各個部件，都具有說明並幫助學生了解字義的作用。所以在認字的教學上，都會着重字音、字形、字義，以及字的結構、筆畫、偏旁、部首以及筆順和運筆的教學。而有關字義的教學，則常用構詞和造句把所教的字或應用在說話的句子中來完成。可是這種教學方式或方法用在我們這裏的華語文教學上，是否適合？是否有效？卻不能不使人懷疑。現在我們不妨就拿去年出版的，由僑務委員會印行的那套菲律濱版新編華語課本中，所提供的有關教材和教法等資料做例子來看看。

　　在該套課本的第一册第一課中，就在識字教學部份要求
「老師指導筆順、筆畫名稱、部首歸類」了。可以姑且不論
教師在教學生認識一、二、三、四、五這五個字時，必須先
使學生知道什麼是「橫」、「豎」、「橫折鉤」、「撇」、
「豎彎」、「斜豎」和「橫折」，所可能引起的困擾，但是
什麼是「部首」？對於只學過注音符號的一年級學生，確實
是極難了解的。我們的老師也許可以告訴學生，「一」屬
「一」部，「二」屬「二」部，但又該如何說明「三」屬
「一」部，而「五」又屬「二」部呢？這類的教學又怎會有
好的成效呢？爲什麼我們不可以把這部份的教學，延後到等
學生認識了一些中國字之後再實施呢？在字義的教學上，所
提供的「先教說話，後教識字」的原則，理論是對的，可是
對於初學華語，對華語一無所知的孩子，一開始就說「我有
十個手指頭」，不論哪個音節，對那些孩子來說都是全然陌
生的無意義音節。倒不如捨棄掉「我」「有」和「手指
頭」，甚至「個」這些孩子完全不懂的音節，直接去用 1、
2、3、4、5，和一、二、三、四、五這五個字一一對應
着去教孩子認識一、二、三、四、五這五個中國字，來得簡
單有效。從說話中去了解所用的字的字義，雖然是不錯的，
但總不該操之過急。過去我們曾用過從先教「實字」開始的
辦法，如：「人」、「牛」這類的字，有了這些「實字」做
基礎，再去教「這」、「那」、以及「是」、「不是」、
「是不是」、或「嗎」這類的較抽象字和詞，然後才能教基

本的句型，如：「這是人」、「那不是牛」等。最後才能眞正學說話，再從說話中學認字。我們相信從語詞中認字，從語句中學語詞的道理，但是語句的學習也該依照由淺入深，由易而難，循序漸進的原則。一開始就講「我有十個手指頭」這麼深，這麼難的句子，無論如何都是不適當的。

　　總體來看，該套課本在認字教學方面所提供的資料，以字義的教學部份最爲薄弱。主要的是由於在以說話爲方法來教給學生字義時，所選的說話材料都未能符合這裏的學生的華語基礎和經驗，其中尤以小學一二年級各册最爲顯著。其所選用的句型、語法等，也未能符合先易後難的要求。每册末所列構詞、短語、常用語等材料，更未針對本地學生的實際需要來做適當的選擇和取捨，無法達到實用的要求。也許有人會說，該套課本只是列出較多的資料，實際能否使用，該由任課教師全權處理。可是只要對我們這裏目前華語文教師，格外是小學一二年級的教師，稍有了解的話，就會知道那實在是過於理想，或過份天眞的想法。要知道我們今天的華語文教師，如果眞能有那份實力，我們的華語文教學成效也就不會像今天這樣江河日下了。編課本的專家如果連這一點都不能掌握，卻一味把些連我們的教師都無法眞正弄懂的所謂生詞、短語，全都列在課本裏，多達五千個以上，固然壯觀，可是不切實際，恐怕不只是「曲高和寡」，還更可能會有害無益呢！目前我們已經發現，太多學過華語文的學生，對於自己學過的中國字，只會寫，卻不知道那些會寫的

字究竟是什麼意思，這就是學生受害的證明。

　　此外，在認字方面，編課本的人或者教認字的教師，都必須認真了解，究竟我們該教學生認多少中國字？該讓學生認哪些中國字？關於這類問題的答案，雖非只有一種，但大體上，大家都有個頗為類同的了解，就是大家都會有中國字的總數並不多的印象。不少人說：字數最少的英文字典的字數，都必然會比字數最多的中國字典所包括的字數多得多。我們在這些有限的中國字中，選一些常用的字去教就好了。中國的有關學者和政府，都有「常用字表」一類的資料公佈，其中最普遍的說法是千字左右。例如前舉菲律濱版新編華語課本，就列出一千一百個左右的「生字」。按照常識性的想法，如果學會這一千個中國字，果能掌握日常應用的中文，那麼把這一千個中國字平均分配在小學六年，或分配在中小學的十年裏，去教、去學，每學年也不過只要教學百餘字或僅百字，應該是沒有什麼困難的。然而實際上，這是對於中國「字」的性質並未認真了解的結果。要知道所謂的「字」都是必須具有明確的意義的，因此，嚴謹的說，只具字形和字音，卻不具字義的「字」，是不能叫做「字」的，例如螞、蚣、萄、葡、琶、躊等，如果不與其他字連在一起，是沒有什麼意義的，所以都不該算是「字」。從這個角度來說，中國字該是指中文中所說的語詞說的，不過絕大數的中國的「方塊字」都有其豐富的意義，其一字多義的現象，又都是表現在與其他不同的「方塊字」結合所產生的新

「詞」上。這也就是說只認一個個孤立的「方塊字」，並不能眞正學會中文的原因，也就是我們說認字要從語詞中去學的理由。換句話說，認字最重要的是要了解字義，而不是只知道字音和字形。不幸的是我們這裏教認字，正與這種最基本的要求相反，忽略字義的教學。誤認爲會寫就等於會認，寫字也就無形中取代了認字的地位，以致教與學均徒勞無功。

　　可能由於我們過份相信寫字在認字上的重要，所以在安排該認哪些字的順序上，也是以筆劃少、字形簡單的字爲優先，例如一、二、三、四、五這些字，就安排在小學課本第一册的第一課裏。但是在以說話爲基礎是教認字的原則下，卻無法找到只使用筆劃少的字所組成的語句。於是只好從說話教材中選出筆劃較少的字，當生字來教、來寫、來認。但事實上還是要符合「常用字」的要求，有些也免不了要選些筆劃多的字，讓稚齡的孩子寫。例如：幾、麼、後、盒等這些字都是安排在小學一年級的課本裏，讓孩子學寫學認的「生字」。由於課文中的生字全都是由編課本的人選出來的，在無法兼顧易寫和第一次出現爲「生字」的原則下，對於某些較爲需要認識的字，卻無法列入「生字」內去教學，例如華語一詞中的「華」、國家的「國」，以及算、餓、飽、渴、舊、橋等這些「常用字」卻都未在全套課本的任一課的「生字」中出現過。顯然這都是因爲把寫字和認字混爲一談的不良結果。其實認字與寫字是可以分開來教學的，不

要低估了孩子認字的能力，也不該過份高估了孩子寫字的能力。要知道讓孩子去認像嘴、糖、雞或聽、寫這些筆劃頗多的字，並非難事。至少要比讓他們去寫「幾」和「麼」這樣的字容易得多。畢竟認字要比寫字重要得多，也實用得多。當然認字也包括對字形、字音的認識，不過字義的了解才是認字的根本。

　　總之，我們的華語文教學在認字教學方面的成效過差，是大家有目共睹的事實，除了該馬上認真的去了解認字與寫字的性質，把兩種教學分開來實施外，在加強認字教學時，也該在華語文課本的編寫上多用些心力。因為一般華語文教師對於所謂常用字的選擇，和教學這些常用字的時間分配，都是根據所用的課本，課本不改進，認字教學的成效是無法提昇的。

一八、怎樣教學生掌握常用漢字？

　　前幾天讀到劉伯「辦好學生報不容易」的專欄文章說：「這不容易，因為我們不了解——估計老師也不了解，一個中學生究竟掌握了多少常用漢字，小學高年級學生掌握了多少常用漢字。能讓學生都看懂的是什麼水平？怎麼定位？的確難以提出具體的標準」。相信就算是全無辦學生報經驗的人，也必能理解這些困難。可是對於文章裡說：「但取法乎上，僅得乎中，把要求定得高點，成功率或者會更高點」的

說法，卻不易了解箇中道理。因爲照常理來說，「把要求定得高點」，該是指對讀者的要求說的，而「定得高點」也必然不能是「過高」或「太高」，否則「成功率」非但不可能「會更高點」，反而可能會更不容易吸引學生去讀，成功率可能更低。那麼「高點」該以什麼爲依據呢？也許像「能讓學生都看懂的是什麼水平？怎麼定位？」這樣的問題，「的確難以提出具體的標準」，但是「一個中學生究竟掌握了多少常用漢字，小學高年級學生掌握了多少常用漢字」，卻該多少是有些了解的。如果連老師都不了解，實在不應該。因爲教學生在一定時段內，熟練掌握運用一定數量的常用漢字，本就該是我們教華語文課上，應有的也是該如期達成的目標。通常編寫小學華語課本，也都是以採用常用漢字爲原則的。最近十年間，菲律濱華文教育研究中心更在制定中小學（十年制）華語教學大綱中，做了具體的教學要求，而且更實際的把常用漢字落實在常用詞語上。規定小學學習詞語三千個左右，要求掌握兩千五百個左右；中學學習詞語五千個左右（含小學三千個），要求掌握四千五百個左右。該中心並依此教學大綱編有菲律濱中小學華語課本一套，共二十冊。或以該套課本編成迄今尚未及十年，且亦尚未普遍採用，但倘能假以時日，各華文學校均能採用該課本之觀點與架構，即或另編課本，亦必能使華文學校之華語文教學導入正規，使每個階段（如小學、中學）和每個年級的華語文教學，都能有個具體的目標，也可使華語文教學成效的評量有

個明確的依據。我們深信只要我們所有華文學校的華語文教學，均能把握住這個原則或方向，能使中學生確能掌握四千五百個左右的詞語，小學生確能掌握兩千五百個左右的詞語，那麼對於一個中學生或小學高年級學生究竟掌握了多少常用漢字的問題，是不難獲得較爲接近事實的答案的。同樣的，「能讓學生都看懂的」水平自然就可以依據中小學生所能掌握的，兩千五百個至四千五百個詞語，或這些詞語中所涵蓋的常用漢字來「定位」，或做爲「具體的標準」了。換句話說，如果又確能僅用中小學生所能掌握的兩千五百個至四千五百個詞語來編出一份學生報來，那當然就會是中小學生都能看懂的了。可能現在的問題就在於怎樣教學生去掌握這些詞語，和這些詞語中所用到的那些常用漢字了。顯然這是個華語文教學方法上的問題。就在前面所提到的，菲律濱華文教育研究中心所製訂的「菲律濱中、小學（十年制）華語教學大綱」中，已對「教法要求」提出「精講多練」的基本原則。若干有關細節，也都有簡明的提示，值得參考。不過在這裡仍然有幾點屬於教學的基本觀念上的看法，願意提出來，供大家參考，也好向先進大德請教。

　　首先就是有關所謂常用漢字的問題。大家應該知道，中國字（所謂的方塊字）並不像想像中那麼多，康熙字典也只不過四萬二千多字，民國間編成的中華大字典也僅有四萬四千九百多字。更何況真正在日常生活中常用的字數，最多也僅及這些總字數的十分之一。現代漢語通用字表，包括現代

漢語常用字表的三千五百字，也僅共列七千字。前舉「辦好學生報不容易」的文章裡也指出，「根據中國漢語教學專家的意見，能熟練掌握五百六十個最常用漢字，就可以閱讀一般書刊的百分之八十的內容；如果能熟練掌握八百零七個最常用漢字，就可以閱讀一般書刊內容的百分之九五點零三」。當然這全都是千真萬確不爭的事實。可惜不少人對於這些事實的理解，往往只着眼於常用漢字的數目的多少上，卻無意中忽略了「熟練掌握」的重要。甚至誤認為「認字」就等同「熟練掌握」了字，而且又把「認字」看得過份簡單，以為只要能從形、音、義上能做基本的認定，就是「認字」了。其實只靠「死記硬背」才會「認」的字形與字音遠不如必須要靠多理解、多運用才會「認」的字義來得重要。然而我們這裡教華語文所最重視的，偏偏只是字形與字音，抄抄寫寫，包括注音的符號全得靠紙與筆寫出來，但「死記硬背」下來的也只是「死符號」。長此下來，連字義也都靠「死記硬背」下來的這些「死符號」充數。這樣的教法和學法又怎能教學生學會「字義」呢？不了解字義，只學會字形、字音，又怎能學會對這些常用字的理解與運用呢？嚴格的說：所謂「熟練掌握」常用漢字，絕不是只指「熟練掌握」常用漢字的字形與字音，而更重要的是要「熟練掌握」常用漢字的字義。所以我們認為教學生掌握常用漢字，就要從教學生掌握常用漢字的字義開始，不能教學生先掌握住所學的那些常用漢字的字義，就去要求學生「熟練掌握」那些

常用漢字的字形和字音，是沒有什麼教學華語文的意義的，也是全然無法產生教學華語文的應有效果的。這也正反映出，所謂「懂，是訓練的基礎」的精神。但是教字義卻並非易事，絕對無法憑教師的簡單示範，就讓學生去盲目練習所能完成的。簡單的說，學生必須要從詞語中去學懂字義，也必須要從句子中才可能懂詞語的意思。所以教學生掌握常用漢字，就要遵循從句子中教詞語，從詞語中教單字的基本原則，這也正是不能要求學生去孤立的死記硬背常用漢字的道理。

不過這是一個極為簡化的說法，如果深入去看，理論上的爭議還是很多的。這是人類如何掌握語言的根本問題，若干有關理論都相信語言習得是從詞語的習得開始的。因此，我們提出從句子中教詞語，從詞語中教單字的基本原則，就不能不先澄清一下常見的一些誤解。首先，不少人總會把中文中一個個的「方塊字」，跟英文中 WORD 這個字的意義等同起來，其實中文中習稱的「一個字」，是否就真的是一個「字」，是完全要看那個「字」是否具有實質上的意義來決定的，例如「葡」、「萄」、「杷」、「琶」，雖然在中國話裡都可以把它稱做是「字」，但實質上卻並沒有英文中 WORD 這個「字」的意思，所以在英文裡，我們只能把一個個的「方塊字」譯為 CHARACTER 或 CHINESE CHARACTER，而不譯為 WORD。更嚴謹些說「詞語」比「字」更妥切，不過在中文裡詞語常常並非全都是一個個單獨的「方塊

字」。從這個角度去看，常用漢字的「字」數雖然不過只有幾百個或幾千個，但這只是指一個個孤立的「方塊字」說的，如果是指用這幾百個「方塊字」相互結合成的具有意義的詞語的話，其數量必將多至萬千。這也就是我們教華語、華文必須編寫教材或課本，而不能叫學生去讀字典的理由。由此當可證明要教學生掌握常用漢字，是不能不從教學生掌握漢語中的詞語開始的。至於「根據中國漢語教學專家的意見，能熟練掌握五百六十個常用漢字，就可以閱讀一般書刊的百分之八十的內容」的說法，對於我們這裡教華語文的教師來說，也是極易發生誤解的。如果我們的華語文教師就用這種標準去要求他們所教的學生，也是不合理的。因為那正是用教「第一語言」的標準，去要求學「第二語言」的學習成果的辦法，其不合理不言而喻。相信許多學習英語或英文的中國學生，都可能會有全然讀不懂，卻又每個字都認得的英文短文的經驗。因為他們所能「認」的那些英國字，常都是個別的學會的。反過來說，如果他們過去是從句子裡學英語詞語的，這樣每個字都認得，卻不明其含義的現象，必然就會少多了。學華語文又何嘗不是如此?!學生在課堂上能一字不錯的把整課課文「讀」出來，卻完全不知道那篇課文裡究竟是說些什麼，豈非也證明他們所「認」得的那些中國字，只是些他們會讀出它們的聲音來的符號，甚至只是一串串的無意義音節，或排列成行的不同圖畫。也許偶爾會有些他們所能理解的含義，可惜又常都是各個孤立，無法相互歸

屬的排列，這樣的「認」字是不能有助於閱讀的。這樣的「認」字當然不能算是「熟練掌握」。所以要教我們這裡的學生掌握常用漢字，就絕不能用以華語為母語的地方所用的教認字的辦法，去教「認」字。而必須遵循我們所提出來的基本原則——從句子中教詞語，從詞語中教單字才行。

其次談到從句子中教詞語的問題。把常用漢字融入常用的漢語詞語去教才行的道理，可能較易理解和認同；可是談到從句子中教詞語時，免不了就會有人懷疑，面對一個全然不懂華語的孩子，如何能透過華語的句子去教華語裡的詞語呢？要解答這個問題，就要先認清我們在這裡教華語文的現實。我們是從孩子四五歲，甚至三四歲就開始有計劃的教他們學華語的。有不少以成年為對象來實施華語教學的說法，是不足信也不可取的。我們該從兒童語言發展的過程上去掌握，先看看兒童是怎樣學習語言的。根據發展心理學的研究可知，人類掌握語言（母語）的第一步，就是先學少數幾個單詞，來開始與別人溝通交流，所謂「單詞句」或「單字句」，就是用一個詞語所構成的最簡單的句子。例如：說：「吃」，意思就是說：「我吃」或「我要吃」。說：「來」，就是說：「請你過來」。否則那些單詞或單字是不會有與人溝通的意義和作用的。同樣的，教師對幼稚園的幼童說：「書」，就是說：「這是書」，說：「坐」，就是說：「請你坐下」，或「請你坐好」。所以教師要透過示範的說，讓孩子透過「懂」和模仿，學會說，學會說得正確。

因此，教師要對孩子說孩子能聽得懂的句子，說得清楚、正確，而且要重覆的說，重覆說的次數越多，孩子在「聽」的方面才越能熟練掌握，也才能在「說」的方面達成熟練掌握的程度。就算面對年齡較大的學生，教師也要嚴格遵守同樣的原則。教師在課堂上口若懸河，滔滔不絕，所運用的詞語和句法遠非自己所教的學生所能接受，所能聽懂和了解的，實在是教學生掌握常用漢字上的大忌。因為學生學會掌握常用漢字是必須要從「聽」懂和了解開始的。不幸的是，我們的華語文教師卻經常會忽略了這一點；更不幸的是，有些教師不但說了太多學生「聽」不懂的句子，還錯用了太多的詞語，更不知道該如何選用適切的詞語和句法，只是一味的信口開河，學生又怎能因而學會「熟練掌握」常用漢字呢？

最後談到教學生掌握常用漢字，還要有一套適用於我們這裡的學生的完整教材。當然這個問題更大，解決起來也更困難。目前我們所能看到的，幾乎百分之百都是用所謂「教材中心」的學理編成的，是讓學生去配合教材上的完整需要而學習的，也是種採用「論理組織」的教材。再加上具有深厚傳統的教學觀念和教學方法的影響，不論教材和課本編寫得多完整，用起來總不免呆板生硬，事倍功半。因此我們認為教學生掌握常用漢字，應該採用以學生為中心的教材，要用「活的」華語，或者叫做「生活華語」，更該採用「心理組織」的學理去編寫教材。不過編寫這樣的教材是個大工程，絕非人人能做，人人會做。教師素質越差，教材或課本

的重要性就越大。由此看來，我們要想弄清楚該怎樣教學生掌握常用漢字的問題，確實還有段極為崎嶇的長路要走。

一九、要教作文　就要先教好說話

最近讀了今年暑期，校聯主辦的華文教師研習班的一份「作文教學法講授講義」，是由一位莊老師主講的。其內容大體包括了基礎作文教學、創意作文教學、閱讀指導教學、作文教學單元設計、以及辭彙語彙與作文教學等五個單元，雖然在整體的組織和結構上，並看不出有什麼章法，自然也根本無法與一般有關「作文教學法」的專門著作，或講授「講義」相提並論，但是如果只是當作華文教師研習活動的參考資料，倒也還是可以算是內容豐富的。怕只怕，所有參加研習的華文教師，若是真的有心從研習中學到些什麼時，自然就會期望主講「教學法」的人，真正能夠提供一些實際可行的有效方法、技術、乃至訣竅，好讓教師們真能搬到自己的課堂去用，最好還能保證其效果一流。可惜從上舉的那份「講授講義」的內容看，我們可以斷言，那些對於「作文教學法」這門課，寄以厚望的教師，必定是會失望的。萬一那些教師滿懷信心，把主講人傳授的那套「作文教學法」，真的搬到自己教作文的課堂上去用，我們還可以斷言，一定會失敗，而且極可能是根本行不通的。說句玩笑話：就算那位主講人，以那些參加研習的華文教師為對象，用那份「講

授講義」所揭示的方法去教那些教師作文，恐怕都不見得能行得通，也未見得能產生預期的教學效果。為什麼呢？雖然這只是玩笑話，或只是猜測，但絕非全無根據，謹說明如次：

首先要知道：教「教學法」，或者說教別人如何教書，本就是件十分困難的事，也最易被人誤解。美國從前就流行過一個笑話說：「會做事的人，去做事；不會做事的人，去教書；連書都不會教的人，就去教別人如何教書」。這對教「教學法」的人來說，當然是個極大的諷刺。不過經過多年來的研究和改進，不少從科學觀點出發來研究「教學法」的學者，早已為教學方法及其教學，提出了許多頗足信賴的原則。例如：在學校裏，不論任何學科的教學法，其最基本的原則就是要認清學習者，或認真了解清楚被教的學生的學習背景和舊經驗；因為這正是教與學的起點。教學的方法和內容都要根據學習者（學生）的程度、能力，乃至興趣等因素來決定取捨，絕不能由教師任意憑主觀認定來處理。就拿上舉那份「作文教學法講授講義」中，第一個部份所提出來的「作文的基本要素——字、詞的練習」來做例子，所列十種練習，從「同音字辨別造詞、連結造句」，到「填字遊戲」，我們可以斷言，沒有一種是可以真正用在教我們這裏的學生作文的課堂上的。不但教小學生行不通，就算教中學四年級的學生，也沒辦法行得通。要想驗證這種說法，並不困難，只要拿我們這裏，英文報紙上常見的「填字遊戲」的

方塊，那是我們這裏，可能連給人開車的司機都會填的，讓台灣學英文的學生填一填，馬上就會發現用「填字遊戲」這種方法，能不能教那些學英文的台灣學生學英文作文了。這也說明：台灣的學生學英文作文，正和我們這裏的學生學中文作文的情況相類似。由此可知，那位台灣來的教師教給我們的華文教師的「作文教學法」，對於我們來說，並不實際，更不實用。認眞追究一下，就會知道，這完全是因爲教「教學法」的人，根本忽略了教學法最基本的原則──認清學習者，以學習者的舊經驗爲起點與基礎來教學──所造成的。我們這麼說，絕非針對今年主講「作文教學法」的人，肆意批評或攻訐。相反的，根據筆者多年來在菲國對這類現象的了解，歷年來所有來自外地（包括台灣地區和大陸地區）的華語文教學專家和學者中能夠不忽略這個教學法上，最基本的原則的，的確是一位也沒有。只不過在教「作文教學法」時，所造成的缺失最爲顯著罷了。

如果深入些分析就會知道，這種普遍現象之所以形成，主要的是由於從中國請來的那些華語文教學專家或學者，對於我們這裏華語文教學的實際狀況，並沒有多少了解，往往都會用中國國內的標準，來要求我們這裏的學生和教師。例如，近些年來，大多數的華語文教學的工作者，包括來自中國的華語文教師，似乎也都承認我們這裏的華語文教學，只能把華語文當做「第二語言」來教。因爲大家都知道，在我們這裏的華文學校學華語文的學生，都不是以中國話（包括

閩南方言）爲「第一語言」的。他們從出生到進學校前，最早學會並熟練和應用的語文是菲國本地的方言，對於中國話一片空白，對於中國話的語音、語詞全無經驗，就算呆板的死記或學會一點中國字的形、聲、義，也由於缺乏活學活用的機會，所以在學習上，雖然花了好幾年的時間，仍難學會足夠的字彙和語詞，去做那些「疊字造句」、「字詞接龍遊戲」、「字組合成句」或「詞組合成句」的練習。要知道我們這裏的學生作文，最常見的現象是求助於英漢字典。因爲他們都是用英文去想出要寫的句子，然後再從英漢字典中查出中文的意思來，轉譯過去的。有時由於英文的字義譯成的中文語詞並不止一個，他們在選定時都沒有什麼依據和標準，任意找一個填上去，當然會讓教作文的教師讀起來，常會感到不知所云。至於句型、句法的問題，那就更難捉摸了。因此，要那些只有這種中文程度和經驗的學生，去做「字詞聯想」再連結成短文，或是做「短句伸長」的練習，豈非天方夜談？從這些實例就可以證明，我們雖然承認在這裏教華語文，該把華語文當做「第二語言」教，但是實際上教起華語文來，所用的卻全是教「第一語言」時所用的教學法。這又怎能不南轅北轍，徒勞無功呢？

因此我們提出「要教作文，就要先教好說話」的主張。因爲說話要比「讀死書」生動活潑得多，完全不了解自己所說的話的意思的機會也少得多。只有從多說自己所了解的話裏，才能眞正學到能了解而又會應用的詞彙和語句，也才能

眞正了解和熟練語句的句型和句法。有了這樣的基本能力和修養，再去學着把自己會說的話，用文字寫出來，就會成爲言之有物的文章。再隨着詞彙從應用中獲得增加與充實和對句型、句法的熟練，然後才能學着去磨練詞句，學習修辭和章法，繼而眞正學會作文。總之，教學生作文就要以學生的舊經驗爲基礎、爲起點，要想用中國國內教學生作文的教學法，來教我們這裏的學生作文，無論如何都是不可能的，也都是行不通的。

二○、學生作文的批改與評分

學年將近結束時，看到許多教師都爲了結算學生的成績忙得不亦樂乎。也曾看到不少教華文的教師爲了核計學生的作文分數，更是忙上加忙；有的還把學生的作文的謄清本重行評分。可是學校裏對於教師在作文的評分方面，卻又常有些限制性的給分規定，例如，規定作文分數最高分不得高於若干分，也有規定除了缺交作文的學生外，其作文分最少也不得少於若干分的。這些給作文分數的上下限的規定，據說是爲了避免教師對學生作文之好壞的認定，會嚴重影響到學生華文科目的學業分數，期能藉以限制教師的主觀因素的影響。但是這種辦法卻也常會使教師在作文評分時，碰到區分學生作文好壞時的困難。因而使每個學生的作文分數都不相上下，可能除了爲數較少的極好和極不好的作文分數之外，

其他則幾乎全都是同樣的分數。從教學的過程和成效來看，教師在命題作文的課堂上，雖常可省去不少講解或說明的心力，可是等到學生把做好的文章，繳到教師手上之後，教師要花在批改上的時間可就多了。再加上訂正、謄清、再批閱的程序，無不以個別學生作品爲對象，對教師來說，其工作量無疑要比講解課文大得多。但是其成效卻常是令人失望的。因此，眞可說，華文的作文教學是典型的事倍功半，或勞而無功。

基本上說，這正是我們今天最需要認眞探討的，作文教學法，或是該如何教作文的問題。過去這些年來，我們在這方面也確實做過不少努力。我們曾不止一兩次的禮聘不少專家爲我們的華文教師講授作文教學法。只不過依筆者的管見認爲：教學生作文的教師先要會作文才行，只有會作文的教師才知道如何去批改作文；會批改作文的教師，才會教作文。也只有會批改作文的教師，才會對學生作文做較合適的評分。或者更直接的說，自己不會作文，不會批改作文，不會爲作文評分的教師，不論學多少教作文的方法，也依然是不會教作文的。其間的道理只要看看我們今天的華文教師在作文上的功力，批改作文的方法，和作文評分的依據，就可一目了然。無可諱言，今天各華文學校對於學生作文的批改與評分，都極少有明確的規範，學作文的學生更是只靠各自摸索，也不知道文章好壞的判斷規準，敷衍塞責的學生和老師也都不少。似乎大多數的學生都是盲目的練習作文，大多

數的教師也只是漫無明確標準的批改和評分。再加上教師每因課業繁忙，或不稔學習心理，常無法及時批改、訂正學生作文上的錯誤，更使教學生作文的成效難彰。因此，深盼教授作文教學法的專家們能從學生作文的如何批改和如何評分上入手，來教如何教作文。

二一、回顧華文寫作教學的成效

菲律濱的華文教學已有近百年的歷史，而且百年來的華文教學，始終都是以「讀」與「寫」為中心的。近二三十年來，雖在華文教學上增加了「聽」與「說」的教學目標，可是實際上，「讀」與「寫」的教學依然佔有極大的比率，尤其是在中學階段的華文教學中教「讀」教「寫」的部份比率更高。如果我們相信我們中學的華文教學的重點確實是只在教「讀」與「寫」上，那麼也該接受我們教「讀」所用的時間和精力遠比教「寫」來得多的事實。但是有人認為教「讀」就是教「寫」，「讀」的是範文，範文讀多了，讀熟了，自然就能學會「寫」。所以至今仍然有不少華文教師，極力強調背誦的重要，而且也常能言之成理。然而徵諸我們華文教學的現實，卻不能不格外留心：「讀」與「背」、「背」與「寫」相互間的關係，並非必然都是無條件的正的關係。例如：教師教學生讀的範文，只偏重字、詞、句的註釋，而未能透過欣賞的過程去徹底了解所讀的範文的精髓，

卻寄望「有口無心」的背誦能裨益寫作能力的提昇，顯然是不會有多少成效的。要知道背誦必須要以透徹了解為基礎才行，盲目的死背是沒什麼用的。更何況背誦要背得熟、背得多才行，像我們目前這樣，只要求學生背一兩課書，甚至只背其中的一兩段或一兩行，恐怕只會是白白浪費時間和精力，絕難在提昇寫作能力上產生什麼效果。同時我們還發現有不少華文教師教「讀」範文時，把「作者生平」的部份都教成死材料，並沒把它與範文本身連起來，忘記了為什麼要教「作者生平」。現在更有人索性省去「作者生平」的講述，直接只教範文。不知如何能使學生透徹了解該範文的真義，又怎能期望這樣的教「讀」，會有助於學生寫作？

　　當然以上所說，全是有關華文寫作教學上的問題，而不是直指其成效說的，這主要的是由於寫作教學的成效絕非立竿見影的事，如果僅從發表在報端的學生作文來看，也不免像看學生華文考卷上的分數一般，易流於片面。真正的寫作教學成效常出現在學生離開學校之後的表現上。可能由於在菲華社會中，華文寫作的需要不多，使絕大多數學過華文的人，失去許多歷練的機會，但碰到需要把自己的意見用華文寫出來的時候，但不知如何下筆的人卻很多。做了華社領導人，要請人捉刀寫演講稿的也大有人在。何以如此？檢討起來，可能是由於我們的華文寫作教學給我們塑造了一個不太完整的寫作典型，讓我們誤認為寫文章就得寫辭藻豐富，甚至要寫得像詩像詞，為了堆砌或搜索優美的辭藻，卻害得顧

不到自己該說的和要說的了，全然忘記了怎麼說就怎麼寫的坦率，豈非得不償失？寫作的實用性仍然是華文寫作教學上，不容忽視的重點。寫作教學的成效也該從這個角度來評斷。

參。課本‧漢字繁簡

一、華語文課本的重要

　　所謂「課本」，又叫教科書（TEXTBOOK），基本上是指學校教育中，採用學科課程的方式時，爲每一學科的教學活動，所規劃的主要內容。但是，什麼是學科課程呢？我們就必須從了解學校教育的目的著手。例如：我們辦學校的目的是要培養孩子成爲一個身心健康，一輩子都能生活得很愉快、很滿足，而且對於社會又能有所貢獻的人。爲了達到這個目的，我們就要進一步分析孩子必須具備哪些條件，學會哪些知識、技能和素養；於是，我們選定了體育、音樂、美術這類的學科來培養孩子的身心健康；也選定了自然科學、社會科學等學科來幫助孩子藉以充分了解自己所處的自然環境和社會環境，使能做最好的適應；還選定了語文和數學等學科，來培養孩子與人溝通和進行邏輯思考的能力等。然後分別針對這些不同的學科，規劃其應有的內容，並且依其論理的（LOGICAL）與心理的（PSYCHOLOGICAL）系統，編寫成各個不同學科、不同階段或年級的教科書。換句話說，各個學科的教科書或課本，都是實現學校教育目的所不

可或缺的一環，也都分別在實現學校教育目的上，具有其獨特的地位與任務。當然這些編定的教科書或課本，必須透過有效的教學活動，才能真正表現其應有的價值。

　　現在我們不妨就根據以上這些粗淺的認識，來看看我們目前所使用的華語、華文的課本。無疑我們的華語文課本也是華文學校教育裏，採用學科課程的產物，是屬於語文學科的。不過原本是「國語」、「國文」的，現在卻已變成「外國語」、「外國文」了。在實現學校教育的目的上，「國語」、「國文」的地位與任務是與「外國語」、「外國文」全然不同的。從學理上講，我們現在的「華語」、「華文」，在華文學校的教學目的上，當然是屬於「外國語」、「外國文」的領域的。所以華語文的課本，當然就該配合華文學校的辦學目的，有所更張，絕不該因循舊章。然而課本的編寫，茲事體大，並非現任華語文教師，或動員華文學校人力所能勝任。從目前各華文學校所使用的華語文課本來看，其基本架構莫不沿襲原有型態，難有突破。所以自「僑校」全盤菲化以來，二十多年間，華語文教學成效江河日下，不能不說華語文課本實應負最大的責任。

　　要知道課本的重要是與用課本的教師之素質密切相關的。一般說來，教師的素質越高，課本的重要性就越小。因為教師對於學校教育目的、教學內容的專門知識、以及教學過程的掌握，均能瞭然於胸，即使課本有何差錯，亦能輕易更正，靈活運用，無礙於教學目標以及學校教育目的之達

成。可是在教師素質不高的情況下，課本的重要性就必然相對的增大了。因爲教師對於自己任教學科的教學目標以及該學科在學校教育目的中的地位與任務，甚至有關教學內容的專門知識等，均乏堅實的基礎及素養，於是課本就會成爲這類教師僅有的依據，所謂「教死書」，正是指這種情況。從當前華語文教師來源不足的現實來看，大量的新進教師往往在教育專業素養與華語文專門知識上均嫌不足，我們又怎能不注重華語文課本的好壞呢？編一套較好的華語文課本，可能是挽救當前華語文教學缺失的捷徑，華語文課本之重要於此可見。

二、華語文課本與華語文教師

記得二十多年前，爲了因應僑校菲化後，在所謂的華文學校裏，教授華語、華文的實際需要，當時的「校總」曾在國內的支助下，趕着編出了一套中小學階段適用的華語、華文課本，並經送請菲國教育部核可使用。或許由於時間上的倉促，所以不論在印刷品質、或課本內容上，都不甚理想。但全菲各華文學校多半都採用那套課本，其影響頗爲普遍，也確實爲當時一切都要從頭開始的華文學校，在華語文的教學上，提供了一份及時的幫助，貢獻不小。後來雖然也從使用中發現其缺失，並進行修訂；可是在基本型態和內容上，卻極少革命性的改變。緊接着社會的開放與進步，和種種客

觀因素的改變，華文學校在華語和華文的教學上，也有了新的需要。於是若干規模較大，人力物力較能勝任的學校，則開始自行編寫自己認為較為理想的課本，自編、自印、自銷，一時間倒也顯得十分蓬勃。只不過在實質上的改進並不多，品質上的參差也在所不免。其中從台灣國民中小學課本上影印部份材料，編輯成冊的也所在多有。然而不論如何，這已充份反映出華語文課本急須變革的呼籲和行動，而這些呼籲和行動也正源自部份較具教授華語文經驗的教師。同時，似乎也說明了當年「校總」主編那套華語文課本時，真正教授華語文的教師的參與不足。

　　近些年來，我們在編寫華語文課本上的努力與成果，無疑已經有了顯著的進步。較具代表性的，例如：前幾年僑中學院編輯發行的一套，和去年由僑委會動員編成的一套。基本上看，這兩套課本的編定，都有了較為整體的計劃，漸具編輯課本的基本章法，諮詢專家，審慎將事，間接的也告訴了華語文教師：編輯課本絕非人人可編，人人會編，人人能編的事。當然這並不是可以立竿見影的，自編、自印、自銷的現象，可能還得亂上一陣子。其中最令人擔心的是那些學前教育階段的華語文課本，真可謂謬誤百出，充份顯示其編者在心理學、兒童心理學、教育心理學，乃至華語、華文的基本知識與素養上的嚴重不足。

　　照道理說，專業的教師應該知道，課本是「死的」，使用課本的學生和教師卻都是「活的」，無論如何，「活人」

（學生和教師）都不該被「死」課本拖累死。課本本就不容易完全適用於每位不同的學生和教師，所以，我們常提醒教師要活用課本，不可把課本看做是離不開的拐杖，更不能被課本「牽着鼻子」走。這也就是多年來，學校教育界一直強調課程發展（CURRICULUM DEVELOPMENT）的重要，鼓舞教師全力參與課程發展活動的根本理由。所以我們說：教師要比課本重要得多。

三、漫談中學華文課本的問題

所謂課本，或稱教科書，是學校裡採用學科課程下的產物，通常代表某學科教學上，主要教學內容或教材的梗概。因此，不同的學科就會有不同學科的教科書或課本。今天的華文學校的中學裡，有「華文」這個學科，所以就有中學華文課本。專業的教師都知道，不論哪個學科的教學，都該活用教科書，教師絕不該被教科書牽着鼻子走，把教師變成了教科書的奴隸。不過有些國家或地區，由於較為重視教育的政治意義，和學校教育的工具性價值，所以極易於把學校看成是選拔「人才」的地方，而公認的最好的選拔「人才」的方法就是考試，為了確保競爭激烈的考試不失其公平性，人們普遍關注考試的內容。於是考試的內容就不能沒有個明確的範圍，也不能沒有些具體的材料，緊接着教材需要統一，課本也就必須標準化了。最後，「標準本」的教科書成了教

師和學生公認的「聖經」，半個字也改動不得。有時大家都明知其中某些材料是不正確的，可是因爲那是考試評分的唯一依據，所以仍然要照着那些不正確的材料作答，這正是典型的讀死書。因而教師也只能教死書，把學生訓練成精於應試的機器。在語文教育方面，我們就曾經見過許多在台灣通過重重考試大關，進入大學的學生，連看參考資料和看小說，都用讀「標準本」教科書的辦法，實在不能不說是被課本害的，怎不讓人同情。社會主義下的中國學校教育，顯然一時間也極難馬上跳出「應試教育」的陰影。課本又深具科舉時代之四書五經的傳統權威地位，動搖不易。面對信息科技日新月異的新世紀，種種跡象顯示，課本確具「能載舟，亦能覆舟」的性質和作用，我們又怎能等閒視之呢？

　　也許有了以上這些了解，然後再回過頭來，去看我們中學華文課本的問題，可能才會比較實際些。因爲菲律濱雖然是個以美國的民主理想爲典範的民主國家，可是在這裡的華人華社，格外是從事菲華教育工作的人，卻始終保持着某種程度上的中國教育觀念和傳統。多少年來，中華民國政府對於菲華教育的協助與影響，也是有目共睹的。爲我們或協助我們編寫菲華學校專用的華語華文課本，曾廣爲菲華學校所採用，更是不爭的事實。緊接着菲華社會的進步和開放，近十年間，岷市僑中學院在中國的語言教授們的指導下，才編寫另一套頗受矚目的華校專用的華語文課本。其編寫方向與過去的最大不同，則在視華語文教學爲「第二語言」的教

學。然而在實質上卻仍然潛存着相當程度的，「中國式」的課本的色彩，並看不出與過去所編的同類課本，有多大的顯著不同，這在中學華文課本上表現得最為清楚。或者我們可以把這種現象解釋為——我們承認，我們的華語文教學，在方法、策略或手段上容或需要改革，也可以有所不同，可是在終極的教學目的上，卻是並無二致的。這似乎也證明，我們都是把課本放在方法或手段的層級去考慮，而且我們也都深信，只有在方法和手段的一致下，才能真正達成我們實施華語文教學的目的，所以我們心底都有要求使用統一課本的企圖。可惜在這個崇尚多元化的民主社會裡，誰都沒有統馭全局的權威地位，連過去已獲權威地位的華文課本，如今也都已風光不再。有些較具規模的華文學校，都會自編課本，反正有自己的銷售對象做保障，更用不著在所編課本的品質上擔心，其中編得最草率的莫過於中學華文課本。似乎只要從過去一些有關的中國語文的課本中，任意選出幾篇來，影印一番，裝訂成冊，就成為「校」定的華文課本。各校間又都是各是其是，不相聞問，自然相互間也不可能產生競爭，更談不到切磋和進步，所以中學華文課本版本雖多，但可取者卻極為罕見。這樣看來，中學華文課本空前的開放多元，確實是尚未「蒙其利」，即早已「見其弊」。這無形中也使心底企望有套統一課本的想法，增添了不少肯定。是耶？非耶？正是當前中學華文課本上的大問題。

　　概括的講，課本的問題本就千頭萬緒，而我們今天所面

對的中學華文課本問題，更由於受到許多主客觀條件的限
制，所以了解起來也就格外困難。不過，基本上，我們絕不
能僅從方法或手段的層級，在枝葉問題上計較，而應該多從
較宏觀的角度，在根本問題上思考。所以編定中學華文課本
時，不但要知道我們「應該」教些什麼，「需要」教些什
麼；而且更重要的是還要明確的了解，為什麼「應該」，為
什麼「需要」。舉個具體的例子來說，我們一向在小學裡教
「華語」，在中學裡教「華文」，「華語」和「華文」是怎
樣區分的？為什麼要做這樣的區分？如果不能對於這些極根
本的問題，有深入的了解與掌握，而僅在形式上因襲舊章，
來編中學華文課本，當然是會徒勞無益的。

　　另一個更值得我們重視的事實是，在正常的狀況下，絕
大部份有關課本的問題，都是會在專業教師的手裡順利獲得
解決的。因此，教師的素質越高，課本的問題也就越少；換
言之，教師素質越低，對於課本的依賴或需要也越大，課本
的問題也必然會越多、越複雜、越難了解、越難解決。不幸
目前我們正面臨着中學華文教師的素質日趨低落，而且後繼
乏人的局面，所以我們的中學華文課本的問題，也最為嚴
重，也最需要我們及時去共同認真思考。

四、如何評斷華語文課本的好壞？

　　前些時曾在本欄發表過一篇題為「華語文課本的重要」

的短文，並且得到一些讀者的反應，耕耘先生還寫了「課本
為本」的宏文，呼應我所說的「編一套較好的華語文課本，
可能是挽救當前華語文教學缺失的捷徑」的想法。但是什麼
樣的華語文課本，才是較好的呢？卻並不是個容易解答的問
題。因為評斷任何事物，都可能會因評斷者的立場和觀點各
異，而採取各自不同的評斷標準和依據，當然其評斷的結果
也就會南轅北轍，難趨一致，於是便會爭議不斷，糾紛時
起。所以在先進社會裏，基於現實的實際需要，已將這類問
題發展成一個獨特的專門研究或學術領域，叫做評鑑
（EVALUATION）（或譯為評價）。在教育領域中的評鑑，
則稱為教育評鑑（EDUCATIONAL EVALUATION）。評斷
華語文課本的好壞，就是教育評鑑中的一項重要工作。

　　根據現代評鑑觀念的基本要求，評鑑首先該重視的是力
求客觀的科學方法和態度，講求證據，注重評鑑的客觀而具
體的標準，和進行評鑑的過程，以及評鑑的目的和意圖。但
最後卻依然要回到關心評鑑者的主觀判斷上來。畢竟人並非
像我們期望中的那般客觀；所謂眾口鑠金，以量取勝的想
法，也並不能全然無視於「群眾是盲目的」的可能。於是又
重新回到訴諸權威的老路。不過現在我們所信賴的權威，日
漸趨向於知性的、知識的權威。也就是說，我們逐漸相信：
懂的人所做的評斷是比較可信的，但是「懂」與「不懂」之
間的區分，如何判斷？又不能不從有關知識方面，去做知性
的客觀探究了。淺顯的說，評斷華語文課本的好壞，也該遵

循這樣的脈絡去探索才行。也許我們還無法馬上提出一套具體的評斷華語文課本好壞的辦法來，但至少對於以下幾個重點，卻不能不認真思考：

一、認清評斷者和評斷的目的；例如：學華語文的學生和他們的家長、教華語文的教師、華校華語文教學行政的負責人，以及編寫華語文課本和銷售華語文課本的人，都可能是評斷者。他們評斷的目的，大體不外兩種：一種是為了了解好壞，好做取捨，選定課本就最需要有十分明確的判斷結果。另一種則是為了謀求改進，希望從評斷中檢討得失，做追求進步，規劃未來發展的依據和參考。在評鑑的專門討論中，把前一種目的之評鑑叫做總結性的（SUMMATIVE），評斷者對於其評斷結果，和所做的有關決定，應負的責任較明確。而把後一種目的之評鑑叫做形成性的（FORMA-TIVE），則着眼點多在未來改進或發展的過程上。由此可知，認清評斷者和評斷目的實為評斷華語文課文好壞的第一步。自己要想評斷華語文課本的好壞，也該先澄清自己的立場和目的才行。

二、確定評斷好壞所依據的項目或內容，以及其評斷的方式和標準：這是評鑑上要求科學與客觀的主要部份。例如在評斷華語文課本的好壞時，可能依據的條件甚多，可是哪些依據最重要，哪些依據是次要的，就會有不同的看法，顯然僅只依據一兩項條件去評斷，是會偏頗不全的。因此，要想科學而客觀的進行評鑑，就該把所有依據的項目，具體的

按照其重要性的次序排列出來，而且還要同時把計量其好壞程度的方式和標準，明確的定出來。無疑的是這些要項的訂定是與評斷者對所要評斷的事物的了解，和有關的基本知識之程度息息相關的。也就是說：要評斷華語文課本的好壞，就要先對華語文課本編寫的基本學理和方法，有足夠的基本認識。例如我們該以「一套」課本為評斷的對象，而不孤立去評斷「一本」課本的好壞。當然，這並不是說「一本」課本就不能做為評斷的對象，也無好壞之分；而是說評斷所依據的項目是該從全面去考量的。外行人的評斷常會在這些地方露出馬腳來。評斷者不可不慎。

三、設計搜集有關評斷項目的所有資訊的過程與方法：這主要的是為了匯集真實的客觀資料，做為評斷的依據或佐證。例如我們說某套課本的內容太艱深太難，就不能僅憑個人主觀的感覺和認定。我們說某套課本使用的成效極好，同樣也需要有些直接的或間接的證明資料，否則其評斷的價值是不會很大的。在這方面的基本原則是盡量搜集到所有的有關資料，力求周全，無一遺漏。但事實上，搜集資料的工作可能遭遇的困難極多，諸如資料搜集者對資料的主觀認定，以及搜集者和資料擁有者間的交互關係，都是關鍵。可能我們在這方面，需要加強的地方正多。

四、決定資料整理、分析與解釋的過程與方法，以及評斷結果公佈的內容與方式：評斷需要依據，依據越多越好，但過多的依據資料只能靠科學的方法去整理分析，不過解釋

整理分析的結果，才是直接影響評斷結果的重點。因此在公佈其評斷結果和內容時，千萬草率不得。原則上，我們必須以評斷的目的為導向，才不致「無的放矢」，滋生誤解，引發爭議。而且在基本態度上，也該始終秉持以研究問題的科學精神，實事求是，探索改進現況和解決實際問題的途徑為依歸，才能真正實現論斷是非曲直和好壞的目的。

總之，評斷華語文課本的好壞，本是件極為複雜的專業工作，並非可以僅憑關心和熱忱就能完成的。不過身為教育工作者的同仁，卻可依據個人實際使用課本教學之經驗，舉證其得失之處，做日後改進之依據或參考，亦不失為評斷課本好壞之細部工程，仍然是值得鼓勵的。

五、編華語課本應有的基本認識

多少年來，課本一直都是困擾我們華語教學的大問題。自從一九七六年學校全面菲化以後，華語課本的問題之嚴重，更是日甚一日。過去我們曾經把這個問題的解決，寄望於中國政府的有關當局。可是已經是菲校的華文學校，自然不能再使用中國所編的課本。為了因應這突如其來似的改變，當年的「校總」曾在中華民國僑委會的協助下，急就章式的編定了一套華語課本，供華文學校使用。三年前僑委會又出版了一套菲律濱版新編華語課本，贈送各華文學校使用。基本上，這都是脫胎於過去課本的產物，體例和內容上

都看不出有多大的改變。一九九一年世界漢語教學學會會長呂必松教授應邀來菲講學，介紹了第二語言的教學理論和教學實踐之後，菲律濱華文教育研究中心即於一九九三年十月，完成了菲律濱中小學（十年制）華語教學大綱，歷時六載，編成菲律濱中小學（十年制）華語課本一套，投入使用。在使用的普遍性上，似乎以「菲律濱版新編華語課本」較廣，可能是由於該套課本是免費贈送的。實際上的使用狀況如何，因乏可信之調查數據，實難斷言。不過依筆者之觀察，至少在大岷地區的若干華文學校，格外是規模較大，學生人數較多的華校，因銷路無虞，多採自編課本的辦法。但是所謂「自編」，實際上卻只是影印過去的若干類似課本中部份課文，裝訂成册而已。這種拼湊而成的課本，由於主其事的人，不論在教育或教學的專業素養上，或是在華語教學，尤其是在以「第二語言」教學華語的理論與實踐上，往往都缺乏應有的最起碼的程度，甚至還有連中國語文的基本知識都嚴重不足的，當然不能期望這樣的主導者去了解和掌握編課本的原則與學理了，所以這些「自編」的課本也就談不上什麼素質。各校自編課本，本該是現代學校教育上值得肯定和鼓勵的事，可是像我們這樣「粗製濫造」的「自編」課本，卻是有害無益，甚至是會貽笑大方的。

要知道編課本並不是件容易的事，尤其是為我們這裡的孩子編華語課本，更是萬分艱巨的大工程，如果不是在有關學養和經驗方面，都有足夠實力的人，是不應該輕率的去編

華語課本的。我們在這裡談編華語課本應有的基本認識，並不是對那些全無章法就自編華語課本的人說的，而是針對那些已具相當實力去編套華語課本的團體或個人說的。因爲我們知道，我們這裡根本就沒有編華語課本的眞正專家或學者，借重中國來的（包括港、澳、台等地）專家，當然是十分必要的。可是根據我們的了解，中國國內編語文類的課本，至今仍然尚未擺脫單憑個人的主觀經驗，或某些人的集體意見，去認定學習基礎和教材的難易度，再據以編寫課本的傳統模式。近二十年間，雖然在中國國內也已經漸漸有了許多有關的科學研究，和一些以客觀方法蒐集起來的有關資料，可惜眞能與編課本的實務相結合的，似乎仍然還未出現。最顯著的例子是語文課本的內容全都是根據編課本的專家主觀的權威認定和排列的，根本沒有客觀的實證資料來支持。全然忽略了兒童語言能力發展，和概念形成的密切關係，也忽略了幼童學習語言的基本方式。所以一般的語文課本，內容往往都欠充實，句型的變化和重覆的次數全都少得無從引發概念的形成。在本地編華語課本的經驗方面，沈文先生曾經在他發表在第三屆東南亞華文教學研討會上的論文裡，明白指出一些「對教學對象認識不足造成的失誤」，雖然也提到「少年兒童和成年人也不一樣………學習動力和語言習得特點等個體因素都不同」。「菲律濱華校華語的教學大綱、教材編寫………完全仿效中國對外漢語教學的模式………忽視了菲律濱華校華語教學對象少年兒童個體因素的

特點，造成了一些失誤」。可是對於所謂「少年兒童和成年人也不一樣」，和對於所謂的「學習動力和語言習得特點等個體因素都不同」的「不一樣」和「不同」，卻沒有具體的說清楚。其實這正是我們所指出來的，兒童語言能力發展、概念形成、以及幼童學習語言的基本方式，這些都是要憑客觀的實證資料來說明的。可是我們卻如同中國國內編課本一樣，把這些客觀的實證資料全都忽略了，也是僅憑某些主觀經驗和某些人的集體意見為主幹去編寫課本的。舉個更具體的例證來說，現在已經有太多實證研究的資料可以證明，幼童學語言本就極會、也極喜歡運用自己所找到的語意和語法的規則去學。相對的也就是並不喜歡，也並不怎麼會運用別人所告訴他的語意和語法的規則去學的。這正與成年人善用別人告訴他的一些有關規則去學語言的現象全然不同。這也充份說明我們的華語課本，過份重視「語法項目」和「語法點」，並不容易達成我們預期的效果的根本原因。畢竟用教成年人的教材和方式，去教幼童，無論如何都是不適當的。由此可知，正確而又深入的了解兒童學習語言的方式與特徵，實在是編語言課本應有的最基本的認識。而為我們這裡學華語的孩子去編華語課本，就還得去了解我們這裡學華語的孩子，學華語的方式和特徵。所謂以「第二語言」教華語的本意，也正在於此。所謂「從零開始」也有這樣的意思。因為中國孩子在中國，進入小學的時候就已經有了聽得懂，也說得出不少中國話的聽說能力，那就是他們學習漢字最堅

實的基礎；可是我們這裡學華語的孩子，入小學時卻完全沒有這種基礎。所以從「一開始就用文字符號展示語言」，當然是不對的。這也是編華語課本應有的一項基本認識。本來編華語課本應有的基本認識並不止一端，我們在這裡所提出的只不過是些最淺近的基礎部份罷了。

六、從「實例」看課本好壞

前幾天，有位友人拿着他女兒在某華文學校用的一本華語課本，來問我幾個有關課文上的問題，主要的問題是針對該課本的第四課，談孝順這課書所提出來的。好在他要我解答的問題都很簡單，我的解答也還能使他滿意。可是因為這段機緣，卻讓我能實際去拜讀一下該套教科書的部份內容。老實說，該課本印刷精美，插圖生動，只是在內容上卻可能缺失不少，不該算是本好課本。這裏就把我當時在那課「談孝順」的課文裏，看到的幾處有問題的地方，舉出來做實例，供有關人士參考指正。

該課文第二段是抄錄論語為政篇中，子夏問孝的一段文字，短短不足三十字，竟然把「曾是以為孝乎」中的「為」字漏掉。據筆者的了解，目前全菲任教小學六年級，使用這本課本的教師中，確能熟讀論語的並不多，能夠覺察這個錯誤，並能把它改正過來的，相信更少，眞不知道萬一學生中有認眞追問起來的，教師將如何回答。也許這只是印刷和校

對上的錯誤，但是在課本的出版上，仍然是不可原諒的。何況就在該課文的第四段中，還有另一個可能也屬同類的錯誤，課文是這樣寫的：「寫完以後，老師問我們：‘這段話是不是不很有道理？’我們都點頭說是。」姑不論其標點符號上，用分號或該用冒號的對錯，就僅就「是不是不很」這幾個字所顯示的本意看，只要讀到「我們都點頭說是」這點，就必會發覺該課文中的「是不是不很」，應該是「是不是很」才對。一課中就有兩次這類的錯，怎可原諒？

此外，該課文的末段，出現的問題就更多也更複雜了。課文是這樣寫的：「回家以後，我把這一段話寫下來，貼在牆上，時時提醒我自己。不過我要用文言文寫，因為文言文比較簡潔，而且看起來好像很有學問呢！只是說話的時候，如果用文言文，別人恐怕就聽不懂了。」

在這段課文中，最使我們迷惑的是：該課本是站在第一人稱的立場寫的，使我們難以了解，這是否是作者有意的忠實反映寫這段文字的這個學生，在中國語文修養方面的膚淺無知？在文字表達上的心餘力絀？在思想和觀念上的混沌與幼稚？例如：這段課文，實在無法讓讀者了解這個學生到底有沒有已經把那段話寫下來，貼在牆上了。如果確實已經寫下來了，也貼在牆上了，那麼為什麼接着又說「不過我要用文言文寫」呢？因為「要」用文言文寫的「要」字，本有時間上尚未完成的意思。至於用文言文「寫」和把那段話「寫」下來，這兩個「寫」字，所代表的意義是全然不同

的。「用文言文寫」中的「寫」，是「寫作」的意思，而「我把這一段話寫下來」的「寫」字，卻只是「抄寫」的意思。在這段課文中，卻隨意混淆，對於把中文當外文學的學生是貽害極深的。另外還說用文言文，「看起來好像很有學問呢」，「說話的時候，如果用文言文，別人恐怕就聽不懂了」，用意何在？這不是助長虛誇不實的歪風嗎？爲什麼認定聽不懂的只會是「別人」呢？難道不可能是自己嗎？而且說，「說話的時候，如果用文言文」，也是有語病的。「文言」與「文言文」的語意是不相同的，說「說話用文言」要比說「說話用文言文」更合適，不是嗎？從這些疑點中似可斷定，寫這段課文的人對於什麼是文言？什麼是白話？什麼是文言文？什麼是白話文？這類最基本的問題，以及文言與白話在中國語文中的性質與作用等方面的認知與體驗，顯然嚴重不足，至少在寫作的態度上也過份輕率，這實在是編寫課本的大忌。

最後從該課文的整體看，同樣也是受了用詞馬虎的影響，使全文的組織和結構全都失去了章法。課文一開始就寫道：「今天老師在黑板上寫了一段文言文」，可是卻又在「寫完以後」和那段文言文之間，加進了一大段說明。這會使讀者誤認爲老師也把那段說明寫在黑板上了。更重要的是該課本的第一個重點該是：「教我們把它改寫成白話文」。老師的解釋當然是非常重要的，也是不容半點含糊的。可是課文中卻把「有事弟子服其勞，有酒食先生饌」，解釋爲

「在父親有事情的時候去幫忙，每天買好酒、好菜給父母吃」。其中所指「父親」、「有事情的時候」、「幫忙」、和「買好酒、好菜」等說明，全都不是原文中的本意。對於那段文言文中所用的「弟子」、「先生」這些對六年級學生可能較為熟悉的詞彙，反而沒有多用些心去說明，當然是不對的。要知道把文言文改寫成白話文，本是門大學問，教學生改寫雖然無法像要求翻譯般，去考究「信、達、雅」，但至少要學生正確而透徹的了解原文，總是不可或缺的。否則介紹文言文，以及改寫成白話文又能有多少意義與價值呢？如果連這些編寫課本最起碼的要求都無法顧到，又怎能編寫出好課本呢？

　　總之，僅從一課課文中，就輕易的發現這麼多有待商榷和缺失或錯誤的地方，隨意翻閱其他幾課，也發現都有或多或少的疑點。根據自己親眼所讀到的這些疑點，自然對那套課本無法產生多大的信心。只覺得該套課本的印刷精美、插圖生動，可能只是惑人的外表，夫復何言？不過這些感慨和以上所舉的那些例證，都因為那位友人並不諳中文，所以也無法向他訴說。可是身為菲華教育工作者，卻不能不指出課本編寫之重要。我們一向期盼能有外來的「高手」，來為我們編一套較具水準的華語文課本，救救我們的華語文教學，實際上證明，畢竟求人不如求己。我們該相信，好課本是必須要靠我們自己認真的，從一點一滴的具體改進行動中才能編出來的，盼有志者一同。

七、勇敢面對「簡體字問題」的挑戰

　　菲華社會向有使用繁體字的經驗、習慣與傳統，對於簡體字卻相當陌生，而且還有過視簡體字為禁忌的時代。約自一九七五年菲中建立正式邦交，和中國大陸的改革與開放之後，菲中關係終於結束了近三十年互不往來的局面，邁入了多方交流日趨活絡的時期。菲華人士紛紛前往中國探親訪友、祭祖尋根，進而發展工商事業及文化交流。中國人來菲者也不絕於途，日見增多。菲中兩國人民間的接觸日增，相互間的了解與影響亦日顯。向極保守的菲華社會亦因而感染到逐漸開放的喜悅，當然這期間也面臨着不少前所未有的衝擊和挑戰。在菲華教育的領域裡，簡體字的出現和使用者日增，便是所有華文學校裡的華語文教師所空前未曾有過的新經驗，對菲華語文的課堂教學更產生了相當程度上的不安。華文學校當局開始可能只是採取視若無睹，我行我素的政策。可是等到學校因師資來源匱乏，不得不任用來自中國大陸的「新僑」為華語教師時，才發現在學校華語文教學上對於中國字的字形教學，不能不有個較為明確的規範和政策。於是有些華文學校便明白規定，要堅守使用繁體字的傳統，甚至嚴格禁用簡體字。由於菲華社會迄以使用繁體字為主流，本地出版發行之華文報章雜誌幾乎至今仍無使用簡體字者。而學校有不用簡體字和不教簡體字的規定，又有不用簡

體字的課本，和絕大多數不諳或不曾用過簡體字的華語文教師爲後盾，所以執行上仍可理直氣壯，順理成章，不致於有多少較難克服的障礙。連那些初入本地華語文教師行列的「新僑」教師，雖然並不習用繁體字，但是爲了符合學校的規定和菲華社會主流的要求，也只能小心翼翼的記清楚繁體字的字形。可是如果不巧，聘到了堅持己見，全不理會學校規定的教師時，不得已的學校，也僅能睜一眼閉一眼的打發過去，把有關的困惑留給無辜的學生和學生家長。在這種情況下，推廣簡體字，最多也只能見諸少數個別教師的「孤軍奮鬥」。致力於推廣簡體字的華文學校卻遲遲並未出現，可是使用簡體字的呼聲卻似已在不斷增長。

去年（一九九九）底，第三屆東南亞華文教學研討會在馬尼拉召開。會中有位來自台灣的代表，是台灣師範大學副校長賴明德教授，提出「漢字結構之研究」的論文，曾引起極爲熱烈的討論，也有頗爲針鋒相對的爭論，而其爭論之核心問題便是簡體字。客觀的說，引起對立之爭議的主要原因，可能是由於該論文在結論中對於使用簡體字的指責。該論文的「結語」中說：「中國文字的構造必須以六書爲法則。依據六書法則所造的文字，即使筆畫稍多，字形似繁，只要能掌握其原則，必然易認、易學、易用。反之，不依據六書的法則而造字，其文字必然凌亂冗雜且易於混淆，令人在認知使用上茫然而無所適從。中國歷朝文獻中所出現的簡體字大多違背六書的法則，不但不值得提倡和書寫，政府機

關和有識之士更應當以合乎六書法則的正體字去一一地加以
訂正，以恢復其原來面目。至於近代有計劃地推行簡體字和
大規模地制訂簡化字，即所謂漢字簡化政策，其理由雖說是
要使漢字易認、易學、易用，但因大多違離六書的法則，結
果造成了欲易反難，欲簡反繁，欲速則不達的反效果。愚弄
人民的作法，沒有比這事更嚴重；破壞文化的罪行，也沒有
比這事更嚴重。迷途知返，尚未爲遠，深信中國文字必伴同
中華民族永遠光輝燦爛，歷久猶新。」這些說法無異於是對
於推廣簡體字的一個不算小的挑戰或打擊。因此，該論文一
經提出，就立刻引起了以來自中國大陸之學者爲主導的菲律
濱與會代表的嚴厲批判，來自其他東南亞諸國之代表亦多對
該論文之結論持有異議。可惜純然站在本地華文學校之立場
的與會代表，卻未積極參與討論，多僅保持沉默，置身事
外，作壁上觀。可是激烈爭論的結果，實質上也顯著的對廣
大菲華社會的與會者，產生了相當程度上的影響。至少已使
更多的人警覺到，簡體字的問題已經不容再以「禁忌」來處
理，而該搬上檯面做公開的討論，不論我們的有關學術水平
如何，爲當前華語文教學的實際問題，找出個因應的對策總
是必要的。所以在這新世紀開始前夕，若干有關簡體字的討
論文字，也不斷在輿論中出現，討論的「量」與「質」也都
在顯著的提昇中，這也充份證明保守的菲華社會，已能逐漸
學着去勇敢面對我們所處的這個多變而又日趨開放的現實社
會，眞正的捐棄成見。不僅只捐棄政治立場上的成見，更該

捐棄知識上，以及學術上的成見，開誠布公，面對菲華社會和菲華教育的客觀現實和主觀條件。畢竟「推廣簡體字」絕非如同「一個中國」般，只能當做「原則」，不能當作「議題」。相反的，我們現在正有非常大的空間，來集思廣益，來認眞而又理智的探討推廣簡體字這個「議題」。我們深信要想從認眞的討論中，達成實質上集思廣益的理想，開放的心態是不可或缺的；而開放的最低要求就是，必須充份的尊重跟自己不同的聲音和意見。不論如何，在「推廣簡體字」這個「議題」上，如果還未能在菲華社會菲華教育界的基層中，眞正建立起廣大的共識之前，單憑漂亮的口號，或強力的督導，必然是無法得到推廣簡體字的實效的。我們也深信在我們這裡推廣簡體字的困難必然很多，要不要推廣簡體字怕都不易取得共識，要推廣簡體字也不能不力求符合我們的現實條件。勇敢面對，仍然是最爲必要的。

八、訪校聯秘書長　談推廣簡體字

校聯是菲律濱華文學校聯合會的簡稱，正式成立於一九九三年，實即取代原有之「校總」（菲律濱華僑學校聯合會總會）的地位，承襲原「校總」之功能與職責。現有會員計一百二十六校，其中理事學校共二十七校，常務理事學校七席則由理事學校中選出。現任常務理事學校爲中正、聖公會、嘉南、僑中、靈惠、尙一、晨光共七校。現任秘書長爲

馬尼剌愛國中學陳金燦校長。由於校聯乃全菲性的華文學校
正式組織，會員遍及全菲，對於全菲華文學校之華語文教
學，以及菲華教育有關事務之進行或開展，均具舉足輕重之
地位與影響。因即專誠拜訪校聯秘書長陳金燦校長，請教有
關在菲律濱推廣簡體字的問題。陳秘書長坦率平實，確能知
無不言，言無不盡。綜合本次專訪所得，可有如下四點，足
供我人了解當前推廣簡體字之實況，以及可能遭遇到的困難
與問題，和因應之道，謹分述如次：

　　一、陳秘書長首先說明校聯會務推動之流程。略謂：校
聯之會務繁多，要以服務全菲各會員華文學校為務，所有重
要事務均基於理事會及常務理事會議之討論與決議，交秘書
處執行或推動。該會自成立以來，即以華語文教師之培訓為
主要業務。原以暑假承辦華語文教師講習及進修為主，近三
年來，則更利用平時之周末，辦理在職進修活動。近增電腦
班尤受華語文教師歡迎。陳秘書長對於透過華語文教師之培
訓來推廣簡體字的建議，雖頗表讚同，但仍強調校聯須先經
理事會及常務理事會之討論與決議的重要，否則必難採取任
何具體之行動。

　　二、對於推廣簡體字的問題，根據陳秘書長的了解，各
華文學校及華語文教師間之非正式討論與交換意見的現象，
已非鮮見，但積極投入推廣簡體字之行動的華文學校和華語
文教師仍然不多。在校聯的理事學校間，甚至在常務理事學
校間，也確實存在着許多不同的意見，似乎至今仍未形成共

識。所以理事會和常務理事會中，也一直無人提出有關推廣簡體字的問題，來列入議程，進行討論。不過最近受到多方面呼籲重視簡體字問題的衝擊，或可於不久的將來，有提出此一問題並正式列入常務理事會議程，進行交換意見和討論的可能。

三、陳秘書長推測，目前在華文學校推廣簡體字之困難，或亦與各華校所採用之華語文課本頗多關聯。華校如使用傳統僅用繁體字的課本，教學簡體字必然極不容易。菲律濱華文教育研究中心所編課本，雖已納入部份簡體字，但仍未被各華校普遍採用。最近商總文教委員會可能即將向各華校推介該套課本，據悉下學年度起，大岷地區或將有七、八所華校開始採用該套課本，當可有助於推廣簡體字。

四、依據陳秘書長個人在馬尼剌愛國學校推廣簡體字之經驗，認為各華文學校如能教學簡體字，似可自開辦實驗班開始，參加實驗班之學生可依學生及其家長之意願決定；教學亦可聘請對簡體字較為熟練，或具教學簡體字經驗之教師擔任。如實驗效果良好，自然就較易推廣至全校其他各班。自部份學生學簡體字開始推廣似屬可行。

九、我們的主張——「約定俗成，穩步前進」

在我們這裡，「推廣簡體字」是近十年間才逐漸受到普

遍的關注，而展開廣泛討論的問題。一九九一年十一月，呂必松教授應邀來菲講學，在他第二講次，講「語言教學」的討論中，有人提出「教繁體字好還是教簡體字好」的問題，來請教呂必松教授的看法。這似乎可以被視爲我們這裡公開討論簡體字問題的開端，顯然當時尚未考慮到簡體字的推廣問題。直到最近這三五年，由於「新僑」人數的增加，和地位上的穩固，使簡體字的使用和推廣都得到了一定程度上的加強。

菲華教育學會致力菲華教育問題的研究，在簡體字的問題上，也曾進行過一些試探性的了解。菲華教育曾於第十期發表「說簡體字」一文；第六十六期發表「談談教學簡體字的問題」。今年初，刊於第九十六期的「論華語文教學上的三項爭議」一文中，也對簡體字的問題提出了一些看法。緊接着又於本刊第一零二、一零四、一一零及一一一各期，先後刊出了「我看識繁寫簡」，和「談談中國字的繁簡問題」這兩篇文章。

從這些已發表的文章中，不難發現無不針對我菲華社會當前之現實環境與條件，或提出具體可行之意見或建議，或有感而發，但皆自各種不同之角度或立場，忠實反映某種程度上的眞相。其中「談談中國字的繁簡問題」一文之末，錄出中國在二十世紀五十年代所確定的「漢字簡化方針」，和中國「全國文字改革會議文件匯編」中的說明並說：「這些說明所代表的雖然是半個世紀以前，中國推行簡體字所採取

的方針，可是放在半個世紀之後的，遠在海外的菲華社會和菲律濱華文學校華語文教學的現實上來看，無疑仍然是非常值得我們來參考和深思的。」在這裡我們卻願意更進一步，也更明確而堅定的說：半個世紀前，中國推行簡體字所採取的方針，正可以，也正該是我們菲華社會和菲華教育上，推廣簡體字的正確方針，這也就是我們的主張。因此，我們必須把那些有關文字重錄於後，並做些說明，請大家指教。半個世紀前，中國確定的「漢字簡化方針」就是：「約定俗成，穩步前進。」

中國「全國文字改革會議文件匯編」中的說明是：

1、所謂「約定俗成」，就是在社會習慣的基礎上來因勢利導，就是盡可能採用已經流行的簡體字，並不是把目前的漢字徹底改造成為整批的新字，也不是有系統的改變字體。根據一種理想的原則（比方新形聲字）來徹底改造漢字，要見諸實行就很不容易，改造得越徹底，推行就越困難。

從推行方便的觀點來看，違反「約定俗成」而採用嚴格的系統類推的原則，是沒有好處的。

2、所謂「穩步前進」，是說簡化的步驟不是一次簡化，而是分批簡化。一次簡化的辦法是和約定俗成的原則不相適應的。

我們的說明是：

1、我們必須接受（中國）文字本就是靠「約定俗成」

推廣使用的事實。我們這裡通用繁體字就是「約定俗成」的，要想在我們這裡推廣簡體字，跟半個世紀前在中國推行簡體字的情況比起來，根本沒有多少不同。可是在中國推行簡體字的當時，不但有強有力的中央政府推動，有足夠的專家學者投入研究，又有龐大財力與人力的支援，而今天我們在這裡卻什麼都沒有。「約定」本就不易，「俗成」更難短期內見效。也許有人會寄望於「強制」使用簡體字的辦法，可是誰都知道那是全然無法在一個追求民主的社會裡有效推行的。

2、我們相信充份掌握「約定俗成」的精神才是我們今天在這裡推廣簡體字的唯一的，也是最好的方針。那「就是在社會習慣的基礎上來因勢利導，就是盡可能的採用已經流行的簡體字」。我們更相信對於中國字的簡化，必定是「改造得越徹底，推行就越困難」。

3、我們在這裡推廣簡體字，必須要「穩步前進」，那就是我們推廣簡體字的步驟，絕不能採用「一次簡化」的辦法，而該採用「分批簡化」的方式。先「盡可能採用已經流行的簡化字，並不把目前的漢字徹底改造成為整批的新字」，就是「分批簡化」方式下的第一步。然後再選取中國大陸所使用的簡體字中的一部份，去推廣使用。全盤採用中國大陸通用的簡體字，就是「一次簡化」，「是和約定俗成的原則不相適應的」，違反約定俗成的原則「是沒有好處的」。

在我們推廣簡體字的具體行動上，我們主張，要把培育師資放在第一優先的位階上。教華語文的教師如果不能對於簡體字有基本的認識和了解，是無法去教學生認識和使用簡體字的。沒有會教簡體字的教師，簡體字的推廣必然會是事倍功半，或竟會是滯礙難行，極難成功的。

至於該如何培育教師，讓華語文教師都能對簡體字有些基本的正確認識和了解的問題，固然可以由安排教師在職進修，乃至教師職前教育的有關當局去解決。然而實際上這並不像一般人的想像，只要在教師進修或養成教育的課程中，增加個有關簡體字的科目，就能解決問題似的那麼簡單。因為科目名稱並不能代表什麼，重要的全在於該科目究竟該教些什麼，和如何教的種種問題上。千萬不能認為會用中國大陸所通用的簡體字的人，就必然能教會我們那些對簡體字全無經驗的華語文教師，使他們對於簡體字有正確的認識與了解。這正如同文學家都未必能教會小學生作文一樣。由此可知，我們在推廣簡體字的道路上，確實還有一段極為艱苦的長路要走，唯有靠我們同心協力共同努力才行。

一〇、談談教學簡體字的問題

中國簡體字問題的討論由來已久，不過這個問題受到我們這裡的教育界的普遍關注，卻是從中國大力推動漢字簡化運動之後開始的。起初反對的聲音是主流，當時大家都認為

中國推動的那種漢字簡化運動，根本就是中國共產黨有計劃的毀棄中華文化的舉措和政策，當然不能苟同。所以有好長一段時間，華校裡是完全反對使用簡體字的，甚至正式禁止使用簡體字，認為用簡體字就是毀滅中華文化，就是共產黨。這在以反共頭子美國之馬首是瞻的菲律濱，當然不太可能有不同的聲音和意見。學校裡更不可能去教、去學簡體字，也完全沒有教學簡體字的問題。其實連當時拼命反對簡體字的人，也心知肚明，誰都知道那種反對的政治意義遠大於維護中華文化的要求。因為簡體字的出現本是基於書寫方便的需要，包括反對簡體字的人也無法全然不用簡體字，因而後來談論簡體字問題的人也逐漸少了。但是近二十年來，緊跟着中國的改革開放，從中國來菲的，用簡體字出版的書刊和慣於使用簡體字的中國人也都越來越多。而且在這些新移來的中國人中，進入華文學校擔任華語文教學工作的，也有逐漸增多的趨向，於是簡體字在華語文教學上的應用也免不了會產生若干爭議和問題。五月間世界廣場在「如何力挽華文大廈之將傾」的徵文中，就有幾篇建議推廣簡體字的文章，但就目前我們的華文學校的主觀及客觀的各種條件來看，教學簡體字仍然是個極為複雜的問題，值得商榷的地方也很多。基本上，我們可以從理論和實際兩個方面，對於這個問題做點初步的了解與分析。

　　在理論方面，嚴格的說，簡體字的問題是個相當嚴肅的學術問題，例如：漢字應否簡化？如何簡化？該簡化到什麼

程度？該遵循哪些原則去簡化？從歷史的觀點看，大規模的簡化漢字，會否對於中國豐富的歷史文獻的了解產生不利的影響？顯然這些問題全都不能僅憑粗淺的常識，就去任意草率作答，也不是筆者的學養所能勝任和負荷的。不過根據我們對於中國文字的基本認識，知道中國字是一種表意的文字，其構成是以六書爲本的。一個「字」常會由數個部份組成，而且每個組成部份也都會各有其獨具的意義，合組在一起就產生了其應有的意義，這對文字的了解與應用都有極大的幫助，這也是漢字所獨有的優點。如果爲求簡化，不幸而背棄了或犧牲了六書的原則，怕會是得不償失的。其次，中國字的字體出現了筆劃多，結構複雜的現象，實質上是中國文字精緻化或日趨分化的結果。相對於早期用同一個字來表示幾個全然不同的東西或意義，顯然是一種進步。如果簡化的結果，卻用一個筆劃少的「面」字，來兼做「麵」字用，豈非把相當精緻又精確的高品質文字，變成一種非常粗糙的劣質文字？這又怎能不說這種簡化是一種退步呢？至於中國豐富的歷史文獻全都不是用現在通行中國的簡體漢字所寫的，如果長期嚴格執行目前這種簡體字，長久下去必然會產生閱讀和了解珍貴歷史文獻的困難，或增加閱讀過去文獻的額外負擔，倒是無可置疑的。其實我們應該相信，文字正如語言一樣，都是有生命的，都是活的，是使用者的智慧和文化的結晶，必須在約定俗成、水到渠成的前提下，自然演變和發展，半點勉強不得的。如果僅憑政治力的強制而不能不

簡化，無論如何都會是死的，根本不合乎常理。

　　在實際方面，中國為了儘速掃除數億的文盲，而全面大力推動漢字簡化運動，是不難理解的。但是他們卻有共同使用「普通話」的背景做基礎，這是外國人學華語文時所無法比擬的。也就是說全無華語背景的菲華子弟學習華語文的情況，是不能與中國孩子在中國學華語文的情況相提並論的。再看看我們目前華文學校華語文教學的處境，更會發現教學簡體字的困難，確實不是短期內所能克服的。例如本地所有的華文出版品，包括書籍和報刊，幾乎清一色的都是繁體字，報紙上偶爾需要幾個簡體字時，還要煞費周章，才能應付。在一個完全不用簡體字的華社裡，花上加倍的精力去教孩子學簡體字，豈非更是閉門造車，難切實際嗎？其次，就目前華文學校裡教華語文的教師來看，全然不諳簡體字的仍佔絕對的多數，而且其中根本就反對教簡體字的還很多，試問沒有足夠的、熟悉簡體字而又認同簡體字教學的教師，又怎能去實施簡體字的教學呢？畢竟菲律濱還算是個相當開放的民主國家，任何個人或團體都無法單憑某種權威，去強制任何個人或機構去使用或教學簡體字。不過，話說回來，主張教學簡體字的目的也是為改進我們的華語文教學，總以為簡體字比繁體字容易學，學比較容易學的材料，自然較易發生興趣，只要孩子有了學華語文的興趣，華語文的教學當然就會有較好的成效。可惜這種想法和推論，多少都有些一廂情願，並沒有實證的依據。最近也有人提到「識繁寫簡」的

課題，倒似乎是個較為實際的方向。可是放在華文學校的華
語文教學上，「識繁」就不必教「簡」，只識「繁」而不識
「簡」，又怎會「寫簡」呢？由此看來，隨機教學生「識」
幾個簡體字，還是可行也是必要的。

一一、談談中國字的繁簡問題

最近在拜讀過菲律濱華文教育百周年徵文優勝作品——
王宏忠先生的「是採用簡體字的時候了」宏文之後，又一連
在世界日報的「世界廣場」上，讀到好幾篇談簡體字的專欄
文章。站在菲華教育的華語文教學的立場來看，雖然我們也
確信中國字的繁簡問題是個純學術的大問題，但是無可否
認，這也是華語文教學上必須直接面對的實際問題。學術問
題當然應該認真的慢慢研究，並不必更不該「急功近利」的
要求馬上獲得結論或答案。可是教學上的實際問題，卻不容
我們無限期似的延宕。看看我們的現實，無可諱言，除了極
為少數的有關專家或學者之外，絕大多數的人，包括華語文
教師在內，極可能對於中國字的專精認識，恐怕普遍都缺乏
應有的水平。所以常會在基本觀念上產生混淆，甚至以訛傳
訛造成認識上的巨大偏差，不可不慎。例如：

在我們這裡主張採用簡體字的人都會說，簡體字筆劃
少，容易寫也容易學，可是常被一般不會用簡體字的人誤認
為，簡體字是與繁體字全不相同的兩種寫法，用簡體字之

後，所有的繁體字就全沒用了。卻不知道今天在中國大陸所推行的簡體字，並不是把所有筆劃較多的字，全都變成筆劃較少的簡體字的。譬如繁體字的「繁」字，雖然是常用字，但是卻沒有簡化。其他的常用字如嘴、舞、藏、整、翻、露、壞、霸等，也都還是用原有的繁體字的。而且主張採用簡體字的人，只說簡體字的優點，卻不說簡體字的缺點，對於沒學過那套簡體字的人，尤其是對那些沒學過那套簡體字的華語文教師來說，所可能引發的困擾必然會更多。譬如筆者姓盧的這個「盧」字，其簡化的字形在「顱、瀘、壚、鸕」，與在「蘆、廬、爐、驢」這兩組不同的字中，就有兩種不同的簡化法。再如：「不干你的事」這個短語中的「干」字，如果當成簡體字讀，就可能有「不幹」的意思，「不干」也可能是「不乾」的意思。把「干擾」或「干涉」誤寫爲「幹擾」，「乾擾」或「乾涉」或「幹涉」，所可能產生的認識或表意上的模糊就更多了。又如「困擾」這個詞中的「擾」字，簡化後的字形，卻與「攏」字的簡體字極相類似。減少某些形似字的筆劃，固然可以減少那些形似字間的混淆，但是卻因而又製造了另外一些形似字，如擾與攏的簡體類似等，當然也是事與願違的。而且據有關專家說，簡化後所增加的形似字比減少的形似字多。更深入些說，目前中國大陸所使用的這套簡化字，雖曾經多年的研究和推廣，但仍不免有其尚欠完美之處，所以在使用上自不能不有些限制和規範。關於這一點，只要看一看中國文字改革委員會編

輯出版的「簡化字總表」中的「注釋」部份，列有注釋五十一條，都是學簡體字和教簡體字，不能不熟知的規範，而且其中有待繼續探究和改進的地方依然不少。當然我們在這裡並無意在中國大陸所使用的這套簡體字上多所挑剔，只不過為了較務實的去思考如何在我們這裡推廣簡體字的使用問題，總認為讓我們這些全無學習簡體字經驗與背景，僅習用繁體字的華語文教師，先對簡體字有些較全面的認識，才是推廣簡體字使用的第一步。否則不論我們如何呼籲「是採用簡體字的時候了」，也怕只會是止於紙上談兵。在這裡願意附帶說明的是：刊載於今年三月十七日世界日報第十五版，王宏忠先生的大作「是採用簡體字的時候了」中說：「根據中國國務院一九五六年和一九六四年兩次所公佈的簡化漢字，一共有二萬二千三十八個」，是與事實有些出入的。較正確的說，應該是「一共有二千二百三十八個」，而不是兩萬多個，也許這是校對上的疏忽。其次，說中國國務院一九五六年和一九六四年兩次所公佈的簡化漢字，一共有二千二百三十八字，是容易產生誤解的。因為實際上，國務院於一九五六年公佈的是「漢字簡化方案」，其中包括三個字表。而一九六四年國務院只對「漢字簡化方案」做了批示，並未再公佈字表，所稱二千二百三十八字，是指一九六四年中國文字改革委員會，根據國務院的那些批示，所編輯出版的「簡化字總表」說的。該總表包括三個字表，第一表三五二字，第二表一三二字，第三表一七五四字，三個字表合共二

二三八字，並不是國務院兩次所公佈的簡化漢字的總字數。而且於一九八六年重新發表「簡化字總表」時，又做過調整，總字數改爲二千二百三十五字了。由此可見，中國字的簡化在中國國內也是必須經歷相當漫長的艱苦過程的，未來該怎麼走，恐怕一時也無法斷定。主要的可能還是要靠不斷的研究與改進。遠在海外的我們，當然缺乏足夠的人力與物力，投注在這個問題的探討上。同時，我們的老師要了解簡體字，並不是僅只爲了使用，而更重要的還是爲了要「教」中國字，因此，更要有較爲廣闊的視野，去了解，去認識簡體字。也許我們還該從更根本的中國字的構造學理，和中國字的字形分析上去下功夫。

如果僅只針對簡體字的認識來說，我們還該從基本觀念上做如下幾點澄清。

首先要知道，中國文字並不是僵死的符號，而是極具實用性的工具，所以絕不可能是永不改變的，相反的卻必須是不斷的發展變化的。字形的簡化當然也是必然的，可是我們卻不能單方面的，或是孤立的去看簡體字。因爲簡化這種變化固然是爲了追求學習和使用上的方便時，所必須要走的路，可是如果一味求簡，卻造成理解上的模糊，當然也是不成的。所以在我們追求簡化字形的同時，也同樣的需要使字形繁化，來增加字的區別性，使我們能更精確而又更有效的來記錄我們的語言。簡單的說，中國字的簡化和繁化都是中國字發展中必然的現象，兩者相輔相成，不可偏廢。

　　可是我們今天的實際狀況，卻由於所有主張推廣簡體字和主張繼續使用繁體字的人，都同樣的流露著相當程度上的「本位主義」傾向，都無法較理智的把中國字的簡化和繁化這兩種同等重要的走向等量齊觀。最常見的現象是：習慣使用繁體字的人，對於推廣簡體字這件事多持消極的態度；較為激進者則常以捍衛繁體字的傳統地位為務，甚至數落倡用簡體字的不是，極力反對推廣簡體字的教學和使用。同樣的，習慣使用簡體字的人，在簡體字的推廣上卻不遺餘力，對於今天華社仍然普遍使用繁體字的心態頗表不滿。較為激進者則常以推廣簡體字為挽救菲華教育之將傾的不二法門，甚至列舉使用繁體字貽害學子的諸種事實進行無情的口誅筆伐。可惜雙方在宣揚自己的主張和抨擊對方的看法上，往往只會使用些冠冕堂皇的口號，從極為浮泛的表面上去誇大自己的主張的優點和對方的主張的缺失，卻從不願在彼此不同的兩種主張的得失上，做較為客觀而深入的思考和檢討。有的還可能連自己的主張的真正優點和無法否定的缺失，都沒能全然掌握，所以在具體行動上也無由突破。可能這也正是我們多少年來一直深陷在中國字的繁簡問題的困惑中，卻苦無對策的根本原因。也許面對今天菲華社會中此起彼落的，「是採用簡體字的時候了」的呼籲，我們該以較嚴肅的態度去思考的問題是：我們究竟該把簡體字的推廣當做是一種政令的宣導去推行呢？還是該把簡體字的推廣當做是一種文化的涵濡和發展看待？

　　如果僅從現實的層面去看我們的華語文教學，顯然推廣簡體字的問題，已經變成了一個無法迴避，而必須勇敢面對的現實。從理論上冷靜而又較嚴謹的去說，我們首先該考慮的是，我們究竟要不要推廣簡體字的使用？雖然這些年來，高喊「採用簡體字是大勢所趨」的聲音，越來越多也越大；但是無可否認「不以為然」的沉默大眾也確實為數不少。在一個以追求自由和民主為尚的多元社會裡，「該不該」卻永遠比不過「要不要」在人們的心目中來得重要。所以就算我們知道我們的確「該」採用簡體字，可是在我們推廣簡體字的過程中，也不容有半點霸權的心態。大家都知道勾心鬥角、爭個你死我活的冷戰思維時代已過，「對抗」早已被「對話」所取代。同樣的，我們要不要推廣簡體字，也需要正反雙方開誠布公的馬上展開對話。公正些說，不能只說「新加坡能、馬來西亞能，為什麼我們不能」，而不說為什麼香港和台灣至今仍然有相當大的繁體字市場。我們相信採用簡體字確實是大勢所趨，但是我們卻極難因而相信繁體字必然會在不久的將來，從地球上消失得無影無蹤。何況在今天電腦科技進步和互聯網普遍的情況下，繁體字與簡體字的相互轉換已是輕而易舉，並不再會有使用上的困擾。因此，我們在推廣簡體字的使用上，最重要是在如何讓菲華社會中更多的人「要」推廣簡體字的使用上多下功夫。

　　如果更實際些去看，並不能僅從表面上去看大家「要不要」的問題，而該深一層去探究大家「要」或「不要」的原

因，來謀求解決才行。例如有人「不要」是因為自己不會，或因不了解而產生誤解或成見。那麼如何使更多的人學會，如何使更多的人了解，便是非常重要的工作。我們今天在推廣簡體字上所遭遇到的困難，可能正是如此。所以設法讓更多的人會簡體字，正確的了解簡體字，就該是推廣簡體字的第一步。而設法使華語文教師都能正確的了解中國字的簡化和繁化的發展過程，以及簡化與繁化兩者間的相互依存的關係，更是當前推廣簡體字工作中刻不容緩的事。然而究該如何設法，卻並非輕而易舉，尚待致力於華語文教學改革，和實施華語文教師培育與進修的人士認真思考。

　　大體上說，在中國字發展的漫長過程中，除了力求繁化以具備足夠的區別能力，和力求簡化以達易學易用這兩種發展方向能夠維持適度的平衡外，另一個極為重要的原則便是極力維持「變」（變簡和變繁）與「不變」（不變簡和不變繁）兩者間的平衡。「變」是適應社會和時代變遷之需要所不可或缺的創新；「不變」則要求在具有悠久歷史，又相當成熟的表意的中國文字發展過程中，必須要有延續和承襲的保守特性。為適應變遷，文字必須創新，自然會「變」，但豐富的文獻和文字遺產，又難容在短期內出現過多和過大的「變」。所以根據中國文字過去兩三千年的發展經驗，似乎已能證明，「漸變」確實要比「突變」來得更容易被更多的人欣賞和接受。因為「漸變」總會比「突變」要容易保持「變」與「不變」兩者間的平衡。看看中國在二十世紀五十

年代所確定的「漢字簡化方針」就是：「約定俗成，穩步前
進」。在中國「全國文字改革會議文件匯編」中，就明白寫
著：「所謂『約定俗成』，就是在社會習慣的基礎上來因勢
利導，就是儘可能採用已經流行的簡體字，並不是把目前的
漢字徹底改造成爲整批的新字，也不是有系統的改變字體。
根據一種理想的原則（比方新形聲字）來徹底改造漢字，要
見諸實行就很不容易，改造得越徹底推行就越困難」。「從
推行方便的觀點來看，違反約定俗成而採用嚴格地系統類推
的原則，是沒有好處的」。「所謂‘穩步前進’是說簡化的
步驟不是一次簡化，而是分批簡化」。「一次簡化的辦法是
和約定俗成的原則不相適應的」。這些說明所代表的雖然是
半個世紀以前，中國推行簡體字所採取的方針，可是放在半
個世紀之後，遠在海外的菲華社會和菲律濱的華文學校華語
文教學的現實上來看，無疑仍然是非常值得我們來參考和深
思的。

一二、我看「識繁寫簡」

什麼是「識繁寫簡」？簡單的說，「識」就是認識，
「寫」就是書寫，而「繁」與「簡」是指中國字的寫法說
的，「繁」就是指繁體字，「簡」就是指簡體字或簡化字說
的。「識繁寫簡」就是說，學中國文字要學會認識繁體字，
但寫中國字時要學會寫簡體字。顯然在這裡容易引起爭議的

並不在於「識」與「寫」，而在於「繁」與「簡」的了解
上。通常我們都會認爲所謂「繁」與「簡」，是指中國字在
寫法上的不同，或逕稱爲「字體」的不同。其實所謂「字
體」並不是僅有「繁」與「簡」之不同，而是還有其他寫法
上的不同的。例如過去所說的楷書、隸書、篆書、行書、乃
至顏體、柳體、歐體等。近世還有所謂的印刷體、書寫體，
乃至倣宋體等。不過在這裡，我們說「識繁寫簡」中的
「繁」與「簡」是着眼於「字形」說的。表面上看，「識繁
寫簡」是把「識」與「寫」分開來的。似乎也就是說，「認
字」要認繁體的「字形」，「寫字」要寫簡體的「字形」。
這也似乎可能暗示我們說，中國字都有「繁」與「簡」兩種
「字形」的寫法。其實使用中文的人都知道，在中國字中只
有一部份字是有「繁」與「簡」兩種「字形」的寫法的。而
且還有許多中國字是不必簡化或無法簡化的，例如「山」、
「我」等。由此可知，所謂簡體字是指那些可以簡化的字說
的。因此「識繁」理應也包括識「簡」才對，因爲不「識
簡」又怎能「寫簡」呢？不「識簡」要求「寫簡」，是沒有
意義的。同樣的「寫簡」也該包括「寫繁」在內，也就是說
寫「簡」是可以視實際需要而決定「寫簡」或是「不寫簡」
的。這樣看起來，所謂的「識繁寫簡」只是個概括性的原
則，其實質則是，要學中文就要學會認識繁體字，也要學會
認識簡體字；但在書寫的時候卻是可以「寫」簡體字的。也
就是說，認識繁體字和認識簡體字是一樣重要的，不可偏

廢，也不必爭執，更沒有什麼再行商榷的餘地。可是在書寫時採用「繁」或「簡」，卻可以交由書寫的人視實際情況之需要，而自行決定，是有相當大的伸縮空間的。

　　為什麼要強調「識繁寫簡」？從中國文字在中國使用和發展的歷史來看，中國人對於中國字的字形的「繁」與「簡」的問題，一向就是採用「識繁寫簡」的原則去處理的。這也是「約定俗成」的，用不著去格外強調。回顧菲律濱華人辦華人自己的學校，教授華語文的百年歷史，所謂繁體字與簡體字的問題，無疑是從第二次世界大戰結束之後，才日漸突顯出來的。無可否認這是與國際政治現實脫不了關係的。在這裡我們雖然並沒有能力，也沒有必要去討論教育是否該為政治服務的嚴肅大問題，可是事實告訴我們，一九七五年以前，菲律濱一直與播遷往台的中華民國政府，保持著正常的外交關係。當時的華校都是華僑學校，深受中華民國政府僑教政策的規範與影響，也是理所當然的。而且那段時間裡，菲律濱與中國大陸的民間往來，幾乎完全斷絕，因此我們有過「簡體字是共產字」、「簡體字毀滅中國文化」的刻板印象。可是緊跟著中國大陸改革開放政策的大力推行，和菲律濱與中國的建交，使用大量簡體字的書報和中國人也不斷進入了菲律濱，也進入了菲律濱的華校。這對一向保守的華校和華社來說，無疑是個極大的衝激。雖然我們現在完全沒有華僑學校，所有的華文學校全都是菲校了，當然也全然沒有義務去奉行中國的僑教政策，然而簡體字在我們

目前華語文教學上所產生的衝擊，卻不能不勇敢面對。強調
「識繁寫簡」正是面對現實，解除困擾下的妥協產物，通常
似乎並未較嚴肅的去深入思考簡體字的使用問題。

　　實施「識繁寫簡」教學有何困難呢？如上所述「識繁寫
簡」只是面對當前的處境，所逐漸形成的一個妥協性的原
則，所以在華語文教學的實際上，自然就免不了會遇到許多
有待克服的困難。其中最大的困難就是現任華語文教師，對
於「識繁寫簡」的理解各不相同，難有共識。而最顯著的是
新近自中國來菲加入華語文教學行列的教師，到目前為止雖
仍屬少數，但是他們的華語文的聽、說、讀、寫等基本能力
均較強，對中國通用的簡體字極為熟悉，學認繁體字的困難
度較小，但在書寫上則較難習慣。而本地原有的教師在認繁
體字上自然較為習慣，但在認簡體字上卻不免困難，或對簡
體字產生排拒心理，亦不難理解。在書寫上使用簡體字的習
慣就是更不易建立了。這兩種華語文教師，由於在學習中文
的經驗與背景上的全然不同，自亦不免各持己見，在自己的
教學上也不免會於有意或無意間，模糊了「識繁寫簡」的焦
點，而把問題扭曲成該不該使用簡體字教學的問題。

　　第二個常見的困難是，到目前為止本地所出版的，和廣
為流行的中文書報，仍然還是不用簡體字的。在學校通用的
華語文課本方面，除了菲律濱華文教育研究中心所出版的一
套課本是繁簡均列外，其他也全是不用簡體字的。在一個一
向僅通用繁體字的菲華社會和華文學校裡，去推動使用簡體

字,尤其是推行使用目前在中國所通用的所有簡體字,自然格外困難。而且該如何去推動或推行簡體字的使用的所有有關策略與方法,又得全都交由實際教華語文的教師,去自行解決,爭議多也就不足為怪了。

　　例如有些主張大力提倡使用簡體字的教師說,現在中國十二億人都在使用簡體字,甚至連若干地區或外國的華人也都在學著使用簡體字,這是大勢所趨,如果菲律濱華人不趕快學著使用簡體字,當然是不智的,也是不對的。可是抱持不同意見的華語文教師,卻可以說,目前中國雖有十二億人用簡體字,為數可觀,但是從中國近兩千年的文明史料來看,無疑不使用現在在中國通用的這套簡體字的中國人更多。而且在今天中國人口中佔有相當高比率的老齡人口中,不使用或不習用簡體字的人也仍然很多。

　　這也就是說,連中國目前的十二億人口中,也並非人人都習用今天中國所推行的這套簡體字。由此可見,在我們這個一向通用所謂的繁體字的華人社會裡,現任的華語文教師中,熟悉並能順利應用所謂簡體字的,本就非常少。再加上今天我們所有的華語文教師,包括新近自中國遷來而加入華語文教師行列的新教師,素質普遍不高,對於漢字結構的法則、漢字的形體演變,以及漢字發展過程中簡化與繁化的理論與實際等問題,通常都缺乏應有的基本認識與了解。結果像「識繁寫簡」這種相當簡化的原則,在實行上所產生的困難都會變成教學上是否該使用簡體字的問題。有時還會變成

教師們為了捍衛自己所習用或熟知的繁體字或簡體字的「正統」地位的爭論。從現實來看，我們的華語文教師中熟悉繁體字的人仍佔多數，所以推行簡體字或教簡體字都還相當困難。如果僅就「寫簡」的原則來看，連倡導使用簡體字頗為積極的菲律濱華文教育研究中心，在他們所主編的寫字練習中，也並未把「寫簡」的原則納入，其艱困可知。當然這都是些表面上極浮泛的問題，如果深入去看，問題必然更多，解決起來也必然更為困難。但是為了減低華語文教學上的無謂的負擔，對於這種爭論不休的局面，卻不能不有個具體的因應對策。然而茲事體大，所謂「識繁寫簡」這種妥協下的產物，認真的說，也不過是用快刀斬亂麻的策略來息爭的權宜之計，實質上，依然存在着不少尚待思索的難點。任由這些難點隱藏在背後慢慢發酵，只求表面上有暫時的平靜，無疑是自欺欺人的，也是不利於我們的華語文教學的。或許去深入思考，如何把「識繁寫簡」這種口號式的原則，真正落實在我們的華語文的實際教學行動上，才是正途。而華語文教學的實際行動是完全要靠我們的華語文教師來推動和實踐的。因此，我們認為要想真正解決「識繁寫簡」在華語文教學上所遭遇到的種種問題，就必須先要認清，並且接受我們的現實，然後才能依據我們的現實去找出路。

我們的現實是什麼呢？從華語文教學的客觀環境來看，繁體字至今仍然是我們華社習用的。從華語文教學的主觀條件來看，華語文教師對於中國文字的基本知識普遍不足。這

就是我們當前教華語文的現實。相信每個人都能發現，要想把我們這個習用繁體字的華社，改變成習用簡體字，不但困難，而且也不能不假以時日。更何況這段夠長的艱苦歲月該怎麼去走，恐怕也還得煞費周章。可是相形之下，在改變我們華語文教學的主觀條件上，卻就容易多了。因此，我們主張應該馬上從改變我們華語文教學的主觀條件上，也就是從充實我們的華語文教師的有關漢字的知識上，採取具體行動才是上策。可是究竟該採取哪些具體的行動，和如何採取那些具體行動，卻仍待仔細推敲。

根據我們這裡多少年來，在充實華語文教師的有關華語文專門知識，包括對於漢字的基本知識方面的經驗來看，雖然我們一向都是把這部份知識的充實，視為教師進修的一大重點，可是實質上卻不免會像我們幾乎年年都舉辦的華語文教師暑期進修或講習班一般，形式大於實質。更從未針對「識繁寫簡」這類具體的問題，提供過直接有關的資訊。有時可能也是受了過份講究形式的拖累，在華語文教師培育課程中，安排上一些像文字學、聲韻學、訓詁學一類的專門性的學術科目，白白虛耗了教與學雙方面的寶貴精力和資源，卻得不到半點解決華語文教學問題上的實際效用，實在是十分可悲的。不為乎？不能乎？頗為費解。

所以我們認為目前解決「識繁寫簡」所引發的一些問題，似乎並不能再去寄望於年年舉辦的暑期教師進修班或講習班，而應該由各所華文學校裡負責督導華語文教師教學的

華文校長和主任，設法在平時或利用適當的時機，讓全校華語文教師都能正確了解以下五點：

一、要了解「識繁寫簡」的根本問題是來自於漢字的繁簡問題。所以了解漢字的繁簡問題，才是解決「識繁寫簡」問題的正途。例如漢字爲什麼要簡化？漢字爲什麼要繁化？

二、要了解漢字的繁簡問題，就不能不先了解漢字的性質。例如漢字是語素文字，而不是音素文字，也不是音節文字。再如漢字的結構複雜，而構字的法則有其超時空的恒常性，也有其推陳出新的適應性等，這全都是華語文教師不可或缺的基礎漢字知識。

三、要了解漢字的性質，也不能不先了解漢字的演變歷史。例如我們應該了解傳統的漢字構成的「六書法則」，也應該了解現代漢字的構字方式的形成過程。兩者都是不可偏廢的。異體字和簡體字的出現本就是不分古今的常態。

四、要了解漢字形體的演變是與其社會背景息息相關的。例如近世以來的漢字簡化運動的興起與發展的背景，以及中國政府的文字政策，都是華語文教師了解「識繁寫簡」所引發的種種問題時，必須要有的基本資訊。

五、要了解漢字的繁簡問題，實質上是件艱巨的漢字字形整理的大工程。在簡體字運動的發展方面，從民國二十四年八月，國民政府教育部公佈「第一批簡體字表」，到一九八六年六月中國國務院批准廢止了「第二次漢字簡化方案」，其基本精神是一脈相承的。一九八六年中國國務院所

指出的，「今後對漢字簡化應持謹慎態度，使漢字的形體在一個時期內保持相對穩定，以利於社會應用」的明確方向，正證明這是個十分嚴肅的學術研究問題。在海外致力於華語文教學的教師，如果只因爲自己缺乏應有的有關知識，而草率的把問題誤認爲是政治立場上的爭執，實在是極爲不智的。

一三、「識繁寫簡」與「識簡寫繁」的問題

自從前些日子在「菲華教育」週刊上發表了拙作「我看識繁寫簡」的短文之後，又先後在報上讀到幾篇有關「識繁寫簡」的討論文章，有的不用「識繁寫簡」而用「寫簡識繁」，可能是因爲把「寫」看得比「識」重要的關係。較爲突出的是在世界廣場上，書欣先生的茶餘專欄談簡體字時，所提出來的「識簡寫繁」的看法，確實是極具價值的另類思考，也極具啓發性及挑戰性。從宏觀的角度來看，如果確能把「識繁寫簡」看做是我們今天的共識，就算只是妥協下的產物，只是用快刀斬亂麻的策略來息爭的權宜之計，也已能證明我們在思想和觀念上，已經有了空前未有的突破和進步。跳出視簡體字爲禁忌的牢籠，擺脫不容異己的「一言堂」霸權心態，容許把簡體字和繁體字放在較爲平等的地位上去做整體的思考，就是從封閉走向開放的具體表現。再從

「識繁寫簡」或「寫簡識繁」的基礎上，進而提出「識簡寫
繁」的逆向思考，則證明保守的華社在思維與觀念上的更上
層樓，也是促使華社走向開放和多元的契機。只不過這類逆
向的思考尚屬起步，有待開拓的空間正大。如從微觀的角度
來看，不論是「識繁寫簡」或是「識簡寫繁」的主張，基本
上都是把「識」與「寫」這兩類學習活動分開來處理的。放
在華語文教學的實施層次來看，無論如何都是不能與我們今
天華語文教學的現實脫節的，否則空談「識繁寫簡」或「識
簡寫繁」，恐怕都是沒有多大實際效益的。因此，在這裡，
我們願意針對「識繁寫簡」與「識簡寫繁」的問題，做點較
為務實的分析與說明，供讀者參考和指正。

　　先說「識」與「寫」，和把「識」與「寫」分開來處理
的問題：所謂「識」與「寫」都是以中國字為對象的，也就
是「識字」與「寫字」的意思。在我們今天的華語文教學
上，把「識字」和「寫字」分開來教學也是極為自然，也極
為普遍的現象。而且一般華語文教師、學華語文的學生和他
們的家長，似乎都還普遍的把「寫字」看得比「識字」來得
重要。所以結果常會是使學生只會「寫」不會「識」，會寫
自己不認識的字，卻不認識自己會寫的字。在學習心理上，
「識」與「寫」本就是兩種性質不同的學習活動。「識字」
要靠對於字的整體的綜合了解，「寫字」卻要靠對於字的每
個部份的分析和透過手眼協調的操作表現。顯然「識」的層
級較高，所需要的思考與理解的成分也較多；相對的，

「寫」的層級則較低，其思考與理解的成分也較少。在華語文的基本要求上，當然「識字」也是比「寫字」重要得多的。可惜在我們的華語文教學上所做的，卻正與這種基本要求相反，實在應該早日設法糾正。從華語文教學上，聽、說、讀、寫的四大目標來看，「識字」是屬於「讀」這項目標下的，而「寫字」則嚴謹些說，卻並非必然與「寫作」有關。也許說「寫字」是爲了加強「識字」效果的一種活動，反而更貼切些。由此足見「識字」與「寫字」本應有相輔相成的作用。而在現代社會裡，寫中國字已屬高水準的藝術，遠非人人所能，所以「識字」才是主，「寫字」只是輔，兩者本應結合爲一，如必得分開處理，亦應有本末之別，絕不該本末倒置。

其次，根據以上對於「識」與「寫」兩者間之交互關係的說明，則可進而去看「識繁寫簡」的問題。所謂繁簡是指中國字的字形說的，不論是「識」或是「寫」，都不能不注意字形，所以字形的繁簡對於「識」與「寫」，都是同樣重要的。如前所說，讓學生盲目的一遍又一遍的去「寫」些他自己全然不「識」的字，造成「寫而不識」或「不識亦寫」的結果，是全無教學和教育的意義的。可能由於所謂「識繁寫簡」只是個過度簡化了的口號，所以並無法忠實反映其本意，實質上「識繁寫簡」是說：識字還是要識繁體的，不過在書寫時，是可以由書寫的人去決定是否寫簡體的。這對已能認識若干中國字的成年人來說，當然是比較容易理解，也

比較容易做到的原則。可是放在我們今天華語文的教學上，卻極難期望那些初學華語文的孩子，能有決定是否「寫簡」的程度。而且從我們今天華語文教學的實際狀況來看，似乎初學階段是尚能把「識字」和「寫字」較為緊密的聯接在一起的階段。所以要按照「識繁寫簡」的原則去教學，就會格外困難。例如有些幼稚園的華語教師教孩子認識一些中國字，教孩子認「馬」這個字時，為了「識繁」，當然就該展示「馬」這個字的繁體字形給孩子看，為了加深孩子對於這個「馬」字的印象和認識，常會從這個繁體字形的「馬」字的筆劃、筆形、和筆順上，去引導學生認識「馬」這個繁體字的結構和每個構成「馬」這個字的部件。接下去就是教孩子去學如何「寫」這個「馬」字，如果我們仍然採用「寫繁」的傳統辦法，自然比較容易，只要把教孩子認識字形的部份，再透過跟着教師的說明在空中書寫幾次「馬」這個繁體字的筆劃、筆形和筆順之後，就可以讓孩子在已備好的寫字簿上，去「寫」一行或一頁「馬」字。可是改採「寫簡」的原則時，教師是否又要再展示一個簡體字的「馬」字給學生看，對於簡體字的「馬」字的字形、筆劃、筆形和筆順，也要用同樣的過程再教一遍，然後才能讓孩子去「寫」呢？因為「馬」字的繁體是十劃，簡體是三劃，筆形與筆順也不全同，兩者兼顧豈不欲簡實繁？

　　最後談到「識簡寫繁」的問題，我們覺得書欣先生提出這種與一般人的想法全然相反的思考方向，極可能並不僅止

於有感而發，而極可能也是有某些具體的事實或經驗爲佐證
的。至少在華語文教學的實際狀況中，實施「識簡寫繁」要
比實施「識繁寫簡」的原則來得容易，也來得實際得多。這
對目前大多數華語文教師尚無法熟悉簡體字的字形、筆劃、
筆形和筆順的現實下，只在可能範圍內去教學生多認識一些
簡體字，確實是相當務實的。如果我們眞能在學校華語文教
學上，採用「識簡寫繁」的原則，而在使用華語文的華社裡
則採用「識繁寫簡」的原則，豈不也是個不錯的辦法？

一四、從中國字的性質了解簡體字

　　最近這兩三年，關心簡體字問題的人，和大力倡導使用
簡體字的人，顯然都明顯的增加了。可是實際上，眞正能夠
較正確而深入了解簡體字的人卻並不太多。對於一般人來
說，只是機械的跟着別人去學去用簡體字，不去對簡體字做
任何較深入的了解，倒也不至於引發什麼大問題。但是教學
生華語文的教師，如果也像一般人一樣，不求甚解地去學、
去教，或是去反對簡體字，卻必然會貽害莘莘學子的。所以
我們認爲較深入而又較正確地去了解簡體字，是當前的華語
文教師不能沒有的一項最基本的專門知識。而了解簡體字的
第一步就該是去認眞了解中國字的性質。因此，我們願意在
這個重點上做些說明。
　　在人類文化發展過程中，大家都相信是先有語言，後有

文字的；文字是用來記錄語言的一種工具，一種符號系統。可是「語言」是用不具形象的聲音表達的，而「文字」則是用具有形象的符號呈現的。如何把靠聽覺才能了解的聲音轉變爲憑視覺去認知的符號，卻常會因其文化背景之不同而有差異。基本上則是要看其文字所記錄的是什麼樣的語言單位。所謂語言單位，用通俗的話說，例如構成語言不能缺少的「音」，專門的術語叫「音位」，也叫「音素」。記錄這種音位的文字就是音位文字，或稱音素文字。英文、法文都是這種音位文字。任何一種語言的音位數目都是有限的，大約不過幾十個，所以代表這些音位的字母也同樣只有數十個。這些字母按照一定的規則，就可拼出那種語言的詞的聲音來，從這些拼出的聲音中就可以知道所代表的意思。

　　還有另外一類文字，雖然也是記錄語音的，但所記錄的語言單位卻不是「音位」，而是「音節」，一個「音節」就是一個輔音和元音的結合體，這種文字就叫音節文字，日文和阿拉伯文的字母都是代表音節的，所以日文和阿拉伯文都是音節文字。音位文字和音節文字都是記錄「音」的，也都是拼音文字。大家都知道中國字並不是拼音文字，因爲中國文字所記錄的並不只是「音」，而是語音和語義所結合而成的最小單位，叫做語素，因而中國文字就是語素文字。語素文字的單位不是字母，而是字。字是有形、有音，也有義的，是形、音、義三者的結合，並不像其他文字只是形和音兩者的結合。所謂語素即指英文中 MORPHEME 一字的意

思，過去譯為詞素，近數十年中，中國大陸學者則習稱語素。所謂詞素或語素中之「詞」或「語」，均在指明語言中「義」的成分。說中國字是詞素文字或語素文字，都是說中國字的表意因素是其最重要的特徵，也是其他文字所沒有的。所以中國字透過不同的字形就能輕而易舉地區分出不同的字義，也能有效地區分出同音而不同義的字來。例如風、豐、封、楓、諷、瘋、鋒，這幾個字的讀音都一樣，但是從這些字的不同字形上，就能正確的掌握每個字所獨具的不同字義。同樣的，用水、木、金、言、車等這些偏旁的中國字，僅從字形上就能大體了解其字義。甚至還有人認為，中國地域廣闊，方言眾多，但卻能透過「書同文」的便利而溝通無礙，也是得益於這種表意為主的語素文字，也是不無道理的。其實更深入些去看，中國字的形成與使用已有相當長的歷史，兩千多年來，中國字的字義相當穩定，變化也相當小，字形上的變化也並不太多，所以至今我們仍然可以看得懂先秦至兩漢的古書中的許多字。試想如果那些古書當年是用拼音文字寫的，現代人又該怎麼了解呢？由此可見，中國的這種語素文字所具有的這種超空間與超時間的優越性，實在是不能不讓人嘆為觀止的。

可是換個角度來看，正因為中國文字是語素文字，所記錄的不是語言的音位和音節，而是語素。在一種語言中，其音位和音節的數量，都必然會比其語素的數量少得多。所以記錄音位或音節的拼音文字，只要用幾十個字母就夠了。但

是記錄語素的中國文字，由於語素的數量相當多，所以中國文字的數量也必然相當多。如果把從古到今的中國字全都累積起來，可達五六萬之多。這與拼音文字僅用幾十個字母來比，當然中國字的字數的確是太多了。然而拼音文字所用的字母雖爲數有限，但是卻沒有意義，如果構成有意義的字，則其數量就必然會多上千萬倍。這只要比較一下中國字典和英文字典的字數上的差異，就會一目了然了。此外，在拼音文字中，增加新字，其字母並不需要增加，而語素文字則必會因語素增加而增加新字，這也正是中國字的數量會增加到五六萬個的主要原因。好在在這五六萬個中國字中，有絕大多數都是不常用和不再應用的。所謂通用字和常用字才是實際上所使用的中國字，爲數自然少得多。據近代的研究可知，現代中國的常用字大體約在兩三千字之間。而且也已有不少研究證明，只要能掌握兩千個中國字，就足以掌握百分之九十以上的中國字的使用。這對在海外教華語文的教師來說，似乎可以鼓舞教學的士氣和信心。但是實際上，由於中國字是表意的語素文字，而語素文字最重要的部份正是「字義」，如果我們不能眞正了解語素文字是怎樣把「字義」與音和形緊密結合在一起的，當然是無法眞正教會學生認識中國字的。這是中國字如何構字的問題。構字固然有其法則和規律，但是若干中國字的構字法則和規律，也並非一成不變的，再加上中國字本就因以語素爲記錄單位，而不能不在結構上考究一定程度上的形體差異，所以簡體字也一樣要盡可

能的遵循這些基本的要求。所以我們認為華語文教師必須充
分了解中國字的性質之後，才能進一步去了解中國字的結
構，有了這些基礎知識，才能真正去了解簡體字。

一五、台灣地區的簡體字問題

最近這幾年間，簡體字問題已逐漸成為菲華教育上的一
個極為普遍的熱門話題。在華文學校和華語文教師間也有不
少的爭議和關注。儘管大家都會說，簡體字問題是個嚴肅的
學術問題，並無關政治，但是爭執起來，卻又免不了會陷入
政治性口號的泥淖，把個學術問題變得泛政治化了。菲華教
育界由於近半個世紀，僅能與中華民國始終保持著相當的來
往，卻與中國大陸有好長一段時期幾乎完全隔絕。直到菲國
與中國大陸正式建立邦交，發展邦誼後，才逐漸對於中國大
陸的種種情況有了較實際的認識。我們對於大陸上推行簡體
字的了解也正是如此。有關中國推行簡體字的資訊也隨著中
國的發展和開放，而傳入菲華社會。可是有關簡體字的問題
在台灣地區的實際狀況，卻相對的缺乏應有的資訊。所以在
我們討論簡體字的問題時，也常不易取得應有的平衡，亦易
因而產生若干不必要的困擾。其實簡體字的問題在台灣地區
的討論亦極普遍，有關文獻亦不少，近年的探討與研究，成
就尤多，可惜為此間所知者甚少。

大家都該知道，中國要求簡化文字的呼聲早在十九世紀

末葉就已經相當普遍了。其推動的主力源自飽受世界列強欺凌的覺醒，咸認救國之道在普及教育，而普及教育要在簡化文字。一九零九年，教育雜誌的創刊號上就刊登了陸費逵寫的「普通教育當採用俗體字」一文，所指俗體字就是簡化字。民國成立後，倡用簡體字最力的當推錢玄同。民國二十一年（一九三二），國民政府教育部公佈的「國音常用字匯」中收入之簡體字已不少。民國二十四年（一九三五）雖亦曾公佈「第一批簡體字表」收入簡體字三二四個，但未久即停止推廣使用。迨抗日戰爭勝利，台灣光復及中華民國政府遷台後，台灣參議會曾有呈請政府制頒常用簡易字的討論和決議，但迄民國四十二年（一九五三），台灣省政府卻奉令禁止各級學校學生寫簡體字。對於此一禁令，當時各界反應不一，教育當局即邀請文字學家舉行簡化文字座談會，座談會後聘專家十五人，組成簡體字研究委員會，嗣後發表之有關意見中，影響較廣者可以羅家倫與廖維藩等人爲代表。羅家倫是於其任考試院副院長時，在中國國民黨中央委員會所舉行的一次總理紀念周會上，提出了他對中國文字簡化問題的看法。他大體上似乎抱持著延續當年在大陸上，把簡化文字和普及教育掛鈎的主張，認爲中國文字必須保存，而保存之道端在文字的簡化，簡化才能使廣大民眾易學易用。融入其生活。而廖維藩則是以立法委員身份，在立法院提案，主張立即制定「文字制定程序法」，以「制止毀滅中國文字，破壞傳統文化，和危及國家命脈」。此一提案確曾引發

廣大的討論和熱烈的論戰，主張「不得寫俗體簡筆」，和主張「許多久已在民間通行的簡體字」可以公佈通用，兩者間相互堅持卻並無結論。

　　再次較為嚴肅地提出簡體字問題，是民國五十八年（一九六九）何應欽在中國國民黨中央評議委員會的會議上，所提出來的切實研究整理簡筆字的議案。其結果促使教育當局再度邀集有關學者專家進行研究。最後則訂出三項原則：

　　㈠政府應研究公佈常用字，不宜公佈簡筆字；

　　㈡積極研究標準字模，以劃一印刷字體；

　　㈢研究中文打字機改良，以求結構簡化，運用輕便。

　　在這三項原則中最為突出的則在於政府「不宜公佈簡筆字」的原則，再加上電腦的發展與應用，便確定了簡體字問題在台灣地區逐漸失去其原有重要性的發展方向。於是簡體字問題就轉變為文字標準化的問題。整理國字，公佈常用字，制定標準字體，劃一印刷字體字模等，就是文字研究的主流。在這些研究中，台灣師範大學國文研究所是最重要的研究中心。其最大的貢獻則在台灣師範大學國文研究所主持的研究下，先後公佈四個重要字表。

　　㈠常用國字標準字體表，又稱甲表，收入常用字四八零八字，民國七十一年（一九八二）公佈。

　　㈡次常用國字標準字體表，又叫乙表，收入次常用字六三四一字，也是民國七十一年公佈的。

　　㈢罕用字體表，也叫丙表，收入罕用字一八四八零字，

是民國七十二年（一九八三）公佈的。

㈣異體字表，又叫丁表，收入甲、乙、丙三個字表中諸字之異體字共一八六零九字，是民國七十三年公佈的。

此外，民國六十八年（一九七九）中華文化復興委員會的標準行書委員會，還主編發行了「標準行書範本」，所收常用字四零一零字，其中採簡體者頗多。這也似乎顯示我們這裡多能認同「識繁寫簡」的主因所在。最近這幾年，更由於電腦科技發展的結果，台灣政府更根據若干研究，於民國八十二年（一九九三）公佈了「國字標準字體楷書母稿」，及「國字標準字體宋體母稿」。至此，全盤整理中國字的大工程似已算是大功告成。在規範字形上的貢獻極大。

總的來看，由於台灣地區在全盤整理中國字，並謀求字體標準化的過程中，是以符合造字原理為首要前提的，筆劃的繁簡並非主要。俟標準字體確定後，則以「正體字」視之，至於簡體字則皆以「異體」、「俗體」及「或體」視之。所以並非「正體字」的簡體字，自然無法取得「正統」的地位去推廣。這對中國文字的穩定性和承續性是有其一定價值和貢獻的。然而任何一種文字都不可能是一成不變的，所以獨重字體的標準化要完全依據原有的造字原理和「初形本義」的想法，自然也免不了會忽視了文字不能沒有的變異性和創新。何況中國字的造字原理也該會推陳出新的，畢竟約定俗成的必要仍然是無法否定的。

一六、香港能，為什麼我們不能？

　　記得前些日子在世界日報的世界廣場上，讀到一篇談論有關簡體字問題的文章。指出目前菲華教育界反對簡體字的人認為，香港已經是中國的特別行政區，卻仍然用繁體字，菲華社會並非屬中國管轄，為什麼必須改用簡體字？後來又在同一個「廣場」上讀到另一篇批評這種想法的文章上說，這種說法是把簡體字的問題「政治化」了。看看先後這兩篇文章的論點，似乎全都不希望我們在討論簡體字的問題時，受到「政治」的影響。但什麼是「政治」？我們卻沒有較為嚴謹而又較為正確的共識。老實說這本就不是件容易的事，基本上這是與「政治學」（POLITICAL SCIENCE）息息相關的概念。通常我們都是採取狹義的和傳統的看法，但卻常忽略這種狹義的傳統看法是以國家和政府的機構及其功能為研究對象的事實。因此在討論菲華教育的有關問題時，不少人都不曾對於自己的「政治立場」，做過任何認真的明確交待，根據我們對於這類討論所直接接觸的經驗，卻可斷言，真能站在菲律濱這個國家和政府的立場去立論的，迄今仍然猶若鳳毛麟角。這顯然是與我們近年來所大力倡導的，以第二語言的教學理論來教華語文的精神，不易契合的。我們相信，如果討論菲華教育問題的人，都真正能夠拋棄自己認同中國這個國家和政府的「政治立場」，站在菲律濱這個

國家和政府的「政治立場」上來，不論討論菲華教育上的任何問題，包括簡體字的問題，都必然會較易獲得共識，也必然會較易找出解決問題的辦法來。

如果我們還能更開放些去了解「政治」這個概念，就不難相信「政治」確是人類社會中，不可或缺的活動。近半世紀以來，政治學的研究也已證明，「政治」早已跳出了國家與政府的形式，落實在個人之間與團體之間，不斷發生相互作用之過程上，用系統理論來說明，政治系統只是社會系統中的一部份。孫中山先生對「政治」的解釋是：「政」是眾人的事，「治」就是管理，管理眾人之事就是「政治」。從這個角度來看，「政治」是公眾事務（PUBLIC AFFAIR），「教育」何嘗不然。所以要想把教育事務與政治全然脫離關係，實在並無可能。同樣的，菲華社會的菲華教育也是全然無法與「政治」無涉的。問題只在於我們能否在討論教育問題時，把「政治」從「國家與政府」的形式中解放出來，只要我們能把「政治」看做只是我們處理我們的公眾事務，教育事務就是我們自己的事務，我們該認真為我們如何去處理我們自己的事務而討論，又怎會有多少嚴重的衝突與對立呢？又怎會有「政治化」的顧忌呢？

根據以上這些了解，我們就可以進一步來看看有關香港至今仍然採用繁體字的事實，和對於我們這裡討論簡體字問題的影響。所謂影響，其實只是我們這裡反對使用簡體字的人，拿來支持自己的主張的例證，與贊成使用簡體字的人，

舉新加坡的例子來支持自己的主張，全然相同的。在這種情況下，對於我們所能產生的影響，當然只會是相當浮泛和表面化的。因為我們只會舉香港或新加坡做榜樣，卻並不了解香港或新加坡為什麼會不用或使用簡體字，更未警覺到我們這裡並不是香港，也不是新加坡。當然我們這麼說，絕不是說別的地方怎麼做，跟我們一點關係也沒有。而只在強調我們不該把別的地方怎麼做，當做我們也該怎麼做的唯一理由，因為那是非常不妥當的。至少在我們決定仿效別處的做法之前，先要深入些去了解我們打算仿效的對象的實際狀況，否則盲目地或只是人云亦云的去跟從，是會弄巧反拙的。簡單的說，近來不斷聽到有人提到新加坡和馬來西亞推行簡體字成功的例子，卻極少聽到有人指出新馬兩地使用華語文的人，在該地所佔數量和在社會、政治等方面舉足輕重的影響力量。更沒有指出新馬兩地推行簡體字是靠政府的力量才達成的。回過頭來看看我們這裡的情況，使用華語文的只不過是絕對的少數，這些人在菲國的教學語言政策上，所產生的影響力量幾近於零。由此即可斷言，菲國政府對我們是否採用簡體字，以及如何推廣簡體字的事，無論如何都是毫無介入或協助的可能的。這又怎能與新馬兩地的情況相提並論呢？因此，近年來有人大力倡導在菲華教育界，成立個強有力的領導機關，來發揮像政府般的統馭作用。可是實際上，在我們這個崇尚自由而又日趨多元化的民主社會裡，「強力領導」究能發生多大效果，仍然是值得懷疑的。從這

個角度來看我們的現實條件，無疑要想師法新馬推廣簡體字，恐怕並不容易。

　　最後讓我們來看看香港至今仍然通用繁體字的例子。從政治方面看，香港是「一國兩制」下，中國的一個特別行政區。在語文教育方面，香港特區政府迄今並未「強力領導」香港學校推行簡體字。可能也是由於香港採用了與中國其他地區不同的資本主義制度。連教育措施都採納了「市場經濟」、「自由市場」、和「自由競爭」的精神。像是否採用簡體字的問題，似乎也已交給「市場」去決定了。記得書欣先生曾在他的「茶餘」專欄中提過，香港「文匯報一度採用簡體字印刷，維持了好幾年，最後還是恢復到原來的繁體字」的例子，這個例子也證明了「市場」所具有的決定實力，如果社會上仍然通用繁體字，相信學校是不會甘願與社會脫節，關起門來只教簡體字的。其實單從這方面來看，我們的情況倒有不少與香港類似的地方，相信「市場」具有決定力量的人仍佔多數。所以至今我們仍然沒有一家華文報社，敢於效法香港文匯報的辦法，去採用簡體字發行。是否我們真能像香港一樣，把簡體字的問題交給「市場」去決定，正是我們要問的──香港能，為什麼我們不能？盼先進大德有以教我。

肆。考試・分數

一、考試與教學

　　凡是進過學校讀書的人，對於考試和教學這兩個詞都不會陌生。對於學生來說，考試似乎遠比教學重要得多。但對於教師來說，教學卻比考試來得更重要。其實考試與教學兩者間的密切關係，並不是三言兩語就能說清楚的。舉個例子來說，英國在十九世紀末，就曾經規定要按照學生考試成績的好壞，來評定教師教學的優劣，並據以決定教師薪俸的多少。結果教師爲了獲得較多的薪俸，就只教考試時要考的題目，嚴重影響了教師教學的品質。這跟近半世紀以來在台灣所流行的所謂考試領導教學的現象並無多大差異。教師固然可以只教要考的，尤其是重要的考試要考的題目。例如升學考試，由於高中和大學的入學考試都採用聯考的辦法，教師並不易完全掌握，所以學校裡的「名師」，就要在教學上顯示其「洩題」的功力。而學生卻因而養成了不考試就不讀書的壞習慣。學校裡就只好安排了三天一小考，五天一大考的對策，教師自然也只好全力配合，教師爲考試而教，學生爲考試而學。這種邊教、邊學、邊考，或是即教、即學、即考

的辦法，多年實施下來，學校裡的教學自必日益空洞，其教育意義全失。學校教學也只能訓練出一批批的「應考機器」來。在中國大陸上的情況也不遑多讓，他們把這種現象叫做「應試教育」，實則異曲同工。

　　回過頭來，看看我們這裡的狀況，尤其是在華語文的考試和教學上，我們雖然沒有像中國、台灣、香港等地的升學考試壓力，但是學生也同樣有不考試就不讀書的習慣。我們的華語文教學，雖然並不是只教考試的題目，但教師教學的多采多姿，也是極難與考試真正相互結合的。大都是教者諄諄而聽者藐藐，因為考試還是比教學重要得多。因此大多數的華文學校，為考試所付出的精力和關注，都會比為教學付出的來得多。諸如考卷的命題、印刷、保密等行政作業過程，以及學生參加考試的時間、座位、監考等事項的安排等，都明確的審謹得如臨大敵，但在考試內容和方式上卻偏重呆板的死記，和看似科學的形式。真像是就算完全捨棄教學，也不會對考試產生多少影響似的。這似乎是證明在我們的華語文教學上，考試與教學早已變成了兩者全無多少關聯的樣子，這也是值得我們憂慮和關注的地方。

　　要知道考試本該是教學過程中，不可或缺的部份。只有透過考試才能檢驗教學的目標，和教學的預期效果有沒有達成；也只有透過考試，才能使教師了解自己在教學上的得失，進而謀求改進。更重要的是能讓學生從考試中獲得自我反省的機會，提昇學生積極參與師生互動教學的意願。

二、考試與學習

讀過菲華教育第二十六期，什木寫的「強化考試與寬鬆的學習環境如何得兼」的文章，有幾個疑點，想提出來談談。

第一個疑點是：什麼是強化考試？為什麼要強化？如何強化？文章裡並沒有說清楚，只說「今天的華文教育，用考試，用分數的方法來逼迫學生學習好中文，我看也是必要，而且這應是一種基本的要求，只有這樣，才能增強華文教育在孩子心中的權威性」。然而用考試是否真能逼迫學生學習好中文？有無這種必要？這真的應該是一種基本的要求嗎？這都是有待深思的問題，怕是並不那麼容易就能獲得那麼可信的答案。至於說：「只有這樣，才能增強華文教育在孩子心中的權威性」，姑且不去懷疑是否「只有這樣」的問題，但是要增強華文教育在孩子心中的權威性，目的何在？有何意義與價值？也都是可疑的。

第二個疑點是：什麼是寬鬆的學習環境？因為通常我們所說的「學習環境」，都是指物質方面的狀況說的，例如學習場所是否安靜，是否舒適，諸如光線、空氣、溫度、乃至桌椅設備或學習資訊的多少與方便使用等。但談到「寬鬆」無疑卻是屬於心理的、社會環境的；而且絕大部份該是學習者主觀上所感覺的。該由來於學習者相互間，和師生相互間

的人際關係者居多，其次該由來於學習材料的難易是否適當，教學方式是否良好，根本上這都是有關學習氣氛，或學校風氣及學校文化的事。不過文章裡所指的卻像是指：「不考試，也沒有作業，上課非常輕鬆」說的。這樣把上課無法「輕鬆」的罪過，全都推給「考試」和作業，顯然是未能真正了解人類學習心理的實際狀況，更沒有確實掌握學校裡，學習活動的性質與目的所引來的誤解，可議之處正多。

第三個疑點是：「強化考試」與「寬鬆的學習環境」為什麼必會是相互「矛盾」的呢？從該篇文章的觀點看，似乎認為只要有「考試」，「學習環境」就必然無法「寬鬆」；而考試不但「必要」而且還該「強化」。反過來說：只要沒有考試和作業，學習就一定會「非常輕鬆」。這樣看起來，真的像是兩者根本無法並存的樣子。其實只要我們較深入的去看文章裡所舉的上海市美國教師教英語的例子，就會發現，說他「不考試，也沒有作業」顯然是不對的。因為如果真的「不考試」，又怎麼知道「學生的英語會話能力卻大為提高」呢？如果真的「沒有作業」，學生又怎能提高其英語會話能力呢？事實上，那位美國教師上課並非「不考試，也沒有作業」，而是他所用的「考試」和「作業」與我們的教師心目中，刻板印象中的「考試」和「作業」不同而已。由此也正可證明考試與「上課非常輕鬆」本就可並行不悖，又怎會是相互「矛盾」的呢？這本該也是非常淺顯的教育常識，並無理解上的困難。會感到矛盾或迷惑，也許是沒有深

思的結果吧！

　　簡單的說：「考試」和「學習」這兩個概念在學校教育上的確是十分重要的。學校裡的教育專業教師，不但要對這兩個概念有透澈的基本了解，而且還必須緊隨著教育觀念和學校教育觀念的進步，而不斷追求自己的教育專業成長，庶免貽笑大方。

三、華文考試的聯想

　　每年三月，在我們這裏是學校的學生參加學年考試和畢業考試的月份。由於我們一向就對於考試後，獲得的第一名，或是前三名，極爲重視。畢業生獲得第一名所能帶來的榮耀，是衆所欽羨的。就是在一個班裏能獲得第一名，也值得驕傲。可惜這類的榮譽，只不過是僅屬於極少數的學生所能參加角逐的。而其餘絕大多數的學生，誰都知道，是絕對沒有一絲一毫的機會去得到那份殊榮的。因而也只能「捨命陪君子」，反正參加考試是自己的義務，想逃也逃不掉。索性看開了，考試也就變得沒有什麼值得擔心的了。倒是關心孩子考試成績的學生家長，常是沒有學生來得瀟洒，有時會比參加考試的孩子更緊張，戰戰兢兢，如臨大敵。年紀較小的孩子處在這種頗爲恐怖的氣氛下，免不了也會跟著緊張起來。好在我們這裏還沒有像日本那種爲怕考試或考試失敗而自殺的案例，否則爲考試而付出的代價就會更大了。

　　當然，以上的說明只是一般性的觀察，如果單就華文學校裏的華語文考試來看，雖然大體上和上述的情況並無太大的差異，可是在程度上就差得多了。換句話說：華語文考試給讀華語文的學生帶來的影響，不論是成功所帶來的榮譽，或是失敗所帶來的威脅，顯然都比不過其他學科考試的威力。因為華語文這一科，只不過是個「選修科目」罷了，及格固然不錯，就算考不及格，也算不了什麼大不了的事；何況還可以有一大堆可以為不及格卸責的託詞。有些十分強調華文重要的學校或教師，千方百計的用盡所有能「威脅」或「利誘」的辦法，但始終也只能在扣分或加分，及格或不及格的框框裏打轉。到頭來弄得一個班裏，能及格的寥寥無幾，反而變成了學校或教師的問題，再去想方設法彌補，實在該「悔不當初」，白白給自己製造那麼多不必要的麻煩又何苦？

　　不過話說回來，即使華語文在華文學校裏只是一門「選修課」，但是「選修課」也不能不考試，不給分數啊！因此，華語文教學就不能不在「考試」這個關節上，多用點兒心，多研究研究，至少該弄清楚：究竟為什麼只教不考不行？究竟為什麼一定要舉行考試？舉行考試的目的是什麼？實際考試的效果在哪裏？考試的結果究竟代表什麼？為什麼我們常常會發現，有些學生華語文考試成績能得到滿分，但實際上他的華語文程度並不好。相反的，我們也見到過，有些讀華文的學生，華文考試成績常不及格，但實際上，他的

華文程度並不像他的考試成績那麼差？難道華文考試只是個
形式？爲什麼會是形式？爲什麼會變成形式？問題究竟發生
在哪裏？應該如何面對？如何解決？這麼多問題，關心華語
文教學和從事華語文教學工作的學校和教師，又怎能等閒視
之呢？

四、「應考機器」和「應試教育」

　　「應考機器」這個詞是差不多二十年前，在台灣批評當
時那裡學校教育的缺失，而提出來的。正由於這個詞的確能
夠相當適切的反映出那時台灣學生的眞實狀況，因而也就逐
漸流行起來。可是站在教育的立場，眼看著一個個天眞活潑
的孩子，全都在含辛茹苦的父母期盼下，投注了至少十年以
上的時光、精力和金錢，但日夜苦讀的結果，卻是被塑造成
了一部部的「應考機器」。「應考機器」的優點是面對大大
小小的考試，不論考題多艱澀，也不論考題的花樣多繁雜，
他卻全能正確無誤的，像極了一部機器般，機械的解答出
來，獲得高分，在考場上取得勝利。但是令人失望的卻是長
期以來，只求死記死背而不求了解的機械記憶，孩子能學到
的最多也只是些瑣碎的死知識，或死材料，不知道什麼是懷
疑，什麼是思考和創造。甚至連日常生活中不可或缺的人際
關係，和做人做事的簡單道理，也全都冷漠以對。因爲大家
都相信只要能做成「應考機器」，就能通過考試，進入大

學，也就能獲得了一生光明前途的保障。凡是做不成「應考機器」的，就必然會被社會所淘汰，自然也不可能有前途。試想萬一真個如此，豈非學校教育最大的悲哀？幸而隨著社會的開放與變遷，抗拒做「應考機器」的孩子多了，做「應考機器」的孩子，也抓不住光明的未來，學校教育才開始有了醒悟，有了生機。但是突然的轉變仍然是處處充滿隱憂，無法真正找到出路。

　　「應試教育」是近十幾年來，在中國大陸上頗受非議的一種現象。簡單的說：「應試教育」就是學校教育把全副的精力都集中在考試上，學校的一切全都是為了應試。但是考試的地位高了，考試的實質卻空洞了。更重要的是考試的競爭激烈，成就的卻永遠是少數，學校不該只是為了培養幾個尖子人物，而犧牲了大多數。所以近幾年來，「應試教育」常是和「素質教育」相對應著而提出來的。只是在普遍的了解上，還依然存在著極大的誤區，尚待大力開發。大體上說：這該是傳統的考試觀念上的大突破，至少不該再把考試只看做是選拔「人才」的工具，而也該運用考試的方法，去發掘每個孩子所具備的專長，才能使學校教育得到促成「人盡其材」的機會，實現學校教育普及的理想。

　　根據以上的說明，回頭來看看我們目前華語文的考試，似乎也極有訓練「應試機器」的取向，然而我們所可能訓練出來的「機器」，只可能是最簡單的機器，因為我們所能運用的教材，實在過份貧乏。倒是「應試教育」卻頗能契合我

們的實情，我們常是只教要考的，只複習要考的，怕的是這
樣做，連「尖子人物」都培養不出來，這才眞是我們的悲
哀！

五、談談華文的分數

　　記得差不多是三十年前，有位從台灣到馬尼拉來教高中
漢文的教師，拿着一疊考卷，頗爲感慨的對我說：這裏高中
生的中文程度太差了。我問他，是不是考不及格的人數太多
呢？他回答說：考得並不差，滿分的都不少，可惜分數並不
能眞正代表他們的中文程度。三十年後的今天，所能覺察到
的卻是，太多華文教師爲了自己班上太多華文考試不及格的
學生，而不知如何是好。這似乎說明：過去的漢文教師憂心
的是學生的中文程度，而今天的華文教師所煩惱的卻是學生
的華文考試分數。事實上誰都知道，今天的華文學校的華文
教學狀況，不論在教、學、考上，都沒有辦法跟三十年前的
「華僑學校」相比。學生的中文程度當然比三十年前差。但
是這並不表示必然是在提昇中文程度上無路可走；相反的，
正因爲我們的學生的中文程度已降到谷底，所以我們更要多
關心學生學華文的眞正程度，千萬不能僅只在學生的華文考
試和華文分數上耗神。

　　因此，我們認爲要想眞正提昇學生的中文程度，就必須
先要跳出華文分數的局限。要想跳出分數的迷陣，就必須先

要在華文考試的實質內容上用點心。試看今天華文考試的內容，絕大部份都是一些呆板的死材料。也許在形式上多了些花樣，諸如：是非題、選擇題、填充題、配合題等，似已應有盡有，但在實質上卻往往虛有其表。名之為測驗，實際上卻全未符合測驗的基本原則，例如：是非題題數過少，僅有三五題，題意過簡或過繁，甚至含糊不清，模稜兩可。選擇題：選支過少或選支數各題不一。填充題：答案呆板固定。配合題會把十個甚至二十個以上的配合項堆在一起，讓學生去配合。在內容上有個更可怕的誤區，那就是盲目的去抄襲台灣坊間出版的一些惡性補習用的「大全」、「複習」上的考題，生吞活剝，全然無視於本地學生學習中文的實際需要。試問根據這類的試卷所考得的分數，又怎能代表學中文的真正程度呢？

　　總之，華文的分數只是幫助華文教學達成使學生學會華文的手段或方法，不可誤用。

六、分數能代表什麼？

　　分數，可能是西方學校教育制度下的產物。記得小時候，還沒到就學的年齡，就碰上了可怕的中日戰爭，為了逃難，全家躲到一個十分偏僻的小村莊裡，就在那裡，開始了我的正式教育。那是間十分簡陋的私塾，教師是位老秀才。學生最多時也不過十人，而且完全沒有同年齡的同學。我們

用的課本也各不相同，相同的是，大家都是上午念中國古書，下午念洋學堂的書，包括英語、數學、自然科學。我很慶幸自己曾有過那麼一位學貫中西的良師。自五歲啓蒙到我十四歲，八年抗日戰爭勝利返鄉，先後整整十年，雖然也曾多次搬遷，但是我們這位偉大的老師，卻從未離開過我們。他很嚴肅，但是也很親切，他的教學方法更是一流的，他會隨時隨地檢驗我們的學習成果，可是我們卻從來沒舉行過什麼正式的考試，當然更不知道「分數」是什麼。不過我們都知道也都能做到，第一課如果沒能百分之百的學好，是不能也不准去學第二課的。所以我們雖然沒有考試，也沒有分數，但是我們所學的都學得很踏實。

可是回過頭來，看看我們現在的學校裡，分數變成了最重要的部份，甚而至於是學生到學校去讀書的唯一目的。分數是老師根據學生考試的結果給的，因此，學生就得爲考試而讀書，學生要讀的是要考的部份或重點。老師就要用心爲考試命題，也要隨時強調要考的部份和重點。考過之後，老師還得仔細閱卷給分。考試的結果要用分數表示出來，爲的是讓分數能精確的代表學生學習的好壞或程度。結果也讓分數變成了激烈競爭中，決定勝敗的關鍵因素：爲了保證競爭公平和教師給分公正，自然考試的次數就不該太少，計分方法也不能太依賴教師的主觀。於是學校就要明確的規定出每學年或每學期應有的考試範圍和次數，也要規定出精確的計算分數的方法或公式。爲了學生的名次，或爲了學生的及

格、不及格，教師自然馬虎不得。然而，這些得來不易的分數，究竟能代表什麼？實在可疑。

在華語文考試的分數方面，似乎問題更多，因為華語文分數對絕大多數的學生來說，早已失去了原有的獎懲威力。有時遇到全班不及格的學生過多時，教師還要煞費苦心，為學生想方設法，在已有的計分規定下，去調整學生的分數。但加分或送個及格分數，以免太多學生留級或不能畢業，雖功德無量，然而教師做起來卻是件大工程，一層層核算步驟，真會累得老師們大嘆「悔不當初」。分數完全變成了形式，教師和學生都為了分數心力交瘁，結果教師為了學生的分數而影響個人的教學水準，學生求學只為了分數，卻未能真正學到應有的知識，我們為分數付出的代價實在太大了。

七、「分數」不是威脅利誘學生的工具

記得從前在學校訓導工作上，曾流行過一陣子所謂「恩威並施」的說法，也有人運用得頗具成效。然而從教育的觀點來看，所謂「恩威並施」只是高度推崇權威下的產物，從長遠來看，是有百害而無一利的。因為「恩」就是施以小惠的利誘，而「威」也正是典型的威脅。其結果僅能使學生屈從於現實的權威，抹殺明辨是非和追求理想的勇氣與意願，嚴重誤導了健全人格的發展。

不幸的是，今天教華語文的教師中，仍然有不少人迷戀

著這種不當的方法。我們常聽到有些教師抱怨說，現在有很多學華語文的學生，根本就不怕華語文的課不及格，甚至不能升級也全不在乎，所以教師用加分或扣分的獎懲辦法，也發生不了多大的作用。因此，便有人大力主張華語文教學應該採取嚴格的管教，和嚴格考試、嚴格篩選的辦法。但是結果卻造成了學華語文的學生，視學華語文為畏途，連正常的學習意願都沒有了。師生關係也變得越來越疏遠，到頭來反而落得「得不償失」。

　　當然，也有人認為「分數」在教學過程中，依然是非常重要的誘因，獎懲也是不可或缺的教育方法。其實，這都是行為主義心理學盛行年代的產物。例如早期美國心理學家桑代克（THORNDIKE）所倡導的效果律，以及行為主義心理學上最著名的古典制約（CLASSICAL CONDITIONING）的理論，都曾發生過相當深遠的影響。可是後來人們終於領悟到人的學習畢竟不同於低等動物的學習。單純的把用老鼠、狗，甚至猴子做實驗對象，所獲得的實驗結果，類推到人類的行為上，而建立起所謂的學習理論，其有效性實在是值得懷疑的。何況行為主義學派在工具制約（INSTRUMENTAL CONDITIONING）的理論上，已逐漸留心到學習者在學習過程中的主動性。尤其是在人類的學習活動中，學習者絕非完全被動。相反的，學習者喜歡不喜歡學，願意不願意學才是最重要的關鍵。

　　根據對人類在學習上的主動因素的了解，不難發現把分

數當做獎懲的工具，也只能發揮十分有限的一些外爍誘因的
短暫影響，表面上似乎會產生一點鞭策學習的作用。但是這
種外爍的誘因，卻會產生許多弊端。例如：學生為分數而學
習，教師靠給分數的「權力」而建立權威，都是最淺顯的例
證。如果教師進而把「分數」當做威脅或利誘學生學華語文
的工具，讓學生對教師產生懼怕，或刻意逢迎教師，其無益
於學習的實質，乃至損傷學生心理及人格的健全發展的後
果，實在是值得憂慮的。要知道「分數」只該是用來做為教
師和學生共同檢討教與學的實際成果的一項指標，代表的不
只是學生學的結果，也代表教師教的結果。教師怎可任意誤
用呢？

八、「考什麼，就教什麼」，對嗎？

「考什麼，就教什麼」，對嗎？根據一般的觀察，似乎
對於這個問題，持反對意見的人比較多。也就是說，大多數
人都會認為，「考什麼，就教什麼」，根本就是錯的，是完
全不應該的。但是究竟為什麼會有這種看法？可能理由多得
很，而且還可能每個人都有自己的依據，也用不著取得別人
的共識。在這裡，我們姑且先不去研究或分析那些理由和依
據，就拿今天華文學校的華語文教學和一些有關的現象做例
子，來了解一下我們的實際狀況。老實說，有些在華文學校
教華語文的教師，利用課餘時間，為學生督課，尤其是為自

己在學校裡所教的學生督課，最能表現出「考什麼，就教什麼」的精神。因爲他們通常都是先設法取得他們要教的學生應考時所必須會做的題目或考卷，然後查出所謂的正確答案。只要有了這份本領和功力，督起課來，自然就能得心應手，甚至還可以開個「保證及格」，或「保證取得高分或滿分」的班，當然也能保證自己的督課「生意興隆」，「財源滾滾」。更因爲他們眞正是「考什麼，就教什麼」，只把孩子的全部精力，都集中在死記考試題目的答案上。有的甚至有本領在學生參加考試前一兩天，取得考卷的內容，影印若干份，然後讓自己所督課的學生，在參加考試的前一天，一遍又一遍的練習，去做熟那份影印試卷上的所有題目的答案，直到深夜。如仍未達理想，則須通宵達旦，親爲學生備妥夜點，眞可謂「愛之深，責之切」啊！經過這番艱苦奮鬥下來，學生也確能在考試後取得相當令人滿意的分數。至於孩子究竟眞正學到了什麼，學會了多少該學會的，卻極少人再去關心或思考了。至少對於付出可觀的一筆督課費的家長來說，總還算沒有白花錢，還是值得的。但是對於那些眞正關心華語文教學成效的人來說，卻對這種學校教師督課，「考什麼，就教什麼」，只教考題，不教實質內容，以及只向「錢」看，不擇手段的惡形惡象，實在是深惡痛絕。可是除了空自嗟嘆，又能做些什麼？產生多少實際的影響呢？寄望於華文學校和專門負責督導華語文教學的當局，可能是目前僅有的一線生機。

　　且看我們的華文學校當局，和華文學校裏負責督課華語文教學的單位，對於「考什麼，就教什麼」，對嗎？這個問題的態度，概括的說，持否定態度的，仍然佔絕對的多數；不過在實際的做法上，卻依然存在著不少極難自圓其說、或是曖昧不明的地方。就拿學校教師督課的問題來說，有的華文學校，或者由於從來沒有發生過，或者由於從來就沒有發現過，這種學校教師「考什麼，就教什麼」式的督課，或只教考試題目和內容的狀況或缺失，所以才對教師督課這件事採取不予聞問，任其自生自滅的態度。當然這並無由說明他們是否認同「考什麼，就教什麼」的主張。但是那些對於學校教師督課這件事，稍有警覺或了解的華文學校，多半都會提出一些針對性的因應措施。例如：有的嚴格禁止學校教師在校內督課，有的則任由學校教師在學校裏，利用休息的時段為學生督課，有時連學校裏的職員，也可能利用某些優越的條件，參加到學校在校內督課的行列中去。有的索性把學校教師督課，「化暗為明」，明白規定學校教師在學生下課放學之後，用學校的場所為所有督課的學生督課，督課的教師和學生，均由學校分配，督課學生及督課費等，也都由學校通知學生家長，然後統籌辦理。另外還有個頗為獨特的現象，那就是在大岷地區，某幾所格外重視華語文的華文學校附近，學校教師督課「生意」往往都十分興隆。也許這正是學校嚴格禁止教師在校內督課的結果。筆者曾親眼見到一幢離某華文學校不遠的公寓前，有學生大排長龍，詢問之下，

才知道是排隊督課的。也有華文學校爲了杜絕這種現象，曾派人到學校附近訪察，有無自己學校的教師在校區附近租屋督課。可是道高一尺，魔高一丈，租屋督課的教師，仍會指派女傭或請親友坐鎮，權充教師矇混，而自己卻在暗中掌控，「生意」照做。總而言之，不論學校推出什麼樣的辦法，督課猖狂如故，因爲教師督課就是憑藉「考什麼，就教什麼」這張王牌來保障孩子及格或獲高分。因此，眞能洞悉這番道理的學校，便在考題及考卷的擬定與印發的過程上，加強保密的工作，雖然效果也無法理想，但在嚴防「考什麼，就教什麼」的做法上，已足證明他們反對「考什麼，就教什麼」的決心。和他們對社會大衆，在這個問題的認識上，所產生的廣大而普遍的影響。

其實「考什麼，就教什麼」的主張，絕非一無可取，更非罪大惡極，而其基本的問題是一般人對於什麼是「考」，都缺乏正確的了解與認識。而在我們這裏，連教華語文的學校教師中，能具備這種基本專業知識與素養的都不多，因而才會以訛傳訛，一發而不可收拾了。要知道所謂「考」，通常都把「考」叫做考試，而「考」的本意原來是「考查」或「考驗」的意思。也只有透過「考」的方法或過程，才能使我們證明學生有沒有眞正學到或學好那些他們該學到或該學好的東西。也才能使我們了解教師有沒有眞正把學生教會、教好。因此，要「考」就要保證眞能有效的「考」出要「考」的東西來，這就叫效度（VALIDITY）。也要保證

「考」的結果穩定可信，這就叫做信度（RELIABILITY）。也只有效度和信度都很高，而且又經過標準化了的「考」，才是「考」。在教學領域中，這類的「考」就是所謂的成就測驗。在華語文教學上，較爲著名而又爲本地教育界所熟知的成就測驗，可用ＨＳＫ（漢語水平考試）爲代表。可惜我們這裏，習慣於把出諸一般華語文教師之手，既談不到效度和信度，更談不上標準化的考試，看做就是「考」，然後根據這種膚淺的了解，就去說：「考什麼，就教什麼」不對，實在是過份武斷。但是要說：「考什麼，就教什麼」對，也不是三言兩語所能說清楚的。但是至少我們應該知道，所謂「考」是指眞能有效而可靠的測出我們所要測出的能力的成就測驗說的。那麼，是否就該教這些內容的問題，自然也就容易了解得多了。例如：我們希望能夠正確的測出，我們的學生說華語和聽華語的實力，就必須針對那些眞正具有代表其說華語和聽華語之實力的內容，進行教學，又會有什麼不對的地方呢？當然，這並非證明說「考什麼，就教什麼」對的唯一理由，欲求深入了解，尚待進一步的思考。

九、華語文科的考題該變一變了

過去在台灣地區的學校裏，曾經流行過好一陣子的現象，叫做「考試領導教學」。那是指學校裏各個學科的教學，完全要看學生升學考試時，是否要考，而決定其重視或

認真的程度。換句話說，學生升學考試時要考的學科，其教學就必會受到重視，反之亦否。進一步則指升學考試要考的部份內容，才是教學上的重要內容，反之則否。更進一步，就變成了猜考題，教考題的現象。結果弄得把考試變成了教學無法正常進行的罪魁禍首。因此，就有人主張改進教學，必須從改革考試，或改革考題着手。於是改良命題方法和技術、建立題庫等，都曾熱鬧過一陣子。然而基本上始終都是把考試當做唯一的「選才」工具來看待的，所以結果卻使考題的改革，變成了在教材內容上鑽牛角尖，連最起碼的教學目標和教育意義，都給抹殺了，實在得不償失。

回頭來看看我們這裏的考試，格外是華文學校裏，華語文科的考試和考題。總的來說，全菲上下，對於學校裏，從幼稚園到大學所有的大小考試都是非常重視的。可是並非為了升學的競爭激烈，而是為爭榮譽、爭名次，更多的孩子是為了求及格。華文學校的華語文科的考試，該是也不會例外的。可惜的是最近這些年來，學生從華語文科考試上爭得的榮譽和名次，已經漸漸有些貶值了。有的甚至連及格與否都變得有些無足輕重了。為什麼會這樣呢？不能只怪大環境不好，大家都不重視華語文的學習，其實連本地大學裡，想學華語文和正在修讀華語文的學生，都比過去多得多了。如果有人說，華校學生不重視或不喜歡學華語文都是華語文的教學和考試本身不景氣所造成的，恐怕我們也是極難否認的。

的確，我們不能不承認華語文科的考試，不論在形式

上，或是在內容上，都相當呆板，連極具啓發性的問答題，都會有由教師提供的固定答案，填充題、解釋題更都是死的。學生只要死記，用不着了解，更不必用思想。所以學生根本不知道考題問的是什麼，卻一樣可以寫出正確的答案來。較伶俐的學生可以整個階段不聽課，也一樣可以靠考前用一兩個小時的準備，獲得滿分。從教的方面看，負責教務的人把考題看做是最高機密，督課的人千方百計弄到考題，好讓學生用來練習換高分或及格。當然也免不了會有連用全部考題答案當練習，仍然練不及格的學生。更有些用了好多年的考題，依然年復一年的用着。這樣的考法，這樣的考題，如果再不變，怕是眞會把整個的華語文教學毀了。但是考題應該怎麼變，卻仍然是個有待探索的大問題。

一〇、出考題應有的基本認識

記得曾讀過一篇說明怎麼出考題的文章，文中主張教師出考題不應過難，也不應過易，而應把考題出得適中。所謂適中是指各種難度的考題都要有，可是在題數上卻要保持一定的比率，最難和最易的考題都要較少，絕大多數的考題要是不太難，也不太易的適中的，這樣才能使考試的結果保持得高分和得低分的人數都較少，分數爲中等者則能佔最大多數。

這種說法在一般人看來，算是相當平實，也相當合乎情

理。但對專業的教師來說，卻不能不做點較深入的思考。例如：考題的難易本就是相對的，而且決定考題難易的因素甚多，格外是那些全憑死記去作答的考題。所以不論多「難」的考題，只要教師考前已提供了固定的答案，學生能死記住了，自然會作答，也就無所謂考題的難易了。這正是我們的學生能在華語文考試時獲得高分，但實際上華語文程度並不高的眞正原因。格外是在中學的華文考卷裏，更容易發現有許多十分深奧的考題，但幾乎每個學生卻都會寫出完整無誤的答案來；同樣的，有些十分淺顯的考題，卻可能無人會答。只不過我們常見到的現象是前者，而不是後者，這可能是由於我們的華語文教師，很少會想到去出較淺的考題的緣故。由此可見，考題的難易，多半決定在學生會不會作答上，大家都會作答的考題就是容易的，大家都不會作答的考題就是難的。可是像這種「會就容易，不會就難」的標準，最該留意的是，究竟什麼是我們所謂的「會」與「不會」；如果把學生「會」把正確的固定答案一字不差的寫在考卷上，就叫做「會」，否則就叫做「不會」的話，確實是相當值得懷疑的。因爲「能寫出正確答案」和「會」並非必然是相等的。能寫出來並不必然代表「會」，「不會」卻能寫出來，「會」卻寫不出來，都是可能的。如將兩者混爲一談，也就無所謂「會」與「不會」了。連學生是否眞「會」和眞「不會」都不去計較了，還用學生「會」或「不會」做標準去決定考題的難易，又會有多少意義呢？除非我們只是爲了

不能不給學生一個分數，而只好用考試和考題這種手段，來
爲教師所給的分數編織些藉口或依據。那麼我們就必須要知
道，教師爲什麼必須要給學生分數？分數究竟應該代表些什
麼意義？

　　通常我們都相信，分數應該代表學生學得好不好，學的
多不多，學的品質高不高。也就是代表學生學習成果的好
壞。華文的分數高，就該代表華文的程度好。可是現在我們
卻發現，有太多學生的華文分數極高，但華文程度卻並不
好。如果華文分數已經完全失去了代表學生華文程度的意
義，那麼還去計較考題的難易，用來做爲出考題的依據，顯
然就得換個角度去想了。也就是說，我們不能僅從學生會不
會作答的標準上，去決定考題的難易；而應該從學生學習的
材料或內容的程度深淺上去考量，因此考題的難易就該以教
材難易爲準來確認。華語文教學所使用的教材，從來都是以
學校所選用的課本內容爲主的。從理論上說，課本的編輯都
該會依據由淺入深、由易而難的基本原則去編寫。但事實
上，由於課本編輯水準不一，對教材難易深淺的安排也難盡
如理想，把較難較深的教材放在較低年級的課本中，而把較
易輕淺的教材編在較高年級的課本中的現象也屢見不鮮。如
果華語文教學所使用的教材，在難易深淺的安排順序上已經
亂了，又怎能要求教師去據以確定其難易而出考題呢？此
外，所謂教材的難易深淺也必受實施教學的大環境的影響。
例如在中國本是十分淺易的教材，可是拿到菲律濱來用，卻

可能變成十分艱深的教材。所以使用中國國內的課本，或比照中國國內課本簡化而編輯的課本，都未必能符合我們這裏的難易標準。這樣看起來，用教材的難易做標準，來決定考題的難易，也並不容易。那麼爲什麼不去想想，爲什麼在華語文考試的同一張考卷上的題目，要有難易之別呢？也許是像筆者讀過的那篇文章裏所說的，是爲了要使考試的結果保持着得高分和得低分的人數都較少，而使大多數人的分數爲中等。但是爲什麼不能使每個人都得高分呢？難道學校裏教華語文並不希望每一個人都能把華語文學好，得到高分嗎？如果每個學華語文的學生，都能把所學的華語文學好，得到高分不是更好嗎？難道我們一定要使幾個人不及格，學不好才對嗎？只准少數人得高分，又非得要使幾個人學不好，不及格的想法，不是極不合情理嗎？

　　原來這種想法是基於統計學上的一個假定，那就是我們相信世界上的各種現象都會呈現一種所謂常態分佈的狀態，那就是極端量數都必然極少，處於兩端之間的量數最多。把這種常態分配的信仰運用在測驗上，就產生了所謂常模參照（NORM - REFERENCED）的測驗。學校裏的考試也採用了這種觀念和說法，才把學校變成了用考試的方法來選拔「人才」的地方。於是考試的目的就僅在選出最好的，或在淘汰最壞的。這樣做又哪會有什麼教育意義和教育效果呢？其實學校應該是教育孩子的地方，該把孩子不會的教會，把不好的教好，絕不是個鑑別孩子學習好壞的地方。這就是爲什麼

現在學校裏都普遍重視所謂標準參照（CRITERION - RE-FERENCED）的測驗或考試的最大原因。那就是學校要規劃好每個階段，學生必須學到的內容與程度，交由教師在規定進度內，把學生該學會的全部教會，考試就是證明教師教和學生學的結果的最好方法，明乎此，然後才能去思考怎樣出考題的問題。

一一、什麼是測驗？

上週，在一份英文報紙上讀到一篇教育部長的專欄文章，文章中指出自從一九六九年總統府成立專門的委員會，對全國中小學教育進行全面的調查研究以來，舉行全國性的中小學生畢業會考的重要，已漸取得共識。也敘述了從一九七二年開始實施的全國大學入學考試（ＮＣＥＥ），和現在的全國中小學測驗，ＮＳＡＴ和ＮＥＡＴ的重要，更透露了教育部的測驗專家們，現正與私立學校補助協會（ＦＡＰＥ）的教育測驗中心合作，進行適用於教師的性向測驗，成就測驗等測驗的編製工作。由此足證，測驗勢將廣受重視，並亦將普遍應用。但什麼是測驗，對於必須使用測驗的中小學教師來說，卻不能不從測驗的若干基本觀念上做些具體的了解，否則必將導致誤用測驗，有損學校教育的正常運作，弄巧反拙。站在菲華教育或華語文教學立場來看，由於接受過教育專業培養，或確具教育專業素養之華語文教師，越來

越少，所以要想使測驗也能在菲華教育或華語文教學上，產生應有的效用，更不能不多有些這類的認識。

　　首先要知道，測驗本就是教育上的科學運動下的產物。所謂教育上的科學運動，簡單的說，就是把教育事務或問題，當做一種科學，並且運用科學的方法去進行研究或推行的運動。科學的方法或特質，雖不止一端，但要求客觀或謀求數量化，卻是最基本的。測驗的發生就是以這種數量化的要求為基礎的，其根本信仰有二：

　　1、世間所有存在的事物，必定都有所具的數量；

　　2、世間所有具有其數量的事物，都是可測量的。

　　單純從事理上看，這樣的信仰是十分合理的；不過放在實施的層次上，卻不免會有許多困難。最顯著的例證是，物理現象確能藉助於若干精確的儀表來測量，從常用的度（長短）、量（容積）、衡（重量），到氣溫的高低、大氣壓力的大小，乃至聲、光、電、及各種能量的測定都沒有什麼問題；可是對於若干心理現象的測量，卻顯然是無法像測量物理現象那般簡單容易。例如，每個人都會有高興和悲傷的時候，但是有時會非常高興，或非常悲傷，也有時只是有些高興，或有些悲傷；這種不同程度的高興或悲傷，究竟該如何測量，如何用客觀的數量來表示出來，卻非常困難。再如，我們明明知道確實有些人喜歡音樂或喜歡繪畫的程度比一般人強得多，可是該如何測出其間的差別，卻並不容易。同樣的，一個人的智愚、性情、知識、技能、態度、以及人格特

質等的差異，顯然都是確實存在的事實。這些因人而異的特質，都該怎樣測量，怎樣以數量化的方式，把測量出來的結果表達出來，當然問題重重。可是人們基於對於科學的信心，始終相信心理現象必然是可以像我們能十分精確的測量物理現象一般，去進行測量的。只不過人們在設法測量人類的心理現象方面的經驗和時間，都還太少、太短，但是只要我們不斷的去努力研究探討，說不定有一天我們也能發明出像尺，像秤一類的客觀而又精確的工具來測量人類的心理現象的「數量」。在教育領域中所使用的測驗就是在這種信念下誕生和發展的。

　　應用在教育上的測驗，從開始就是用間接的方法去測量的。因為在教育領域中所急需了解的現象，是以心理現象為主的。例如：在教育對象方面，我們急需了解學生的興趣、能力、智愚、和品格。在教育內容和教育結果方面，我們也需要及時了解學生的知識、技能、態度的實際狀況。而這些現象往往都極難用直接的方法測量，只好採用間接的方法。所以我們雖然不能直接測量學生的智能，但是我們可以安排一些問題情境，或提出一些問題，來測量他們應付新環境，和解決困難問題的能力。也許我們並無法直接測量學生的語文程度或數學程度，但是我們卻可以從他們解答某些語文的，或數學的問題的表現上，來判斷他們的語文或數學的能力。因此，在教育上所使用的測驗就是用來協助我們去測量學習者的各種有關能力或特質的一種工具。如果要想順利的

使用測驗這種工具，讓測驗在教育上，或在教學上，確能產生應有的效用，就必須要確實了解並掌握住這種運用間接方法去測量心理現象的測驗的特質與限制，也要熟悉各種測驗在編製和設計上的目的與原則。更要在使用上深切了解自己使用測驗的基本目的，和選擇或判斷測驗好壞的依據和標準。

　　然而實際上，使用測驗一詞的人雖多，但對測驗之意涵卻常忽略，每易人云亦云而不明就裡。視「測驗」乃「考試」之同義詞者，更是所在多有。從廣義上說，考試也正如同測驗一般，同是用來測量學生的有關能力或特質的一種工具，但是兩者之不同處，卻是必須分清的。過去，我們曾經把「測驗」叫做「新法考試」，而把傳統的「考試」叫做「舊法考試」，今天卻常用測驗來取代考試。至於測驗與考試有何不同，似乎並未予以應有的重視。結果往往僅襲取了測驗的表面形式，而實質上卻連考試原本具有的測量作用也犧牲了。嚴格的講，測驗不但不同於「舊法考試」，而且與所謂的「新法考試」也全然不同。我們嫌傳統的「舊法考試」在命題上不能涵蓋教材的全部內容，在評分上又難免主觀和以偏概全，但是那些被稱為「新法考試」的測驗，除了形式上似尚客觀外，在內容上仍不免偏頗。因此，要想了解什麼是測驗，就要從它的內容或取材範圍上，和從測驗的應用的範圍上，去了解，去判斷才行。

　　因為測驗的編製，基本上就是為了要使我們能夠科學而

又客觀的，測量到人類的種種心理現象。所以測驗的內容與取材，就必須先要合乎科學與客觀的要求。例如，測驗的內容與取材，就必須要能包括所要測量的全部內容，以避免單憑主觀的選定，和以偏概全的缺失。絕不能像「舊法考試」般，全靠教師主觀的認定，去選一兩個教師認為重要，或最具代表性的題目去「考」學生，然後從學生的答案上去主觀的判定其學習成就的高低。運用測驗主要的是為了要以多種不同的形式來涵蓋全部的有關內容，和以較為精確而客觀的方式來計量測驗的結果。因此，如果我們要想用測驗來取代考試的作用，就要在這些問題上認真思考，否則是不可能瞭解什麼是測驗，更沒有資格去應用測驗的。不幸的是在我們今天的菲華教育領域中，誤用測驗，甚至盲目的自編測驗的現象卻十分普遍，值得憂慮。

要知道測驗的特徵就是要盡量合乎科學、客觀、精確，以彌補測量人類心理現象時，單憑主觀判斷之不足，所以測驗就必須具備以下幾個重要的條件：

一、效度（VALIDITY）要高。效度就是指一個測驗所能測量到其所要測量的心理現象的程度。例如：一個要想測量學生算術能力的測驗，可是測量出來的，卻是這個學生的語文能力，那麼這個測驗用來測量學生算術能力的效度就很低。今天有許多在華文學校學華語文的學生，都能在學校裡的華語文測驗上獲得極高的分數，可是在實際上卻完全聽不懂華語，也不會說華語，更讀不懂華文，寫不出華文的文

章，這就證明華文學校裡所使用的那些華語文測驗的效度非常低，甚至可能接近於零。奇怪的是這種全無效度的華語文測驗，我們卻年年沿用，從未改變過。這豈非也正證明我們對於測驗的正常運用與編製，嚴重缺乏應有的重視與瞭解？

二、信度（RELIABILITY）也要高。簡單的說，一個測驗的信度，就是指該測驗可信的程度，或逕指該測驗的結果的穩定程度，及該測驗本身的可靠性或可靠程度。例如：使用同一測驗，先後於不同時間，測量同一學生數次，其每次所測得的結果，均相差不多，極為相近，即表示該測驗的測量結果穩定、可靠、可信的程度高，也就是該測驗的信度高。反之，如果在先後不同時間，使用同一測驗所測得的結果，全然不同，而且相差極大，也就表示該測驗的結果不穩定，該測驗即不可靠也不可信，也就是該測驗的信度很低。而今天我們的華語文測驗，常是在學生準備好之後，馬上測驗，就可能獲得高分，過後重測，則可能連前次已獲高分的學生，也無法再獲高分，先後兩次所測得的結果，常有天壤之別。所以教師宣佈了測驗日期之後，等學生準備好了，教師卻臨時決定測驗改期，是學生最反對的。這也說明該類測驗的信度不高，也不該被視為測驗。

三、難度要明確。每個測驗都會包括若干小測驗或若干測驗題目，這些小測驗或測驗題目都該有其不同的難易程度，而且還該按照每個題目的難易程度，自易至難，順序排列起來，這樣才能使測驗具有測出受測者之有關能力的程度

的作用，讓在該測驗中獲得的分數，確能表現出其有關能力的程度來。如果一個測驗全無難度上的明確區分，就不會有什麼鑑別性，全都是太難的題目，沒有人做得對，或者全都是極容易的題目，每個人都可以輕易的得滿分，像這樣的測驗，實在不能算是測驗。至於在我們的若干華語文測驗中，常見到有些出現在小學華語測驗中的題目，比用在中學華文測驗中的題目還難，顯然也是不對的。

　　四、必須客觀。客觀本就是測驗所必具而不可或缺的一項重要因素。正如前述，要想使測驗客觀，首先在內容及取材上就必須周全，必須包括所有的內容，絕不能偏頗，任意選取一部份材料編成測驗是絕對不可行的。學校裡所使用的學科測驗，其取材內容必須依據教學目標來決定，可是今天我們華文學校的華語文教學，卻未重視教學目標的規劃。有時小學階段和中學階段的華語文教學目的有何不同，都分不清楚，所以教材的取捨也找不到什麼較為明確的具體依據。華語文科的測驗幾乎全是由教師從選定所教的幾課課文中，主觀的選些題目湊成的。有時連教師也未見得能夠弄清楚，為什麼要從課本裡選定那幾課課文來教，當然也就更難期望這些教師，在編定其華語文測驗時，能依據其應有的教學目標，去把所有有關的內容或材料，全都包括在他的華語文測驗裡了。其測驗內容的主觀與片面，自難避免，根本無法合乎測驗必須具備的客觀要求，當然也極少測驗的意義，又怎能叫做是測驗呢？測驗在使用上的其他種種客觀要求就更談

不到了。

　　五、要有常模（NORM）。用通俗些的話說，常模就是我們用來比較測驗結果之好壞所依據的標準。例如：我們從某生在華語文測驗上所獲得的分數，來判斷該生華語文學習的成績好壞時，就需要有個依據的標準。高於這種標準的叫做成績好，低於這個標準的叫做成績不好。但是所謂測驗上所使用的常模，形式並不止一種，而且又都受時間及空間上的限制。例如：我們這裡現在小學三年級學生華語科的某種測驗常模，不但與我們三十年前同年級、同測驗的常模不同，而且也必然與台灣或福建等地小學三年級學生使用該測驗的常模全然不同。沒有常模的測驗，算不得是測驗，不瞭解常模的教師是不該濫用測驗的，也更不該任意去編製測驗的。

　　根據以上所舉出來的這五個，測驗所必備的條件，來衡量當前我們用在華語文教學上的測驗，當然可以證明平常我們所習用的華語文測驗，所具有的測驗意義極少。因為我們所說的測驗，只是通俗的從常識層次說的。站在從事學校教育工作的教育專業人員的立場來說，卻不能不對於測驗的意義，具有最起碼的基本認識。就算從常識的層次去看今天我們的華語文教學，已經能夠明白的看出，僅從學生的華語文測驗的分數上，去判斷學生學習華語文的實質成果，顯然是靠不住的。如果我們說，我們發現太多學了十年華語文的學生，雖然年年都能在學校裡舉行的華語文測驗中，獲得高分

或及格分數，但實際上卻完全未能在華語文的聽說讀寫的基本能力上，達到任一方面的最低水平，事實已經證明，這並非言過其實。為什麼會是這個樣子？而且為什麼多少年來全都是這個樣子？最簡潔的說法就是：可能絕大部份都是由於我們的華文學校當局，和我們的華語文教師，一向都對於所謂的測驗的問題，未能用應有的嚴肅或嚴謹的態度，去面對、去處理所造成的。也許有許多人並不同意我們這種說法，可是我們不妨就拿幾件我們經常極易見到的事實作例子，作些較為具體的說明。

例如：有人認為今天我們的華文學校，對於華語文測驗的重視是有目共睹的。我們明確規定要有平時測驗、要有定期測驗、有規定的測驗次數、也有規定的測驗時間和日期，還為舉行測驗而停課。為避免學生「舞弊」，還安排測驗場地和測驗時的學生座位，所有華語文教師和主任也都全體動員，如臨大敵。在測驗的內容上更是嚴加管制，不少學校都把每次測驗的測驗題和測驗卷，視為最高機密。測驗命題的大權也不輕易交付給一般教師，僅交由某些較堪信賴的人掌控，或由有關教師命題後，交由主任選用或逕由主任命題。測驗之繕印、保管與分發均嚴格管理，以免題目外洩。可是對於測驗題目本身的品質，卻似乎並不太關心，徒具測驗形式而全無測驗之實質及作用的測驗，就是這樣形成的。對於因而使擁有測驗卷或測驗題的人，就可以用來保證學生在測驗中獲得高分或及格，而招攬督課生，大做督課生意的現

象，卻多是視若無睹。我們絕不相信，我們華文學校當局和
華語文教師們，會不知道或沒看到，我們今天所用的華語文
測驗在鑑定學生學習華語文的成效上一無是處的事實。但是
我們卻不能不懷疑，究竟為什麼這麼多年以來，都一直是只
在實施測驗的防弊上，不斷的苦思冥想，為枝節的事務浪費
掉太多寶貴的精力、時間和資源，卻不去積極的設法改善測
驗的內容，提昇測驗的素質？是束手無策？是不知從何做
起？還是從來就不曾認真的想過該如何真正解決這個惱人的
問題？在我們看起來，儘管目前我們的華語文教師素質參差
不齊，普遍的水準並不太高，可是僅就現有的華語文教學人
力，較有計劃的組織一下，動員起來，幾乎每所華文學校都
能在改進華語文測驗的內容，和提昇華語文測驗素質上，有
些相當實際的表現。而其最直接了當的辦法，就是設法讓所
有教華語文的教師，從實際的角度出發，根據每位教師的教
學經驗或常識，去討論一下「什麼是測驗」的問題。透過集
思廣益的過程，就必然能使參與討論的教師，在「什麼是測
驗」這個問題上，取得某些共識，而這些有限的共識，也正
是改進與提昇我們所使用的測驗之水平的最具體的有效動
力。

　　了解什麼是測驗的途徑很多，層次也有高低之不同，站
在華語文教師的立場，來談什麼是測驗的問題，除了如前所
述，應該先了解測驗產生的背景和特徵之外，我們也該從測
驗必須具備的五個不可或缺的基本條件上，認真的反省我們

自己所使用的華語文測驗,是否也合乎這些條件。不論是效度、信度、難度、客觀性、或是常模,全都是我們必須了解和重視的要點。當然在這裡也必然會遇到一些急待克服的困難,例如:如何檢查測驗的效度和信度,如何判定測驗的難度,以及如何保障測驗的客觀性,和如何建立測驗的常模等問題,都應該運用有計劃的教師在職進修活動,協助學校和教師去有效解決。可是看看我們過去的一些教師進修課程,卻發現我們曾有過「教學評鑑之方法」、「命題方法」等一類專門性的、或技術性的課,卻沒有了解測驗的基本概念的課。更沒有把那些專門的技術性的「方法」課,與我們的華語文教學上,評量學生學習成果的實際問題相結合。這也可能正是我們年年出錢出力辦華語文教師的暑期進修班,卻總看不到具體的教師進修實效的主要原因。因此,我們認為今天我們急需在測驗的基本認識上,為我們的華語文教師,做些澄清和奠基的工作。只有等到我們的華語文教師全都能清楚的了解測驗之真義之後,我們才可能真正落實測驗的改進與應用,達成教學評鑑的目的,也才能使我們的華語文教學產生實際的效果。

也許會有人認為以上所說的測驗是指標準化了的測驗說的。對於平時華語文教學上所使用的,由教師自編的測驗,是無須做那麼嚴格的要求的。然而我們卻認為我們的華語文不能不重視其教學的實效,鑑定其實效的最好的工具雖然是標準化了的華語文測驗,但華語文測驗的標準化,卻必須要

靠我們的華語文教師在平時教學的測驗編製與使用上，不斷依據測驗應有的條件辛勤耕耘，才能有適用於我們的華語文教學的標準測驗。所以正確了解什麼是測驗是馬虎不得的。

一二、考試觀念的蛻變

　　學校裏，擾擾攘攘的日子終於過去了，但平靜了還沒多久，又掀起了迎接這學年第一個階段考試的浪潮，看起來，孩子和教師到學校裏來，就像都是為了考試似的。有人說，學校裏如果不考試，學生就不會去讀書，其實如果不是因為學校裏有考試，教師們又何至於忙得那般疲於奔命？有人認為考試在學校教育中不可或缺，也有人認為學校教育成效不彰，全是考試惹的禍。是也？非也？看來似乎難有定論，但是實際上，則是由於我們的考試觀念作祟。要知道，考試觀念由來已久，且中外皆然，但是真正有系統的對考試進行科學研究的想法和行動，卻只是近百年的事。老實說，至今學校的教師中，能夠透徹了解考試在學校教育上的真正意義，而且又能依照這種了解去運用在教學上的人，實在並不多。看看今天菲華學校裏的華語文考試，更是千奇百怪，使人不忍卒睹。學校、教師、學生、乃至學生家長都一窩蜂似的重視考試。但為何而考？為誰而考？又有誰真正關心過、認真想過、研究過？如果總是抱殘守缺，一直沿用古老的考試觀念，去面對嶄新的、變化神速的現代社會和學校教育，其窒

礙難行，不言可喻。照理說，時代變了，社會也變了，當然我們的教育觀念和考試觀念，也該跟着做些相應的改變才對。可惜人們在觀念的改變上，每因涉及因素甚多，而耗時較久，所以難有及時之效果。深入去看，這是個教育問題，而這個教育問題之解決，又須自加強教師的教育，乃至該自「教師的教師」的教育開始。

讀過教育史的專業教師應該知道，中國教育史上學校與選舉的密切關係。從先秦的鄉遂之制、鄉舉里選、漢初的策試、太學生的遴選。隋代九品中正之法，唐以降的科舉制度，終使考試成為選拔人才的唯一方法。迨新教育興，乃倣西方學校教育之制度，襲用西人篩選學生之精英教育傳統。所以在初等教育階段雖已普及至全民，但仍顯著的保留着選擇較優者，做為能否升入中等教育階段，繼續接受學校教育的作用，中等教育階段又有為高等教育篩選學生的作用。而各階段篩選學生的唯一方法，就是考試。經過這般一連串的考試和篩選，自然使接受學校教育的人，在數量上形成一個極為明顯的金字塔。也就是說，只有能夠歷盡重重考試陣戰均獲勝利的少數人，才能完成高等教育，成為碌碌眾生中的菁英人才，或稱「尖子」人物。於是學校便成了區分人們優劣的地方，透過學校教育過程中的層層考試與篩選，就決定了每個人的智愚優劣的等第與階層。社會便根據學校教育憑考試所確定的各個人所處的不同層級，去分配工作，也間接的據而分配了社會資源和財富。也就是說，社會階級就是建

立在學校教育過程中憑考試所確認的教育成就的高低上。或者說：在學校裏考試從不失敗的人，就是教育成就高的人，也就是社會上的菁英。中國人所指的「文憑主義」，正是這種現象的寫照。而「文憑」正是考試成功的憑證。這樣的考試觀念是根據兩項假定而建立起來的。

一、人有智愚之別，只有最聰明的，才具有最高的可教育性（EDUCABILITY）。極愚鈍者則完全不具有可教育性，中國人所謂「朽木不可雕也」似亦指此。

二、人類的資源有限，只該用在那些值得教育的，或是那些具有某種程度的可教育性的人的身上，絕不該浪費在那些不具可教育性的人的身上，及早選出精英，汰除愚鈍，才是上策。

緊跟着社會的進步與開放、政治的民主與自由、以及經濟的成長與發展，不論從國家或是個人的立場來看，接受學校教育已經成為人人所不可缺少的生活階段，更進而產生了接受學校教育是每個人應有的權利的思想，這也關乎人權與個人尊嚴。所謂教育機會均等的觀念，就是人權運動下的產物。學校教育已經無法再繼續由少數人來獨佔，學校裏開始湧進了大批的新成員，開始是中學，接着就是大學。但這批湧進來的新成員，格外是在中學裏，絕大多數都會因通不過應行通過的考試，而被迫輟學。於是這種深具傳統的考試方法和觀念，開始面臨了空前未有的挑戰。人們開始懷疑考試的篩選意義和功能，教育工作者也開始思考，教師也逐漸發

現，為了使自己的教學順利成功，實在應該首先了解學生的已有經驗和基礎，而考試正是了解學生舊經驗和學習基礎的最好方法。因此，考試觀念也逐漸從僅求「考」出學生不會什麼的立場上，試着走向「考」出學生究竟會些什麼的角度。這也正是傳統考試觀念開始蛻變的契機。

獨重篩選的傳統考試觀念所面臨的另一個挑戰，則是來自於人們對於人的可教育性的重新思考。首當其衝的正是盛極一時的智力與智商的假定。大家一向都深知智力測驗所測定的全是非經學習的能力，但本世紀二十年代有關雙生子的研究，已清楚證明所謂以智力測驗所測得的智商，確與其家庭環境之品質息息相關。著名的斯坦福成就測驗的編者TRUMAN KELLEY 也說，智力測驗與成就測驗兩者在內容上相重疊的部份，高達百分之八十。也有其他學者指出智力測驗中所使用的詞彙，並非中下層社會之孩童所習用，如果將智力測驗中所用之詞彙，改為中下層社會之孩童所熟知者，則其所測得之智商即顯著提高；而且下層社會之孩童對於填答智力測驗之問題本無動機，如提供具體之獎品，則其智商亦明顯提昇。

考試一直被人們看做是鑑別人類智愚，進而確定其可教育性的大小或有無的最好的方法或工具。智力測驗的編製成功與廣為使用，更使人們增強了對這類考試觀念的信心。雖然人們也不斷發現智力測驗編製的基本假定或理論之缺失極多，而且若干研究也已證明，所謂智力測驗所測出的絕非人

類與生俱來的先天能力，而全都是後天學習的結果；但是傳統的考試觀念卻依然是學校教育的主導力量。學生在學校裏接受教育的成敗，能否升級，能否從小學升到中學，或從中學升入大學，全都根據考試的成績來決定。在考試的方式上，也採用了智力測驗或心理測驗編製時，所用的一些錯誤的假定。例如：在測驗或考試的內容上，僅選具有所謂區分性的題目，而不選大家全會或全不會的題目。誤將相對的計分單位視同絕對的計分單位來用，把智商的計量與身高體重的計量看做是相同的事。並且進而運用統計近乎靜態的物理現象的說法，把心理測驗的結果限制在一種所謂常態分配的模子裏，全然忽略了當前世界中，不論社會的、心理的、乃至自然環境的動態特性，更忽略了學生在學校裏的一切學習活動，並非靠機遇自然形成，而是在有目的、有計劃、有制度的條件下安排好的，又怎能將這類的學習活動的成果，生硬的套在常態分配的曲線裏去決定學生的命運呢？

　　正因為傳統的考試觀念襲用了智力測驗與心理測驗所習用的這些錯誤的假定，所以在考試的形式和內容上，也曾一時間風起雲湧，仿照測驗，把自己裝扮成客觀測量的科學形象，所謂「新法考試」正是最具體的代表。但是不論考試的形式多麼客觀、多麼科學，其實質的內容卻必然都是後天學習的結果。這與學生的可教育性完全是不同的兩件事。也許會有人認為同樣的學習內容，有的學生學得很好，有的學得差，這就代表他們之間可教育性的差異。其實這是由於忽略

了他們之間在學習基礎上的差異，忽略了他們原有的經驗各異。換句話說，這是他們過去的學習結果不同所造成的，而絕非先天上就存在着可教育性上的差異。如果我們僅憑考試結果證明學生過去的學習結果不好，就斷定他不值得再去受教育，顯然是不公平也不合理的。現在我們已經有太多的研究和事實，證明每個學生不論他過去的學習結果多不好，只要我們真正能夠以他的舊經驗為基礎，去為他安排他所適用的教材、教法和學習過程，他仍然是可以學得很好的，也都是值得教的。站在今天學校教育的立場，說不定正因為他的考試成績不好，所以才更需要學校教育呢！根據這種觀點來看，考試實在不該一味地只着重學生究竟不會什麼，相反的，卻該格外重視運用考試的方法，來發覺或證明學生究竟會些什麼，否則又怎能設計成功的教學呢？這正是我們的傳統考試觀念所面臨的空前挑戰，也是我們的考試觀念蛻變的另一個契機。

不過在學校教育裏，考試觀念的真正改變，卻是人權運動如火如荼的展開之後的事。在人權運動的推動下，人們開始相信接受學校教育是每個人與生俱來，本就該具有的基本人權之一，應該受到同等的尊重與肯定。任何人都無權以任何理由或藉口，去否定一個人受教育的權利和能力。所謂教育機會均等的呼聲也緊接着不斷升高，於是學校教育再也不能僅被少數人所獨佔，而逐漸開放給更多的孩子。不幸的是這些新獲得入學機會的大多數，卻因為自己原有的學習經驗

與學校的基本要求無法配合，能夠順利通過學校傳統考試之檢驗的實在不多，中途輟學的有增無減，就是勉強留在學校裏，實質上的收益也極少。顯然，把入學機會看做就是受教育的機會，實在是個不可原諒的錯誤。因此，一些有識見的教育家開始認真思考，檢討學校教育的價值與功能，並且着手從了解學生的經驗為基礎，去設計課程及教學活動。於是考試也就因而變成了解學生舊經驗的有效方法，不再只是用來做為決定能否繼續接受學校教育的鑑別工具。考試的觀念也開始從測定學生究竟不會什麼，轉變到了解學生究竟會什麼上。從今天的教學觀點來說，考試是為了知道學生究竟學會了多少，也為了要知道教師究竟幫助孩子學會了多少，或是教會了學生多少？所以今天常把傳統的考試叫做「教學評量」，也就是說考試要評量「教」和「學」的成果。學生「學」不好，不能把全部的責任都推給學生，而應該注意到教師所「教」的成效和責任。正常的教學就該在這種不斷評量「教」與「學」的成果中，發現其利弊得失，然後據以進行適切的改進，才能逐步圓滿達成預期的效果。這也才是蛻變後的考試觀念。

根據以上這些說明和了解，去看我們今天在華語文教學上所進行的考試，不可諱言，是非常令人失望的。不但完全沒有現代所謂「教學評量」的教育意義，甚而至於連最古老的鑑別意義也被徹底扭曲了。考試內容的獨重呆板的機械記憶，考試分數的高低與華語文學習成果好壞間的關係極少。

絕大多數的華語文教師仍然把考試看做是逼迫學生學好華語文，不可或缺的手段或方法。我們常看到有些注重華語文的華文學校的學生，華語文不及格的人數遠遠超過其他學科不及格的人數，華語文教師竟然會以此做爲誇耀自己教學認眞的明證，豈非怪事？

一三、從中學評分制度改變談起

最近教育部宣佈自下學年度（一九九九——二〇〇〇）起，中學生的學業成績的評定，將採用新的制度。但是什麼是新的評分制度？新的評分制度有什麼特點？與目前所用的評分有什麼不同？爲什麼教育部要做這樣的改變？這本該是學生家長、學生和教師，都要認眞了解的問題。可是實際上，最爲關心這件事的常常只是學校裡負責教學行政的主管，教師多半也只是奉命行事，似乎僅在意分數的計算方法或計算公式，其他像都是次要的。學生則必然也只是按照教師的吩咐去做就好了，至於爲什麼要改採新的評分制度，實在是不會有多少學生去想的。學生家長可能是對這些改變關注最少的人，因爲一般家長對於子女課業上的分數，早有自己的看法與哲學，從不去多計較那些分數究竟代表什麼，更不會在意那些分數是怎麼算出來的。我們似乎可以預料得到，下學年絕大多數學生家長看到子女的成績報告單時，儘管那些分數的實質意義全都改了，可是他們依然會用原來的

看法或想法去解釋那些分數的意義。從這個角度來看，不難發現學生家長、學生、教師乃至學校當局，好像都沒有好好去想想，我們爲什麼要給學生分數？要這些分數究竟有什麼用處？當然更不用談該依據什麼內容、什麼標準去給分數的問題了。因此我們認爲該趁這次中學評分制度改變的大好機會，把幾個有關的關鍵性問題或觀念，提出來做些說明，供大家參考。

僅就即將採用的中學評分新制度的特點看，據教育部的說明，大體可歸納爲兩點：

一、在評分所依據的內容方面，着眼於學生有關知識的、技能的、價值的、態度的全面發展。也就是兼顧認知的（COGNITIVE）、知動的（PSYCHOMOTOR）和情意的（AFFECTIVE）三方面的學習。其實這種觀點早已是教育界的共識，早在六十年代的美國就已大力宣揚、蔚然成風，並且落實在學校教學上，強調具體的教學目標在教學上的重要。所謂「行爲目標」（BEHAVIORAL OBJECTIVES）正是以認知的目標、知動的目標、和情意的目標，三者鼎立的架構而規劃的。這種觀念和這種行動產生的原因極多，但其中最普遍也最顯著的原因，就是由於人們深深體驗到過去讀死書、死讀書的害處。會讀、會寫，卻不會去做，死知識變成空中樓閣，或僅止於「紙上談兵」。只能「坐而言」，卻不能「起而行」，讀書何益？知動學習強調技能之重要正由來於此。另一個人們體認極深的經驗是，確曾見過太多學生

為自己的課業學習，付出了太大的代價。結果雖然學會了而且也得到極好的成績，但不幸的卻是因而變得不愛學，甚至痛恨那類的學習，真正的得不償失。所謂情意學習之重視，正是針對糾正這種缺失而提出來的。諸如學習習慣、態度、乃至價值的認定，都是基於情意的學習而建立的。我們常說：學會不如會學、愛學，也正是這個道理。

二、在評分的核計方面，則採取累積計算的方法，也就是說，在同一學年內的四次（或數次）定期考試中，各次考試均非各自獨立計分的，至少自第二次定期考試的得分中，就有前一次定期考成績的成份。而且在所佔比率上，也做了明白的規定。從學理上說，學校裡各個學科的教學，在教學內容上所安排的進度，本有其先後順序，前一階段的學習如未能達到應有的要求，其下一階段的學習必會有所滯礙。所以在全學年的學習中，雖可區分為四個階段，舉行四次定期考試，但其相互間的連續性與關聯性卻是不容忽視的。否則各次定期考試的結果各自獨立，不但否定了學習上的整體性，而且也容易使學習變成只學到一些支離破碎的死材料，無法達到學習的真正效果。我們常發現有些學生的學業成績不錯，但實質上的程度卻並不好，多半都是由於學習基礎上不夠紮實的緣故。在將改採的評分新制度中，似乎也正是為彌補這類缺失，而提出來的調適辦法。

如果把以上所舉的這兩項特點，放在我們的華語文科的評分上，來檢驗一下我們在評分上的得失，也是十分有意義

的。看看今天所有華文學校的華語文教學，不論從學校當局、教師、學生、和學生家長來看，似乎大家普遍最關心的焦點全集中在分數上，至於學生究竟該學些什麼？學到了什麼？或學華語文究竟為什麼？這類的問題，是極少會有人去想，或去關心的。這無異於全盤否定了學校教華語文的教學及教育的意義。什麼教學計劃、教學目標、教學效果全都變成了空談。在這種氣氛下又怎能去談華語文教學的實質改進呢？大家都把全部精力用在算分數、給分數、和爭取分數上。教師教課、學生讀書、學生家長為孩子請督課教師，甚至學校教學行政上為考試投注大量心力，也全都是為了分數。這樣的華語文教學，就算再增加十倍的教學時間和學習時間，也是不會有什麼實質收穫的。如果真願改進我們的華語文教學，可能也該像教育部改進中學評分制度一樣，認真去檢討一下我們的華語文科的評分辦法。看看那些學習華語文的學生，在認知的學習、知動的學習、和情意的學習上，究竟學習了些什麼？我們的華語文科的評分是否也該從這些方面去做呢？老是執著在筆試的呆板考題和考卷上，難道不是個極大的錯誤嗎？不管學生過去學習華語文的舊經驗、程度和基礎，只是一味強制學生死記學校規定的死材料，不是也該及時改變嗎？盼我華語文教師仝仁，在評分時多做點這類反省式的思考！

一四、什麼是學生成績報告單

　　眼看着學年就要結束了，學生都緊張的準備大考，接着就是教師們緊張的忙着評閱考卷，結算分數，填報學生成績報告單，學生家長們和學生一樣，熱切的期盼着早點拿到學生的成績報告單。好像只有學生成績報告單才眞正是這一場緊張、忙碌和期盼的焦點。但是究竟什麼是學生成績報告單？學生成績報告單究竟該是什麼樣子？學生成績報告單該有什麼用處？該怎樣用它？或是該怎麼報告？對於這些問題，好像從來就沒有多少人去計較過，更不要說去深思了。大家所最關心的幾乎全都集中在分數上，能不能名列前茅？能不能及格？能不能升級？全要看分數的多少與高低。所以很多人都把學生成績報告單叫做分數單，認爲分數就代表成績，就等於成績。有了分數也就等於報告了，「分數單」三個字就夠說明一切了。其實這正可證明大家並不眞正了解什麼是學生成績報告單，更不了解學生成績報告單究竟是做什麼用的。至於該採用什麼樣式，怎麼報告，又有什麼值得關注的呢？當然這種想法是不對的。至少教師要先認清這些關鍵性的問題，並該進一步讓學生和學生家長也能認清楚。不過說起來容易，做起來卻要花些工夫，而且主要的在改變其中一些根深柢固的觀念時，尤其困難。在這裡我們不妨就先從最基本而又最根本的部份，試着做點努力。

　　首先要說明的是：分數與成績並不相同。用教育上的術語說：分數是教育測量（EDUCATIONAL MEASURE-MENT）的結果，而成績卻是教育評鑑（EDUCATIONAL EVALUATION）的概念。教育測量着重在數量化（QUAN-TITY），是教育研究在科學運動影響下的產物，目的在追求客觀與精確，其重要的前提是被測量之事物的性質與所使用的測量工具。其中道理正如同測量體重就要用秤，秤不精準，測量的體重就不可能精確；測量身高就要用尺，沒有尺就無法測量出真正的身高。例如：體重六十七點五公斤，身高一百七十二公分，這些數字就相當於我們的學生成績報告單上的分數。可是我們不要忘記，我們用分數來代表的，如果是學生的華語或華文的程度，那麼就該先弄清楚這些分數是用什麼工具測量出來的，所用的那種工具是不是也能像測量體重的秤，和測量身高的尺一樣的精確可信？可能還得先弄清楚所謂學生的華語或華文的程度，該測量哪些成份或因素才不會錯誤，以免測量出來的並不是真正代表程度的因素，而是其他無關的或代表性極差的因素。當然這都不是容易弄清楚的問題。譬如我們發現華語文的聽、說、讀、寫這四種能力可以代表華語文的程度，那麼我們就該先選定用什麼工具、什麼內容、什麼方法或方式，甚至在什麼時間去測量這些能力。如果真能把這四種能力都測量出來了，還得考慮該用什麼為基準才能把這些測量出來的結果，忠實無誤的用數字表達出來？然後又得考慮這四個數字該以什麼樣的比

率去計算，才能算出代表華語文程度的數值來。最後得到的
這個代表學生華語文程度的數值，究竟代表什麼意義，也不
能不有所交待或說明。可惜這類問題解決起來，往往遠超過
了數量或數字所能表達的範圍。所以在這個部份，我們最多
只能以自擬的預期或現實中所可能找到的常模爲依據來交
差，藉能符合呈現事實的要求。

　　就以上所舉各項有關問題，解決起來，無一不需大費周
章。近代科技雖發達萬分，但在這方面卻仍未能有效突破。
教育測量至今也僅能借用量表（SCALE）和測驗（TEST）
等工具，來提供部份判斷價值的參考依據。而量表與測驗的
編製也是份十分艱巨的工作，要付出的成本極大。所以在像
我們這樣的發展中國家，自然難以做得理想，於是就只好寄
望於實際從事教學工作的教師，來自行設法解決。所謂的
「新法考試」就是吸取教育測驗的客觀精神而實施的。所以
今天的一些考試也常採用測量的方式命題，爲的是使教師在
評分上能儘量根據客觀的事實，避免教師個人過分主觀的認
定。可是事實上由於我們國家實際的教育發展程度，和教師
們的教育專業素質與學養，並未達到應有的水平，所以用在
考試上的測驗，也往往是形式多於實質。甚至還有很多教師
並未眞能掌握這類測驗的性質與精神，用了測驗的形式卻裝
進了傳統的考試觀念，誤認爲用測驗方式就能達到教育評鑑
的理想，結果徒然使分數的實質空洞化了，卻又讓這些空洞
化了的分數去擔負起代表學生程度的重大任務。忘記了分數

最該擔負的角色或任務只是客觀的呈現事實。要想讓分數能充份發揮其功能，就該在測驗方面，去探究該探究的問題。絕不該認為筆試就是分數的唯一根據和來源，因為學生學習的真實狀況究竟如何，筆試的分數只是說明其真相的一部份或一種分數，此外像是口試、實作、或練習也都是了解客觀事實極有效的方法。所以呈現學生學習真實狀況時，也不該只有筆試的分數，還該有口試、實際操作或應用，和練習的分數，而且這些分數如何核計，也該要有明確的安排。換句話說：我們全都只關心分數，但卻又不了解分數的真義，誤解也誤用了分數，最嚴重的是把這種本來只是用來客觀呈現事實的符號，當做就是代表學生成績的唯一證明。要知道成績是要用各類不同的分數，和教師的專業判斷，才能說明的。分數只是判斷成績的依據中的一項，絕非說明成績的全部。所以學生成績報告單裡，並不是只有分數，可能由於其他部份處理得不好，而被輕忽了，是該馬上加強和改進的。

　　充實與改進的辦法至少有二，一是提昇分數的品質，增加其教育評鑑之意義，這就需要在教育測量或教育測驗，格外是在成就測驗和診斷測驗方面多做努力。如果從華語文科的分數來看，顯然有關之條件及基礎更為薄弱。要用這個辦法，怕是還有一段相當長的坎坷路要走。另一個辦法則是在分數外，再多加進些教育評鑑的項目或指標。無疑這個辦法已超出了分數所能表達的領域了。這也就是我們所說的分數與成績不同的地方。簡單的說，分數只是根據教育測量或教

育測驗所測量到的客觀狀況或結果，必須要與其他形式的主觀解釋放在一起，才能具有成績的意義。

　　那麼什麼才是成績呢？正如前面說過的，成績是具有教育評鑑意義的，教育評鑑與教育測量或測驗最大之不同則在於：教育評鑑是把根據教育測量（驗）所測得的事實，和以其他方式所獲得的有關資料，放在一起配合着或對照着，去做成的價值判斷或說明。而教育測驗（量）所測得的只是一部份的事實，用分數表示出來，雖然也會有它的依據，但是單從分數上來看，是看不出什麼意義來的，除非再加上一些對於那些分數的說明。例如我們在分數後面加上個％的符號，說明那是百分制或百分位數（PERCENTILE）的意義。但是這種說明所呈現的仍然是客觀的事實，並無法據以了解深具價值意義的成績好壞或程度的高低。例如在一個程度普遍偏低的班上，就算被排在第一位，也不能算成績好；同樣的，在一個程度極高的班上，就算被排在較後面的位置，還是可能有不錯的程度或成績的。因此便有人用學生學會該學會的教材和內容的多少為依據來給分數，例如教師從小學三年級該學會的教材內容中，選取一部份具有代表性的，變為考題的形式來「考」學生，如果全答對就得一百分，代表程度達到預期的要求，也就是學習成績好。全依答對考題的多少或比率來評分，並用這個分數來代表成績。但是假如被安排在小學三年級該學會的教材內容並不妥當，或教師據以擬定的考題並無代表性，當然從這些考題得來的分數，也就無

法代表學生的眞正成績。但其中最嚴重的問題是這種命題考
試的辦法，尤其是筆試，在學生學習成績方面所能了解的是
相當有限的；因爲有許多代表學生學習成績的因素是無法用
這種辦法了解的。例如學生在學習上的態度、習慣、方法、
潛力，以及有關的基礎、進步的狀況、學習上的困難或優缺
點等，如果缺少了這些重要的因素，單憑分數，無論如何都
是無法做出較爲適切的價值判斷的。僅靠片面的分數所顯示
的有限因素，去說成績的好壞，當然是不對的。因而要想判
斷學生學習成績的好壞，就要採用教育評鑑的觀念，儘量運
用各種可能運用的不同的方式或方法，針對各種所有的有關
因素，取得所有一切可能取得的有關資料，然後才能把這些
資料整合起來做成判斷，說明成績如何。這正像前面舉過的
例子般，單憑知道某人的體重是六十七點五公斤，這個相當
於分數的數字，就去判斷某人是否太胖或太瘦，是否健康一
樣，當然是不可能正確或有什麼意義的。但是如果又有了身
高一百七十二公分這個數字，配合着體重的數字來判斷，就
可能比較正確些，或比較有意義一些。然而證明一個人是否
健康的因素中，除了體重和身高之外，還有許多重要的因
素，如果能把所有與健康有關的因素全都掌握住，再去判斷
其健康狀況的好壞，才可能更正確更可信。可是實際上，證
明學生成績好壞的因素，都比證明一個人健康狀況好壞的因
素來得複雜，而且也都不易像那些健康因素那樣具體，那麼
易於精確的測量或說明。這也就是教師在判斷學生成績好壞

時，必須先要在教育評鑑的觀念和方法方面，多做充實的理由。從以上這些例證和說明中，已足以顯示「成績」與「分數」這兩個概念的不同，以及為什麼我們不能用分數來代表成績的道理。所以我們所謂的學生成績報告單，也許該像英文的簡稱般叫做「報告單」，而不該叫做「分數單」。

其次則應格外重視學生成績報告單的「報告」意義。因為學校簽發學生成績報告單的目的，就是要把學生在學校裡的學習狀況和結果，定期向學生家長報告，讓家長能夠充分了解，才能易與學校和教師相互配合，也好使學生較能適時得到應有的協助與輔導，以達到預期的學習效果。學校和教師亦可藉此向學生和學生家長做個交代，證明學校和教師已經盡到了該盡的責任；而學生則可藉以了解自己的學習成果，而知所努力。為了能夠真正達成這些任務，所以在報告單中除了要把該列入的所有資料，全都列入之外，更重要的是要能使學生家長和學生，均能正確的充分了解所列的所有資料，不能有半點模糊不清，或是有易被誤解的地方。否則就無法達到報告的目的，學生成績報告單也就沒什麼意義和必要了。這是我們今天華校華文部的學生成績報告單，除極少數學校外，大都是單獨簽發的，由於採卡片的形式，所以內容多極簡略，分數成了最主要的部份，說明卻極少。幾乎全交給學生家長任意理解或解釋，或亦有操行或行為的分數或等第，但指何而言，亦少具體說明。教師意見或評語部份又喜用成語形式，極難發生實質效用，不但難切實際情況，

而且有時在了解上都有困難，根本達不到報告的目的。僅有的意義可能只是「升」級與否，或能否得獎了，這又怎能叫做學生成績報告單呢？

一五、從實施全國中小學測驗談起

　　全國中小學測驗是從過去的大學入學考試（NCEE - NATIONAL COLLEGE ENTRANCE EXAMINATION）演變而來的，其內容為中學評估測驗（NATIONAL SECONDARY ASSESSMENT TEST 簡稱 NSAT）與小學評估測驗（NATIONAL ELEMENTARY ASSESSMENT TEST）兩種，分別測驗中小學應屆畢業生的學習成果，性質上都是屬於成就測驗的。過去這種測驗的實施，雖然也都是由教育部的全國教育測驗研究中心主持的全國性測驗，但過去一直是採取隨機取樣的抽籤方式，只有被抽到參加測驗的學校，才派一定數目的學生去參加測驗。其測驗結果經測驗研究中心核計整理後，分別通知各參加測驗的學校，其參加學生的各項測驗結果或分數，藉能督促各參加學校對自身的教育成果深自檢討，以便改進。可是由於僅能測知部份學校的教育成果，或亦可藉以了解全國各地區中小學教育成效的概括現象，但並未能對全國各所中小學均產生監督的作用。因此今年的全國中小學測驗則做了相當大的改變。

　　一、今年的中小學測驗真正是全國性的，所有中小學應

屆畢業生都要全體參加。這樣算起來這次參加測驗的學生則
將達兩百七十萬人,其中中學應屆畢業生約一百二十萬人,
小學應屆畢業生約一百五十萬人,這是前所未有的。

　　二、今年的中小學測驗,在測驗的內容上也增加了社會
科成為五科,即數學、英語、自然科學、菲語、及社會科五
科。所指社會科就是習稱的小學的 HEKASI,和中學的 ARA-
LING PANLIPUNAN 兩種科目的內容。實質上則在了解學生
在價值教育與為人態度上的教育成效,期能藉以引導教育的
實施走向全人教育的正途。不再執著在呆板知識的記憶,和
獨重狹義的智育的缺失上。

　　三、今年的中小學測驗的測驗時間也從原訂的今年十月
二十六日(小學),和十月二十九日(中學),分別改為明
年的元月十八日和二十一日。我們並不知道這次測驗時間的
改變,是否因為作業上的需要,還是從今年起,都不再在十
月舉行,全改在畢業的那個學期舉行。不過我們認為把測驗
的時間移後,移至最接近學生畢業的時候最好。因為這樣才
真能測得整個階段(小學的六年,和中學的四年)的教育成
果。否則學生在畢業那年還沒上完上學期的課,就要去參加
測驗,豈不是要他們以少一年的教育成果,來代表畢業的教
育成果嗎?所以說能改在下學期測驗更合適。至於在測驗的
形式上,今年的中小學測驗雖然沒有多大的改變,但是仍有
兩點值得提出來供有關人士參考。①、測驗題的形式是其特
點,小學的測驗中,每個科目五十題,五個科目共兩百五十

題。中學測驗中，每個科目八十題，五個科目共四百題。
②、作文是相當重要的，不論英文或菲文，兩個科目都有作
文的部份，小學生的作文寫一段即可，中學生的作文要寫三
段才行。這部份的表現不但可以彌補測驗方式易陷片斷支離
的缺點，而且正可忠實反映學生的思想、價值、態度、以及
知識之綜合與分析的能力，是值得重視的。從以上對於今年
的全國中小學測驗普遍實施的說明中，我們似可預言，政府
對於全國中小學的監督與管理已逐漸步入正軌，其間措施亦
必將日漸加強。我菲華教育有關諸君子，自不宜等閒視之。
各華文學校校長及各華教社團領導人，尤應密切關注，善予
因應，力爭上游。應知菲國乃唯美國之馬首是瞻的民主國家
之一。不論政治、經濟、社會、或教育事務，均以美國為典
範。雖崇尚民主和自由，但絕非放任。在行將步入正軌的教
育體制下辦學校，自然也不該依然因循舊章或故步自封。辦
學校也將如同自由市場經濟般，處處都是競爭的壓力，缺乏
競爭力的學校也必然無法逃避被淘汰的惡運。就拿這種全國
性的小學測驗做實例，淺顯的說，所有的公私立中小學畢業
班學生，都不能不參加測驗，其參加測驗的結果或分數，當
然也不可能不讓別人知道。也許教育當局在處理這些資料
時，並不主張用來作為與他校或他人相比較的依據，但至少
各所學校當局總該知道，自己的學校在教育學生的成效上，
究竟達到了什麼樣的水平。在教育部的這個測驗水平上，究
竟佔有什麼樣的地位吧！其實這正是學校較為客觀的去了解

自己，和檢討改進的重要依據。不過在我們這個尚在發展中的社會裡，絕大多數人都相當現實，也都會以這類測驗的成敗來判定學校的好壞。從這個角度來看，顯然各學校都該有些「遠見」，不能等到測驗結果出來了，才去想法應付，而必須爲自己的學生參加測驗早些做準備。但是該如何做準備呢？當然這要比教師給學生督課難上萬倍，不但無法找到測驗的題目，而且測驗內容所包括的又是整個階段六年或四年的全部教育內容，所以唯一的最有效的辦法，就是在平時認眞教學。如期達成各學科、各學年、各學期、各單元、乃至各節課堂教學的預期教學目標和效果。因此擬定各學科的教學計劃、從整個階段的（如小學階段、中學階段）、學年的、學期的、及單元的課堂的教學計劃，並且依計劃進行教學。不但要對學生的學習成果，而且也要對教師的教學，不斷的進行應有的形成性的和總結性的評鑑。這其間應該嚴肅面對和思考的問題正多。如果站在華文學校的立場看，華語文的教學，在小學和中學階段的教學成效究竟各如何，似乎也該以全國中小學測驗的方式，來檢討改進一番。但不知我華校領導當局以爲然否？

一六、從全國小學生跳級考試想起

今年全國公立小學學生的跳級考試是在上週舉行的。其結果將於下週內公佈，凡是通過這次跳級考試的四、五兩個

年級的學生，即可自下學期開學時，順利跳級，分別到五、
六年級就讀。這樣可以使他們節省一年的時間，只用五年的
時間，就可以完成六年的小學學業。這項由教育部主持的考
試，規定由各公立小學選送四年級和五年級的優異學生各三
名參加考試。其選拔標準除學業成績外，尚包括其年齡及其
生理的、情緒的、社會的成熟程度、各校選出的學生經各地
區測驗後，依其得分按高低排列之，僅其中前四分之一的學
生，才有資格參加由教育部全國教育研究及測驗中心所主持
的跳級考試。該考試包括英語、數學、科學、菲語、社會、
音樂美術體育、和家庭健康教育等七科，與心理能力測驗。
各項考試均通過後，始能獲准跳級，顯然這是一項不錯的設
計，值得讚許。

　　正因為這種跳級考試，使我們聯想到今天華文學校裡的
華語文教學中，一些有關學生間華語文程度參差不齊的現
象。從多年來，不斷舉辦的演講比賽、作文比賽、和若干華
語文的藝文活動中，都不難發現，幾乎所有參加比賽的學
生，不論「說」或「寫」，都有相當不錯的表現，優勝者固
不必說，就是比賽中落選的，譬如演講，也一樣能字正腔
圓，極具水準。經常見諸報端的學生作品，也均能顯示其作
者的寫作水平。可是如果去看看那些不具參加比賽能力的一
般學生，卻極易發現全然聽不懂華語，和寫不出一句完整的
中文句子的，實在不少。這種懸殊的差異現象，實已超出常
情。這豈非說明參加比賽的學生的華語文程度，並不能代表

我們華語文教學的實際程度？真不知道那些面對着學生間華語文程度相差這般懸殊的班的華語文教師是怎麼教學的。據說近幾年來，由於新移民的逐漸增多，很多華文學校的華語文班上，都會有來自中國大陸、台灣和香港的轉學生，這些學生的華語文程度，當然要比本地的學生高得多。可是在我們目前這種「華文部」的體制下，也還是要被編入相當的年級，和其他的同班同學般一年一年的等着升級，實質上其華語文學習，實難有寸進，或竟「不進則退」。而且讓這些學生留在課堂上，對於教師的教學，和對其他學生的華語文學習，也不太可能有什麼助益。因此，我們認為我們的華語文教學上，也該有種跳級的設計或考試。好使那些華語文程度特別高的學生，避免浪費太多寶貴的時光在等待升級上，也可以使那些學習華語文卓有成效的學生，多些積極進修的機會，多些成就感的鼓舞，能夠用較少的時間來完成中小學預定的華語文課業，經濟實惠，何樂不為？事實擺在面前，我們今天的華語文教學，雖然極力維持着逐年升級的僵硬制度，但是實質上卻早已日漸空洞化。學華語文的時間長短，與學到的華語文程度，並非成正比。所以有很多中學生的華語文程度，反而不如小學生。如果我們能用跳級的辦法，來鼓舞一下士氣，反而可以使我們去認真檢討一下我們華語文教學的實質問題。因為允許跳級，就不能沒有個跳級的合理要求，這個合理的要求，當然就該指學生所學到的華語文的實際成果和程度。深入去看，學生所學到的華語文的實際成

果和程度，是在我們華語文教學的整體規劃下學到的。換句話說，跳級的合理要求是要以華語文教學的整體規劃下的基本要求爲依據的。也就是說，我們華文學校的華語文教學，本就該早已設計好，小學六年該學到什麼程度，中學二年級該學到什麼程度，以及每個年級該學到什麼程度。認眞的講，如果我們事先並沒有這些具體而明確的規定，又怎能判斷學習的成果是否合乎升級的要求呢？其理甚明。可惜我們在這方面，一向就未曾重視過。少了這樣的基礎，來談跳級考試的問題，也實在是不着邊際，無濟於事的。所以今天要想解決這些問題，就不能不追根究柢，從頭想起。

在理論方面，也許我們首先要想想，我們在這裡辦華文學校，教孩子學華語文，究竟希望他們學哪些內容？學多少？學到什麼程度？才可能，才合適？我們在整體的規劃上，有無明確的規定或共識？否則華語文教學的目標是怎麼設計的？教學目標是否達成是怎麼判斷的？學生升級的依據和標準是怎麼規定的？那些升留級的依據和標準是否合理？是否適當？學生學十來年華語文，仍然學不會，學不好，主要的原因是什麼？爲什麼明明知道學生並沒有學會、學好，還是允許他們升級呢？依據的學理是什麼？

在實施方面，也許我們先要認眞的想想，我們的華語文教學是怎樣決定其教學目標、教材和教法的？是怎樣去瞭解學生的能力、經驗和興趣，去設法配合的？爲什麼在同樣的課堂教學下，只有少數人學得很好，而大多數卻學不到什

麼？我們是怎樣面對，怎樣處理這種兩極化的差異現象的？
這種極端的差異現象，對於課堂教學的影響何在？如果能設
計一種跳級的辦法，讓華語文程度顯著較高的學生跳級，是
否也有利於一般學生的學習？

　　總之，跳級是採用班級教學的學校教育中，為了適應個
別差異之需要，頗受肯定的一種辦法。如針對當前我們的華
語文教學看，因為只是一種外國語文的選修科目，所以所涉
因素較少，實施上也較易。目前如果要在「華文部」採行跳
級的制度，就要從規劃各年級的教學目標和標準做起，不過
這仍然是件大工程，爭議必所不免，但是及早開始行動，還
是非常必要的。

伍。教學督導、督課

一、華語文教學必須督導嗎？

我們在這裏探討華語文教學是否必須督導的問題，首先要說明的是：⑴所謂華語文教學，是指一般華文學校裏的華語或華文的教學，並不包括私人開班教授華語或華文的教學；⑵所謂督導，是指華文學校裏在華語文的教學行政上的措施。有了這些基本的界定，就可以進而解答這個教學督導的問題。概括的講，我們所提出來的答案是肯定的，也就是說，我們認為當前華文學校的華語文教學，是不能沒有督導活動的。我們的論點和理由可自以下各點來說明：

第一，從華文學校本身來說，華文學校是由華社出錢出力所辦的，教授華語文是華文學校的中心任務，而其華語文教學的成敗也正該由華文學校負全責。也許當前在華語文教學有關的種種主客觀條件上，都有其不易克服的困難，但是無論如何，學校仍然不能以此為藉口，而把該負的責任推得一乾二淨。例如：我們把孩子送進華文學校學華語、華文，但是學了十幾年，等到中學畢業了，卻依然不會說華語，也聽不懂中國話，中文報紙不會讀，用中文寫作就更無可能

了。請問華文學校能夠說對這種可悲的華語文教學效果，半點責任也不必負嗎？我們相信從未有人為孩子學華語文所付出的金錢、精力和時間而後悔，但對孩子沒能學到華語文，卻不無遺憾。我們也相信華文學校對於這些情況必然也相當了解，但究竟該採取什麼具體的補救或因應的對策呢？卻少共識。其實加強華語文教學的督導實為改進華語文教學成效的不二法門。

第二，從學校教學的特徵來看，由於學校本是有組織、有制度、有計劃，並且在一批專業人員的主持下，進行教育工作，服務社會的教育機構。其教學自有其整體的設計，其教學活動亦必在其教學行政的督導下，按部就班的進行。所以學校裏任一學科的教學，都必須與學校的教育目的和基本教育政策相結合，充份表現在教學目標、內容、方法與過程中。對於教學成效的不斷檢討與改進，更是學校教學上不可或缺的部份。同樣的，學校裏的教師也絕非單打獨鬥，各行其是，而都是學校教學團隊的一員，在緊密的組織與配合下，為學校教學的成敗分擔一份自己該負的責任。因此學校教學必須要有事先的完整設計與計劃，教學依教學計劃進行後，還要定時做檢討與改進的工作。而這些工作也正是學校裏，教學行政上份內的事，又怎能怠忽職守呢？不過在我們這裏常會看到一些反常的現象，例如：學校的教學行政似乎僅在洽聘教師、選定課本、安排課表，至於教室裏的實際教學活動，則全包給教師自己去作主。另方面，教師一旦應

聘，也期望能全然自主，完全拒絕教學行政上的規範或干
預，有時甚至對於教務主任到教室看教師上課的安排也全力
抵制，顯然都是不對的。要知道，督導教學是學校裏教學行
政應負的責任，各科教學的成效評估、檢討與改進，全都要
透過教學督導才能完成。完全缺乏正常的教學督導的教學，
不但失去了發揮組織力量的機會，而且也就不再是學校教學
了。

　　第三，從當前華文學校的實際狀況來看，華語文教學因
為師資來源匱乏，新進教師素質普遍低落，要想從培養健全
師資方面謀求改進，不但緩不濟急，而且願意接受培養、獻
身教學工作的人爲數有限。是以原採教師培養獨重職前教育
的制度，顯然已難持續。再加上社會變遷日劇亦日速，教師
的在職教育反可成爲師資培育的主流。換句話說，實際上優
良的教師，只能從正式參與教學活動中，不斷透過有計劃、
有組織的檢討改進，去培養。我們永遠沒有辦法讓一個從未
教過一天書的人，僅憑修讀些有關學分或課程，就變成優良
的教師。由此足見學校裏有計劃、有組織的去督導在職教師
的實際教學，才正是培養優良教師最好的途徑。教師的教學
經驗也就是從這樣一連串的教學督導中累積起來的。所以我
們認爲：目前雖然我們無法聘到合格的華語文教師，但是只
要我們確能實施有組織、有計劃的華語文教學督導，必會在
近期內提高現任華語文教師的素質。這也就是我們認爲華語
文教學必須加強督導的最大理由。當然無可否認的是，實施

有組織、有計劃的華語文教學的督導工作，所可能遭遇到的困難仍然很多。例如：教學督導制度的建立、教學督導方式或方法的規劃，以及主導教學督導工作的人員等，無一不需多方思考與努力。

二、誰來督導華文教學？

教學是學校教育的核心，而學校教育在現代社會中，早已成爲衆人關注的公衆事務。因此舉世各國無不對其學校教育之實施，訂有直接或間接的監督或管理的辦法，或建立全盤的督導體制。而其學校教育之監督或管理，又無不以教學爲其主要對象。例如在課程上，多訂有所謂的指引或標準；在人員上，則設專負督導學校教育的督學，同時在學校裏，則責成校長領導的教學行政制度中的教務主任、主任教師等。務期能透過此一層層相繫的教學督導體制，隨時掌握學校教育實施的方向，並不時檢討改進，以達到學校教育的預期目的。菲國自不例外，在體制上因同屬民主國家，是以大體上均認同美國，不論公立或私立學校均受國家教育主管當局之監督，諸如地區督學之權責、學校教學行政體制之運作，向爲我人所熟知，勿庸贅述。然華語文之教學，依政府之規定乃一選修科目，除規定每日以兩小時爲限外，其他有關教材、教法，乃至師資之規定均交由學校全權負責。從積極方面看，這對華語文教學來說，可以有較多的自由和自

主，也有較大的發展空間。可是從消極方面看，卻可能淪為乏人督導，各行其是，意見紛歧，終陷自生自滅之境。由此可知，我們的華語文教學今天正走在惑人的十字街頭，其前途及命運全握在華文學校自己手中，其進退行止，亦正待吾人深思。

　　針對當前全菲各華文學校在華語文教學上的督導狀況的現實來看，顯然全都是由各華文學校自行負責的。基本上，今天華語文教學的督導是由各華文學校的校長和「教務主任」負責的。近年來，也有些華文學校禮聘專家駐校，專責督導華語文教學。但就華語文教學的督導的實施來看，值得檢討改進處雖多，但此一問題已漸受普遍之重視，並付諸行動，確屬可喜，宜如何更上層樓，自應累積經驗，集思廣益。茲以筆者管見，分就校長、教務主任、及專家駐校等三類督導方式，陳其得失如次：

　　一、由校長來督導華語文教學：校長為一校之長，教學又是學校教育的核心工作，校長自應對學校之教學負全責，所以教學之督導自然也就必須由校長負責。從現代學校行政的觀念來說：校長的中心任務有二，一種是行政領導，另一種則是教學領導。不過在某些社會中，由於受了種種傳統因素，格外是政治因素的影響，校長常常僅重視其狹義旳行政領導，而輕忽了教學領導。菲律濱在這方面的狀況，也正是如此，不過在體制上仍能維持著督導教學的架構與形式。然而從華語文教學的督導來看，由於華語文只是一門選修科

目，其教學督導自難與其他科目相提並論。易言之，校長要想發揮其教學領導的功能，也極難將華語文教學之督導置於首位。但是目前華文學校校長物色不易，能具備理想資格之人選過少，自然極難要求校長在這方面達到較高的水平。又何況今天要想找位精通華語文而又合乎政府規定的校長資格的人選，實已難如登天。試問一位華語文程度不高的華文學校校長，又怎能在華語文教學督導的工作上有什麼表現呢？也許這也正是若干華文學校習慣於把華語文教學的全部工作，包括教學督導在內，全都「包工式」的交給「華文部」主任負責的主要原因。

　　二、由「教務主任」或華文部主任來督導華語文教學：所謂「教務主任」是沿襲過去的職稱，在華文部仍保留數學科的華文學校裏，多少還保留了一些「教務主任」的工作，除督導華語文教學之外，還要負責數學科的教學。但不少華文學校已將「教務主任」的工作簡化為「華文部主任」，有的華文學校則逕稱之為華文校長。略具規模的華文學校又常常把華語文教學和教學督導的工作，分由中學、小學和幼稚園三個部門的華文主任負責。其實施則因各學校所獨有的傳統與主客觀條件之不同而異，其成效或得失亦難一概而論。不過其基本問題皆在教學督導權威之如何建立上，近年來由於社會的日漸開放，教育及教師專業化的要求，教育專業權威或專業知識權威之必要，也逐漸受到普遍的重視，閉門造車的辦法遲早總需揚棄。可能這也是近年來若干條件較為優

越的華文學校，禮聘專家駐校督導華語文教學的主要原因。

　　三、由專家駐校來督導華語文教學：重視專家、尊重知識本是華人的傳統。近世以來，由於社會分工，專門與專業知識的發展與成就，促使我們的華文學校在華語文教學的督導上，也訴諸外聘的專家，並擺脫過去局限於暑期集中講習的傳統格局，改採禮聘專家駐校督導華語文教學的方式。其優點是易使本地華語文教學督導，落實在課堂實際教學上，減少若干紙上談兵，重學理，少實踐的缺點；但是美中不足的是所聘專家每來自國外，對於本地華語文教學之實際，往往不易有效配合，而督導之內涵與重點也常有滯礙難行的地方。再加上所聘專家亦難久任，或難做長期之規劃與實施，因而在與學校原有之教學行政的呼應與結合上，也常會因專家的易人而變更，嚴重影響其督導之成效。

　　由以上簡略之說明中可知，由校長、華文主任或駐校專家來督導華語文之教學，各有其得失，但實際上的困難卻在於各類擔負督導華語文教學之人員間，如何相互結合為整體，並且還要與華語文教師和學華語文的學生相互配合的問題上。

三、怎樣督導華語文教學

　　華語文教學是華文學校的一項重要任務，但是由於各華校設立的背景和淵源各異，所以在實施華語文教學的基本要

求上，也各不相同。因此，各華校在督導華語文教學上，均各有其獨具的傳統方式和內容，要談怎樣督導華語文教學的問題，當然也就不能一概而論。不過針對當前各華文學校實施華語文教學的實際需要，卻仍然可以提出幾項原則性的說明，做爲我們探討這類問題的參考：

一、各華校在華語文教學上要有明確的政策：所謂明確的政策倒不必然是僅指白紙黑字寫出來的政策，實際上是學校裏對於華語文教學，所抱持的態度和觀念。其中尤以教學行政領導上的關鍵性人物，例如校長、學校裏各部門的負責人等對華語文教學的看法，最爲重要。例如：有的華文學校只把教華語文當做招收華人子女的招牌，只要求有華語文課就好了，至於華語文課究竟該如何進行教學，成效究竟如何等問題，並不計較。當然也有些華文學校，把華語文教學看做是最重要的工作，把大部份的人力和物力全投注在華語文的教學上。顯然這兩種全然不同的作風和取向，都代表了相當明確的政策，可是全不會、也不必把這類政策明白的形諸文字公佈出來。然而在其華語文教學的督導上，卻必然會因此而有截然不同的要求和表現。再舉個特殊的例子來看，例如：有的華文學校把華語文的課與學校裏其他學科一般，排入課表，並不另設華文部，集中在下午上華語文的課，同時將華語文課的學習成績列在同一張成績報告單中。這反而能使學習華語文的學生，乃至家長普遍重視華語文的教學。格外是對於中學部的學生來說，由於近年來，岷市若干知名的

大學在接受學生入學申請時，首先淘汰成績單上有不及格科目的學生，華語文分數被列入同一張成績單，自然會產生促使學生認眞學習華語文的作用，無形中對於華語文教學的督導也會產生某些程度上的助力。當然最重要的決定因素，仍然在於華語文教學實質上的要求，並不能僅憑形式上的安排。簡單的說，有了明確而具體的華語文教學的基本政策，華語文教學的督導才會有依據和方向，也才會產生預期的效果。

　　二、華語文教學的督導要有較爲完整的體制：目前大多數的華文學校，都是採用下午集中教授華語文課的辦法，仍設教務主任督導教學。但華語文教學的督導並非教務主任唯一的工作，所以實質上反而不如未設華文部，而僅設華語文主任督導華語文教學，來得容易集中精力。而且在將華語文課與其他學科混合排課的學校裏，更可順理成章的仿照其他學科教學督導的成規進行教學督導，省卻若干另行規劃華語文教學督導的麻煩。可是由於華語文教學在整體的設計和規劃上，顯然又有其與其他學科全然不同的背景和要求。幼稚園、小學和中學三個階段分別由不同的三位華語文主任，負責其教學督導的工作，結果卻極容易形成各自爲政，在相互間的呼應和配合上產生隔閡和困難的現象。較常見的缺失是對於初學華語文的孩子，如幼稚園，要求嚴格、規定多、教材多而艱澀；對較大的學生，如中學生，要求反而寬鬆、規定也相對的較少，教材也較容易。在有關教師方面的督導，

似乎也有類似的現象，教中學華文的教師，接受教學督導的機會顯然會比教小學華語的教師來得少。造成這種現象的原因很多，但是基本上都是由於我們的華語文教學督導工作，一向缺乏全盤的整體規劃的結果。更深入的去追究，更可能是由於我們對於教學，乃至對教學督導，仍然缺乏正確認識。較完整的教學督導體制，也因而無由建立，徒使華語文教學的督導工作，陷於支離，事倍功半。要知道華文學校花十年以上的時間來教孩子學華語華文，只得到今天這種學習成果，實在應該在教學和教學督導上，追究其應負的責任。也許我們這種分段負責，各自為政的辦法難辭其咎。極可能早期的表面上的教學成功，正是後一期實質上教學失敗的根源。這類的缺失也只能從建立整體的教學督導體制上，找到真正解決的路子。

三、華語文教學的督導要有較具水準的領導人員：學校裏各學科教學的領導，本該由校長負全責，但是華語文教學在今天的菲律濱學校裏，本屬選修科目，並不具有影響學校地位高低的實際作用，也就是說華語文教學的成效，並不足以決定學校的好壞；相反的，華語文的教學成效不論多好，如果其他學科的教學效果不好，仍是無法提高學校地位的。所以較重現實的華校，也都以辦好政府規定的主要學科的教學為優先，久而久之，反而使華語文教學變成了形式。因而華語文教學的督導，也往往空有形式上的體制，而未能在人選上認真安排。所以在華語文教學的督導上，經常表現著

「人治」的色彩，實際領導華語文教學的人，都會依照自己的了解和素養，決定有關華語文教學的所有措施，各有其特色，自亦不免得失互見，然閉門造車者也屢見不鮮。其最明顯的共同點是，各校間，乃至同所學校內各階層、各部門間的交流和溝通極少。甚至還有極力防範外人探知其諸種措施之真相的跡象。無疑這對於正確的教學督導之觀念之建立，和推動有效的教學督導工作都是不利的。俗云「事在人為」，良有以也。

　　四、華語文教學的督導應顧及教學的每一環節，不得偏廢：因為教學本是個完整的過程，從了解教學的對象（學生），經規劃教學目標，選取適當教學內容，決定教學方法及過程，評量教學成效，到檢討改進及實施補救教學，務期確實達成預期之教學目標，無一不須由教師徹底認識並做成明智的決定，付諸實際的教學行動。任一環節均有其獨具的性質與地位，亦均與其他環節有其無可割離的關聯性；任一環節之實質作用又須全由任教之教師充份掌握，絕難假手他人。因此華語文教學之督導必明乎此，從教學活動之整體性出發，協助教師進行教學，始能真正發揮教學督導之功能。根據這些了解去看我們目前有關華語文教學的督導，往往僅只關注教學方法的問題。殊不知教學方法如不能與教學目標、教材內容、學習者的舊經驗、教學過程的安排、教學評量，以及教師本身的素質諸因素相結合，始終都將是不切實際的空談，絕不會產生什麼真正的教學督導效果。

　　五、華語文教學的督導應從協助華語文教師，認眞反省教師自己在教育專業知識及華語文的專門知識方面的基本素養開始：即使是受過專精的培養的專業教師，也該不斷在學校有計劃的督導下，時時充實自己；更何況目前各華文學校均因師資來源匱乏，而降格以求，新進教師不論在教育專業，或在華語文專門知識方面，均無應有之基礎；主管教學督導的學校當局，如不能針對此一缺失，做有計劃的補救，則空談教學督導必將事倍功半，或竟勞而無功。通常絕大多數的華文學校，都把這類工作寄望於教師的暑期進修。可是根據多少年來的實際經驗，早已證明我們過去多少年來所舉辦的教師講習班，成效均難符預期。其原因雖甚多，但其中最主要的原因則在於講習內容往往理論多於實際，偶有實作部份，又常以台灣模式爲典範，自台灣邀聘來菲之講師，對本地華語文教學之實際狀況又所知不多。況且此間各華文學校又各有其不同之條件與背景，尤難一一了解，所以其講習結果難符各華校之實際，本屬必然。縱然參加講習之教師頗有心得，但對其實際之平日教學，亦常因諸種條件配合困難，而無由發揮其參加講習之效果。由此可知學校本位的師範教育（SCHOOL - BASED TEACHER EDUCATION）確有其推廣之價值。而此種師資培養的辦法，正是須由各校之教學行政工作透過教學督導的實施，而達成培育優良教師之目的。我們這裏的華語文教師普遍缺乏正規的師範教育中的職前教育，如能認眞運用教學督導的管道，有計劃的把這種學

校本位的師範教育，當做我們培養優良華語文教師的主流，正是一舉兩得的事，何樂不爲？

六、華語文教學的督導應以協助現任華語文教師，確實了解學生爲首要：大凡未曾接受正規的教師專業教育的教師，多半都會因循傳統的，所謂教師爲中心的教學方式。其最顯著的特徵就是教師只會自顧自的講授，嚴格要求學生遵守教師的規定，拼命學習，其實只是死記教師講授的材料，全然不顧學生的舊經驗和身心發展的實際狀況，更從未考慮過學生的心靈感受。所以其結果也只能在稚齡階段的幼稚園或小學的中、低年級，產生一些表面的學習成果。可是到了小學高年級，尤其是中學階段，教師的高壓政策不再能發生效用的時候，華語文教學也就跟著陷入束手無策的境地。教師和家長只能用威脅或利誘的辦法，讓學生死記一點死材料，應付考試，換個及格分數，但實質上，學生什麼也沒學到，學校裏的華語文教學變成了不折不扣的形式。認眞的檢討起來，這都是由於在華語文的教學上，未能眞正了解學生，以學生做爲教學的主體，所造成的惡果。要知道任何學科的教學，都必須以學生的能力、舊經驗和學習興趣爲基礎，才能去規劃教學目標，選擇適當教材，運用妥切的過程和方法，來進行教學，並採取正確的評鑑方法，不斷發覺其學習上的缺失，予以補救教學，始能眞正實現教學之目標。於此可見教師了解學生實爲教學成敗之關鍵，學校教學督導工作自亦應以此爲重。

七、華語文教學的督導應格外加強教師對教材之取捨及華語文基本知識充實之督導：依照過去我們的做法，教材之取捨一向依據所採用之教科書，必要時則依授課時數之多少略作調整。至於教師之華語文程度，則從未關注，全交由教師自行負責。但是今天的情況早已不同於往昔，不但教科書之編輯與現實之需要嚴重脫節，編輯水準亦難維持，加以新進教師漸多，其華語文程度偏低。在這種教科書與教師華文程度均欠理想的現實下，要求教師正確講授課文已屬不易，又怎能顧及依學生之能力、舊經驗及興趣來取捨教材之要求呢？目前若干華校負責華語文教學之主管，常要求教師集體備課，逕以統一教材，包括講解內容之一致為主，實有其不得已之苦衷。主要的是為了避免教師在課堂上講錯了，教學行政上是推不掉責任的。可是為了避免教師講錯，而把教材變得呆板生硬，實在付出的代價太大。這種辦法雖然可以保證華語文程度不好的教師，也能照本宣科，自己不懂仍可照教不誤，當然學生也就只能不懂照學了。這正是今天學生華語文程度低落的最大原因。補救之道端在透過教學督導的方法，認真充實教師華語文的基本知識，始為正途。

八、華語文教學的督導應著重課堂教學中，教學過程與教學方法的緊密結合：過去多少年來，每當談到華語文教學問題時，總會有太多人責難我們的華語文教師，說他們用的教學方法不好，甚至不了解教學方法。因此，我們也普遍認為華語文教師最該加強的，就是多學學教學方法。有時還會

誤認為，師資培養的唯一課程內容就是教學法，所以歷年
來，我們所有的師資培訓，格外是每年暑期的教師進修或研
習設計，也都是以教學方法的磨練為最主要的重點。並且還
有從國外禮聘專家來菲，為我們的華語文教師講授教學方法
的課程，然而其成效不彰乃有目共睹。原因何在？或不只一
端，但教學方法之講授或學習均未能與實際之華語文課堂教
學之教學過程相結合，實為其主因。因為教學方法的講授離
開教材和實作，便只會是空談；教學方法的學習也只能從實
際運用中才能學到。也只有將教學方法與實際課堂教學的教
學過程緊密結合，才可能有與教材和實作相結合的可能。顯
然這必須靠華語文教師自己，絕不是外來專家所能做得到
的。可是我們華文學校的華文主任或校長，卻可能較易全盤
掌握。例如：華文主任可以運用指導教師寫教案，或是運用
到課堂上去觀察教師教學的機會，協助教師在安排教學過程
中，與教學內容、教學方法緊密結合起來，並可即予驗證、
明其得失、立予改進，這也正是華語文教師學習或改進其教
學方法，最好也最實際的時機和途徑。明智的華文學校校
長、主任和教師，應知如何善於掌握，好自為之。

　　九、華語文教學的督導應以協助教師安排和處理好每堂
課的教學活動為備課的核心：我們一向深知凡事「豫則立，
不豫則廢」的道理，所以每個人都會肯定教師備課的重要。
可是由於我們對於教師備課的要求，從來都是只執著在教材
和課文的有關知識上，只要求教師能夠在教學生之前，先把

要教的材料弄清楚，或是要教師先學會要教的材料，再去教學生，以免教錯或是「不會教」，這當然是必要的。不過正因為如此，卻常會使教師把自己要教給學生的教材，變成呆板的死知識，甚至有時連教師本身都顧不得去了解清楚自己所準備的那些豐富材料的真正意義。教師備課最具體的就是事前把要教的材料記住、背熟；並且為了使自己要記要背的教材「正確無誤」，就要逐條逐句的在「教案簿」上，寫得越清楚、越詳盡，就越可能被評為最好的「教案」。這樣把教案寫成抄錄教材註釋的做法，當然是不對的。再加上教師備課常是以每課的課文為單位的，任一課文又都無法用一堂課教完，所以不論教師備課備得多用力，把所謂的「教案」寫得多詳盡，都必然會與實際的課堂教學脫節。所以我們常常誤認為：會寫最好的「教案」，卻未必就會教書；並進而推論說：會教書的教師，並不必要非寫教案不可。其實這正證明我們並未了解，真正的教案就是以事前安排好每堂課的課堂上，所有教與學的一切活動為內容的。不但要顧到教師怎麼教，還要顧到學生怎麼學，以及在有限的一堂課的時間內，把教與學的活動配合好，有計劃有步驟的實現每堂課的教學目標。否則備課必將徒勞。

十、華語文教學的督導應以輔助教師於每次課堂教學中，隨時對教學成效進行評鑑為導向：在這個講究經濟效益的社會裏，任何支付的人力和物力，都必須保證能夠獲致應有的效益。學校裏的華語文教學都是在華社的資源支持下進

行的，學校裏的校長、主任和教師都該為這些資源的支付，
負起獲致應有成效的責任。因此在現代社會裏，對於公眾事
務實施成效的評鑑（EVALUATION）都非常重視。在學校教
育領域中，所謂教學評鑑正是學校評鑑和教育評鑑的核心，
而教學評鑑也正是檢討教學得失和保證教學效益最有效的方
法。可惜我們普遍的對於這種現代的評鑑概念，缺乏正確的
認識，經常誤解和誤用許多有效的評鑑方法。學校裏對於傳
統的考試方法的誤解和誤用，就是個最明顯的例證。例如：
教師總會把考試和分數，當作要挾學生和樹立自己權威地位
的工具，並且把學生考試不及格的責任全推給學生，卻不知
道學生的考試分數不好，雖然代表學生學得不好，但同時也
代表教師教得不好。要知道考試是一種最傳統的教學評鑑方
法，也是檢討教與學兩方面之成效及得失的方法。透過這類
的檢討，才能確實找到補救缺失和證實教學成效的方向，好
不斷改進以實現預期的教學目標。而且像考試或測驗這類的
評鑑方法，也並非僅能用在教學活動完成之後，或檢討和評
定教學成效上。其實還可以用在教學活動進行前，用做了解
學生的先在經驗與基礎，然後再據以選定教材和教學方法。
畢竟教學原本是在師生互動過程中，不斷計劃、教學、評鑑
教學得失和謀求改進的工作。沒有教學評鑑和誤解誤用教學
評鑑的教學，都不是真正的教學。所以華語文教學的督導必
須隨時提醒教師，正確了解教學評鑑的意義與價值，並且能
適切的把教學評鑑的概念和方法，融合在整個的教學過程和

教學計劃裏，使每位華語文教師都能主動的關心自己的教學過程的設計和改進，並能認眞掌握自己的教學成果，進而能爲自己設計的教學過程和導致的教學效果，負起全部的責任來。換句話說：教學督導並不是只要求教師被動的接受監督，和服從指導。而是協助教師，使所有教師均能自動自發的去追求教師專業的理想，爲獻身教育事業而同心協力。

四、怎樣瞭解教學效能

中國有句古諺說：「但求耕耘，莫問收穫」，其本意是在勉勵人要多多埋頭苦幹，不要斤斤計較現實利益，也是充份顯現「一分耕耘，一分收穫」的信仰，和「正其誼不謀其利，明其道不計其功」的傳統精神。可是在這個處處講求功利的社會裡，「但求耕耘，莫問收穫」的說法，卻常被扭曲或誤解，所以我們經常看到有很多人，辛勤耕耘終生，卻一無所獲，因而有了「雖無功勞，卻有苦勞」的評定，實在是十分可悲的。也許在許多從事華語文教學工作的教師中，就常會不斷有這樣的慨嘆。其實「耕耘」與「收穫」兩者間本有其因果之關聯，如果「勞而無功」，定必是在「耕耘」或「勞」上，發生了差誤，如不能及早發現，並立予調整或改正，當然是不對的。因此，在現代社會裡，事事都講求效率、注重效能，教育工作自然也不該例外。例如：學校要注重學校效能，教師要重視教師效能，教學也要有教學效能。

然而該如何去瞭解或判斷這些所謂的效能，卻並不是件容易的事，其中格外是有關瞭解所謂教學效能的問題，解決起來尤為困難，因為教學效能是與教師效能，甚至學校效能，密切相關聯的。所以若干先進國家都對於這類問題，採取研究的態度和方法來進行瞭解。目前在菲華教育上，華語文的教學效能也深受華社廣泛的關注，而且也已有人從不同的角度，斷言我們今天華文學校裡的華語文教學成效不彰，而且似乎同意這種看法的人還不少。但是對於應採何種對策，應如何著手改正其缺失，提昇其成效，卻又全無共識，甚至束手。顯然這正是個華語文教學成效的問題，可分析說明如下：

　　由於教學本就是件極為複雜的事，足以影響其效能的因素多不勝舉，而且各因素間盤根錯節的關係又是變動不定的，就算把教學當做是一種科學去研究，也無法否定教學仍不能不是一種高度的藝術。我們今天華文學校裡的華語文教學的實際狀況，相信必定比一般的教學更為複雜。不過若干先進國家或地區，過去的一些有關經驗和研究，仍然是十分值得我們借鑑和參考的。例如美國有關教室內師生行為的系統研究，最早就是以教師課堂教學之類型與課堂上社會交往氣氛的關係，進行分析的。該研究係以幼稚園和小學的教學為研究對象，曾持續多年。根據其對課堂上教師行為的觀察記錄，將教師教學區分為「統治型」與「整合型」兩大類。所謂「統治型」的教師則習於運用威脅或使學生當場出醜的

辦法，要求學生順從，這樣教出來的學生，也必會是些「統治型」的人物。由此似可推知，「統治型」的教師本身也極可能就是「統治型」教學下的產品。而所謂「整合型」的教師則能尊重、支持並關懷學生的興趣、能力與感受，這樣教出來的學生，則較具自信，亦較爲開放和富進取。這足夠說明教師的教學類型直接影響課堂氣氛和學生的學習成果的大體狀況，這也似乎證明教師行爲確爲決定教學效能的主因。準此而論，要想使我們的教學效能確能在教出積極進取的學生上有所表現，那麼，就不該用「統治型」的教學方式去培養更多「統治型」的教師，而該以「整合型」的方式，培養更多「整合型」的教師。看看我們今天的華語文的教學成效，姑不論學生學到的華語文程度，至少學生在學華語文的態度上，並無興趣，也不積極，更談不上進取，這實在是我們在瞭解華語文教學效能時，必須審慎關注的問題。

這種探討教師教學類型與教學效能之關係的研究，廣受矚目，類似的研究不斷增多，後來又有人進而將教師教學的類型區分爲三種，成爲此類研究的典型。

㈠權威型：教師操控課堂上所有的一切教學活動，易使學生依賴教師，難有創發的機會和意願，但侵犯性及反叛性行爲卻甚多。

㈡民主型：教師鼓勵全體參與一切教學活動，亦願學生成爲決定教學有關事務之過程的成員。因此教學氣氛較易融洽，相互間亦易友善相處，合作容易，學習較積極，無教師

之協助亦能完成指定之作業。

　　㈢放任型：教師對學生或教學並無任何要求，一切任由學生隨性而為。嚴格而言，已失教學應有之意義，自亦無所謂教學成果或教學效能之可言。

　　但是判斷教師屬何種類型，所依據的教師行為或表現的內容甚多，觀察記錄上也常有出入，難有嚴謹的科學方法。因此就有人從分析師生在課堂上的交往狀況，並予以量化，期能製成量表。最著名的就是所謂的「交往分析量表」（IN-TERACTION ANALYSIS SCALE）。也就是分析課堂上，教師語言行為的內容，主要的是把課堂上教師教學中所說的話，全都用錄音機錄下來，然後進行分析，按照教師所說的話的性質，區分為非指導性的與指導性的兩種，前者如讚賞、鼓勵或提問等，後者如講述、指示或批評等。而該研究最有趣的發現是，通常課堂教學中，教師說話的時間竟佔百分之八十。我們的華語文課堂教學的情況，可能比這個比率還要高。試看岷市幾所強力推行「國語」教學的華文學校，培養出來的學生雖然未見得會說華語，但是老師說華語的表現卻確是一年比一年流利。不幸的是，教師的華語說得越流利，就會越說越多，而學生聽起來也就越困難，學生連聽都難聽懂，又怎會有什麼學習成果，和什麼教學效能呢？由此可知教師在課堂教學上，雖然不可能不說話，但是該說多少？該如何說？都是應該好好思考、好好設計的。因為在教學活動中，師生間的互動必須憑藉語言的溝通做媒介，才能

產生、也才能達成預期的教學目標，提昇教學效能。因此，除了「量」的瞭解，進而瞭解教師在課堂上說話的品質，也是非常必要的。

對於教師在課堂教學時所說的話（或稱之爲「教學語言」）做品質分析或研究的人很多，但大體上都會把教師的「教學語言」，分爲知識導向的和情意導向的兩種。

所謂知識導向的教學語言，是指與教學內容或教材相關的語言。例如：教師提示教材主題或大綱，提出有關問題要學生回答，對所提答案進行分析、批判、和組織等。這在一向獨重知識傳授的教學中，自然十分重要，所以理所當然的，教師就要說，學生就要聽，所謂以知識爲中心，以教師爲中心的教學，就是在這種單向的傳授下進行的。教師名正言順的變成了教學的主角，也是代表知識的權威，教師該說的，所說的，當然也就越來越多，學生只能被動的聽，被動的接受。如果學生還該說些什麼，最多也只是在教師的規範下，回答教師所提問題的固定答案，用不著多少思想，更沒有批判和創造的必要和機會。處在這種情況下的學生，要想在整堂課上，始終保持著全神貫注，用心聽講的態度，實在極爲困難。尤其是對於中小學的學生來說，更爲不易。可是看看我們華文學校裡的華語文教學，似乎正是如此，把華語文教學看做是純粹的知識教學，教師只能自說自話的唱獨角戲。不但課堂秩序難以控制，而且也無法使學生學到或學會華語文，最後也只能在形式上，強制學生死記一點死知識，

權充教學成果。這樣的教學當然是談不上會有什麼教學效能的。

　　所謂情意導向的教學語言，狹義的說是專指與知識內容全無直接關聯的語言；積極方面的如教師對學生的讚許和鼓勵，消極方面的如教師對學生的抱怨和斥責等。廣義的說則泛指教學語言中的情意成份，因為即使是知識導向的教學語言，亦非全無情意成份，通俗的說法叫「語氣」。親切的「語氣」，顯然是與發自機器人的，全無感情的語言，在人的感受上是全然不同的。雖然我們都知道，要談知識就要客觀冷靜，就要理智的追求真知或真理，一就是一，二就是二，絕不能摻有半點情感。可是事實上，如能借助於感性的語言媒介，純知性的知識也會讓人感到親切，易於了解和接受。成功的教學不能沒有親切的師生關係，和融洽溫馨的學習情境和氣氛，而師生親切關係的建立和優良學習氣氛的塑造，又必須以積極的，情意導向的教學語言為基礎才行。於此可見，情意導向的教學語言對於提昇教學效能的重要。根據我們的觀察，不論從狹義的，或是廣義的角度來看情意導向的教學語言，顯然在我們華文學校的華語文教學上，都從未受到過應有的重視。客觀的說，在華語文的課堂教學上，華語文教師的教學語言中，情意導向的部份，所佔比例可能並不太低，可惜絕大部份都是屬於消極性的抱怨和斥責，屬於積極性的，如讚美、鼓勵或欣賞的教學語言，卻少得可憐。這不能不說是今天華語文教學效能空前低落的一大主

因。

其實要想把教師的教學語言，截然劃分爲知識導向的與情意導向的兩種，幾乎是全無可能的。因爲人不但是理性的，而且同時又是富情感的，語言是人際關係建立上，用來表情達意的工具，任何性質的語言，都不可能完全沒有情意的成份，所謂知識導向與情意導向的區分，只是表示運用語言的習慣上的一般趨向而已。所以有人認爲教師的教學語言，是與其學養、氣質或其人格特質相表裡的，因而認爲教師性格是決定教學效能高低的主要因素。六十年代的美國曾有過一項頗爲知名的，有關教師性格的綜合研究，針對全美一千七百所學校的六千位教師，進行達六年之久的研究。該研究將足以代表教師性格之教師行爲，以兩極對應的方式列出，計十八種，透過直接觀察及教師自評的結果，經因素分析方法再歸納爲三種教師類型：

(1) X型：表現爲了解、友善，和與其相對應之自我中心；

(2) Y型：表現爲負責、有系統，和與其相對應之無計劃；

(3) Z型：表現爲富創新，和與其相對應之一成不變之形式。

這些教師行爲的典型雖常與教師任教學科及任職時間之長短，乃至教師之性別有關。但概括而言，屬積極意義之親切，有條理有系統，和富創發性之教師行爲，對於提昇教學

效能確有助益，則屬無疑。不過，畢竟教學是師生相互間彼此交往下所進行的活動，只有教師與學生確能相互配合才行。通常教師會把學生分成好學生、壞學生、普通的學生、和適應不良的學生四類。可是實際上，在某位教師心目中的好學生，在另一位教師心目中，卻可能並非好學生。這固然可能反映教師的看法或教師的人格特質，但無可否認的是學生行為之特質也是影響教學效能的重要因素，所以要了解教學效能，也就不能不了解學生行為的類型。例如習於順從的學生與習於唱反調的學生，在教學效能上便可能有全然不同的結果。不過在師生相互配合的情況下，較為順從的和渴望教師肯定的學生，所受教師性格之影響較顯著。而大體上講，深具自制能力的教師，較易有較高的教學效能，缺乏耐心的教師是無法去教極具反抗傾向的學生的。至於處於焦慮不安狀態下的教師，不論面對什麼樣的學生，都不可能產生什麼教學效能。因此，不少人格外強調教師心理對於教學效能的重要，的確非常值得我們重視。

從整體來看，根據對於教師在課堂教學中之行為的研究，藉以了解教學效能的辦法已普遍受到重視。嚴格的說，這些研究雖然仍有其研究上尚無法克服的困難，且其研究亦難獲得科學的，或形成原理原則的結果，但綜合一般的研究，仍可舉出若干足以左右教學效能的教師行為特質來：諸如：㈠講解清晰；㈡教學方法富變化；㈢工作熱心；㈣以達成教學目標為務的認真教學；㈤給予學生學習考核重點之機

會；㈥運用學生之立場與觀念；㈦時予學生讚許；㈧教學完成前做摘要或重新提示重點；㈨運用適切的提問方式；㈩仔細觀察並深入了解學生；以及㈠注意教學內容之難度等，都是不容忽視的。然而，後來卻也發現這種僅從教師在課堂教學上的行為，格外是語言行為上，去了解教學效能仍然是不夠的。例如：教師的行為固然是影響課堂上師生互動之社會氣氛的主要因素，但學生在課堂上的行為也同樣是該予以重視的重要因素。師生間如何溝通？如何交往？和如何互動，也全都是足以影響教學效能的重要因素，也全都該深入探討和研究。因此便有人運用錄音或錄影的辦法來研究教學；或者為了節省時間，也可用每間隔五分鐘錄二十秒的方式，來進行分析研究，這全都是在了解教學效能上，極具參考價值的研究方法。若干師範院校也曾倡用這種方法，習稱為微觀（型）教學，來培養新進教師。

　　如果綜合各種有關教學效能的研究來看，則不難發現大家所共同關注的，所謂教學效能的焦點，幾乎全都集中在直接的教學成果上。所謂直接的教學成果，概括的說皆著眼於學術科目，由教師以系統而有組織的教材，在課堂上指導學生進行學習的活動。純粹自「教」的立場言，直接的教學必對學生有明確的學習目標，確定的教材，於規定的時限內，在教師的監督下，針對認知層次上的問題，不斷進行學習，並要求立即回饋，產生正確的反應。其特徵在於所有教學活動均需在有計劃、有組織的前提下進行，而非僅寄望於教學

成果。直接教學有教學效能則必將其重點放在學術性的活動上，強調教學中花在學術活動上的時間多少的重要。認為學術性學習時間（ACADEMIC LEARNING TIME 簡稱ＡＬＴ）越長，則其教學效能也就越大。所以重視教學效能的教師，就會設法讓學生把課堂上的時間，儘量投注在學術性的學習活動上。當然只靠時間這個因素還是不足以決定教學效能的，與之相互配合的重要因素，如課堂上社會的與心理的學習環境和氣氛，就是最顯著的例子。正如前面談過的教師的態度與作風，對於學生的肯定與讚賞，民主的領導方式等，都是不可或缺的重要因素。此外教學效能的大小或高低，往往都是根據學生的學習成果來判斷的。而學生學習成果之好壞，又常與教師對於學生學習成就之期望的高低息息相關。教師對於學生學習成就的期望高，正表示對學生的肯定與尊重，這對學生是一種鼓舞，可以使學生更積極的投入學習，獲得較高的學習成果，也就代表教學效能的提昇。當然教師對學生學習成就之期望的高低，是要依據學校教育整體規劃的進程，配合著各種有關的因素而決定的，有其挑戰性，卻又不能超出其應有的程度過多。像在我們今天華文學校的華語文的課堂教學上，教師對學生學華語文的成就，從不抱任何期望，甚至有時還可能會根本否定學生有學會或學好華語文的能力，這樣的華語文教學，當然是不會有什麼教學效能的。

　　此外，教室內教學活動之進行是否理想，無疑也是決定

教學效能高低的重要因素。最近這幾年我們也逐漸予以重視的所謂「教室管理」，所強調的就正是課堂教學活動的如何處理或經營的問題。不過通常還是會把「教室管理」的工作重點放在「管理」學生，保持課堂良好秩序上，嚴管嚴教，嚴師出高徒的傳統想法，仍然會產生不少實質上的影響作用。殊不知所謂「教室管理」固然重視教室裡學生的秩序的問題。但主要的卻在於減少或防範學生在課堂上干擾活動之發生。而所用的方法則在於加強教師對於學生行為的認識與了解，然後據而採取適切而又有效的措施，絕非單純的僅訴諸教師的無上權威。其中所涉及的有關知識、方法或技術，自難在此盡舉，但其基本原則仍在化他律為自律。畢竟外力的強制最多只是暫時的手段，學生的自主、自動、自律，乃至自學，才能有真正的教學效能。所以即使是在「教室管理」的課題上，教師所能做的，也是所該做的，就是深切認清每堂課的具體教學目標，針對學生的需要、興趣和能力，選擇最恰當的教材和教學方法，為課堂教學做好最完美的規劃和設計，並且寫成最實用的教學計劃，然後按照事前寫好的教學計劃，去認真的實施教學。而且在教學計劃中也該周到的照顧到全班每個學生的順利學習。如果在實地教學中，發現有任何不足或缺失，就該適時調整或進行研究改進。所謂的教學效能也正是憑藉教師這種鍥而不捨的不斷在教學過程中，透過計劃，執行計劃，和檢討執行計劃之得失，然後再據而進行再計劃，再執行，和再檢討的週而復始的循環過

程而獲致的。因此，要想了解教學效能，只有從這樣不斷追求更好的教學活動，更成功的教學活動的努力過程中，才能得到。簡單的說，只有靠不斷研究有關教學效能的問題，才能真正了解教學效能。

五、如何評斷華語文的教學成效？

多少年來，經常不斷的聽到不少人說：我們這裡華文學校學生的華語文程度很差，太差，甚或越來越差。身為華語文教師的人，自然也不該充耳不聞，或是無動於衷。仔細想想，照道理來講，學生的華文程度不好，華語文教師自然難辭其咎。然而事實上，不少認真教學的華語文教師也是一肚子的委屈，他們常會抱怨我們華語文教學的環境不好；華社和華人的家庭，也沒有全力與華語文教學配合，華社對於華文、華語也沒有真正的重視；而且華文、華語在菲律濱的大社會裡，本就極難獲得應有的重視和地位。同時華文、華語的教學，也常因缺乏妥善的教材，理想的課本，更沒有較為完備之教學行政制度的協調，每位華語文教師幾乎都必須自力更生，單打獨鬥，畢竟華語文教師的個別力量有限，有心無力，徒喚負負。有的華語文教師也會像是自我調侃的說：孩子們的語文程度日漸低落，本就是當今世界上的普遍現象，諸如香港、台灣、乃至中國大陸本土的中文程度，不是也在不斷下降嗎？世界趨勢如此，愁啥？

　　然而換個角度來看，說我們這裡的華語文教學頗為成功，甚至說非常優異的人也不少。記得有位從台灣來的朋友，對於我們這裡學華語文的孩子，普遍都能把中國字寫得那麼工整，連毛筆字大小楷，都能寫出水準來，一直是讚不絕口，嘆為觀止的。還有位台灣朋友，曾參觀了一次菲華社團所主辦的，校際國語演講比賽，他對來自各華校的參賽者，都能字正腔圓、口若懸河的優異表現，也給與極高的評價。平時翻開學生華文考試的試卷，不少內容頗為艱深的問題，也多能回答得頭頭是道，無懈可擊。有了這麼多鐵一般的事實，又怎能令人相信我們華語文教學的成效不好呢？這裡的問題可能正發生在評斷華語文教學成效時，究竟應該依據哪些標準上。

　　具體的講，現代的學校教學，都是在一套有計劃、有目標、有教材、有過程、有方法、有評鑑的完全掌握下進行的。因此，在評斷其教學效果時，也就必須依據其事先擬具的計劃，逐項檢討其預期的教學目標是否適當？有未達成？其教材、過程、方法是否均能如預期的適用於其教學的對象？以及是否運用適切的方法評鑑學生學習之成果？如果學生的學習成果，確能符合或實現原訂之預期教學目標，那麼這個教學便是成功的，其教學成效便是好的。否則就該從其評鑑過程中，找出影響教學成效不彰的因素來，再據以實施補救教學。顯然華語文教學成效的評斷，也該遵循這樣的脈絡去設計、去思考，才不會流為空談！

六、如何評斷華文學校的高下？

　　判斷價值，辨別好壞是人類社會賴以生存和發展的必要條件之一，對於個人來說，不會辨別好壞，做不出明智的價值判斷，也是沒有辦法在這個極端重視競爭的現代社會裏，去求生存，謀發展的。現代的父母和家長，對於這種現實，和這種道理，都會有相當的體認和了解，所以他們也都會盡量想方設法，為自己的子女選所好學校，送進去接受較好的教育，將來才能在競爭激烈的社會上生存，不致一敗塗地。但是究竟哪所學校好？哪所學校不好？又該如何評斷呢？這裏自然就出現了若干千差萬別的不同看法和選擇，例如：華人決定把自己的子女送到華文學校去接受教育，當然是因為他們認為華文學校，對他們來說，是比較好的學校，但是華文學校並不只有一所，那麼在若干所華文學校中，究竟哪所好，哪所不好？又該如何判斷？如何選擇呢？

　　顯然要來解答這些問題，就要從選定評斷華文學校好或不好的依據和標準上著手。而這些依據和標準的選定，又必然跟評斷者的立場和觀點有著密不可分的關係。大體上可以把這些評斷者，概括的區分為兩類，一類是站在較為主觀的立場和觀點上的，例如：為自己子女選學校的父母；另一類則是站在較為客觀的立場和觀點上的。例如，並無為子女選學校之需要的人，只是關心華文學校，或研究華文學校教育

問題的人，當然其中兼具兩類立場和觀點，或介於這兩類不同立場和觀點之間的人，都可能仍然不少。正因為如此，所以在如何評斷華文學校的高下的問題上，就會更加不易了。以下謹提出兩點意見，供讀者參考。

一、評斷時應先澄清或表明評斷的目的，例如：在現代社會中最受肯定的一種評斷的目的，就是為了謀求改進，只要大家都有為了謀求改進的共同目的，這種評斷，不論是對評斷者，或是對被評的學校，都會產生較多的積極意義，減少可能引起的消極影響。

二、評斷時應先確立並提出評斷的標準和依據：因為評斷本就無法完全避免評斷者本身的主觀因素的影響，所以在評斷時，就需要盡可能的提出一些具體而又客觀的標準和依據，這樣才能讓評斷的結果，不至於背離事實過遠。通常會舉出一些明確的指標來作依據，不過指標的選定和解釋，也還都有許多值得深入了解與研究的問題，不可輕忽。

此外，評斷的方法，過程，乃至評斷前的規則，和評斷後的處理，全都不宜任由常識的層次去看待。這是教育評鑑的專門領域的問題，尚待認真探究。

七、「督課」問題面面觀

何謂「督課」？簡單的說，就是「督導」學生，把學校裏為學生安排好的「課業」，確實學會學好的意思，本該是

順理成章，理所當然的事。但是在我們這裏，卻變成了「督課風氣盛行，妨害兒童教育之發展」，變成了修讀華語華文的學生，華語文程度低落的一大原因。絕大多數的華文學校當局，對於這種現象，似乎也都有或深或淺的警覺與了解。有的，也確曾針對這種日趨普遍的「督課」現象，提出若干具體的因應措施。其成效如何？雖難一概而論，但「督課」依然風行如故，甚至日盛一日的事實，卻是有目共睹的。眼看著深具教學意義的「督課」活動，越來越偏離了應走的正途，逐漸演變成一個盤根錯節，百病叢生的華文教學，乃至華文學校和華社裡的教育問題，早已不容我們不予正視。爰依管見所及，針對此一「督課」問題，提出一些粗淺的有關看法，供我華校與華社關心子女教育問題的有識之士參考，並請參與思考，為解決「督課」問題，共同努力。

要想真正解決我們當前所面對的「督課」問題，就要先認真的弄清楚所謂「督課」的真正意義，並且要肯定而確實掌握「督課」在華語文教學上的積極價值。千萬不能一談到「督課」，就馬上聯想到增加教師收入，或主宰孩子分數高下的教師和督課費。而真正值得我們關心的，卻是孩子在學校裏究竟學到了什麼？學會了多少？學校和學校裏的教師，究竟給了孩子多少輔導與幫助？究竟教會了孩子多少華語或華文？要知道督導或督促孩子，在學校裏，把學校安排好，要學生在規定的時限內學會的「課業」學好，本就是學校和學校教師份內的工作和責任。如果華文學校和在學校裏，專

門負責教華語華文的教師，不能把這份分內的工作做好，負責把所教的孩子的華語華文教會教好，那麼，請問除此之外，華文學校和教華語華文的教師，究竟做了些什麼？擔負了什麼教育孩子的責任呢？華社為了辦華文學校、教華語華文，所付出的金錢、時間與心血那麼多，又該由誰來為這筆龐大資源的消耗負起該負的責任呢？這是極為淺顯的道理，至少實際從事學校裏華語華文教學工作的教師，應該都有這種了解。也許有人會說，現在華文學校裏教華語華文的教師，素質不高，教育專業素養無從要求，但是身負督導華語文教學責任的華文主任和華文學校的校長，總還不至於連這點最淺顯的道理都不懂吧！

　　顯然，今天的實際狀況是：我們的華文學校校長們，和華文主任們，大多數都沒有確實做好華語華文教學督導工作，而把自己可貴的時間與精力消耗在一些非常狹義的行政事務上。對於學校裏，華語文教學成效不彰的狀況，也常人云亦云的把責任推給孩子的父母和家庭，幾乎完全怠忽了學校在教學上應負的責任。試問如果孩子的父母和家庭，真有能力和時間，把自己孩子的華語華文教會教好，又何必再多花一筆學費和精神，把孩子送到華文學校去學華語華文呢？實際上，大多數的學生家長，正是因為自己全然沒有教孩子華語華文的能力或時間，所以才把孩子送入華文學校學華語華文的。至於有人把孩子學不會、學不好華語華文的責任推給社會，說是華語華文在華社和菲律濱大社會，沒有多少用

處。其實這種說法，只是「想當然」的猜測。要知道孩子在學校裏學習，並不像一般成人那樣，全著眼於實用。例如：數學、科學、文學、藝術和體育等學科的學習，全都不是基於實用或功利的觀點而完成的，也全都不會因為沒有多少用處而學不會或學不好。相反的，正由於那些知識或技能，在社會上學到的機會不太大，才只能到學校去，有計劃、有方法、有步驟的，在許多專業教師的悉心督導下，才能真正學會，學好的。

根據以上這些說明可知，「督課」變成了我們今天華文學校教育上的大問題，實在是該由華文學校來負全部責任的。華文學校的校長和華文主任可能要比站在第一線教華語華文的教師該負的責任還要多，還要大。華文學校不該任由華語文教師，把教華語華文的職位，當做招收督課生的據點。有的華文學校雖也明白規定，華語文教師不得為自己所教的學生督課。有的學校則規定由學校統籌安排學生課外，在學校督課的時間與收費的標準下進行督課。當然也有持極端態度的學校，例如嚴格禁止教師督課，或任由教師督課的。但是這些針對「督課」問題所提出的解決辦法，無疑都是相當消極的。其實，如果真想徹底解決「督課」問題，就該從導正學校裏的華語文教學做起。舉個具體的例子來說，學校只要認真調查一下，自己學校的學生究竟有多少學生必須依賴「督課」，甚至還需要了解一下，究竟哪位教師所教的學生，最需要督課？為什麼不靠「督課」，就無法學會或

學好華語華文？也可以從這些了解中，知道究竟哪些教師沒能真正盡到教華語華文的責任？然後，自然可以針對這些未能善盡教學職責的教師，提供最實際而又有效的輔導措施。相信只要真能這麼做，華語文教學的實效，必能於短期內得到顯著的改善。

總之，今天我們所面臨的「督課」問題，雖然看似千頭萬緒，但是實際上，都是由於華文學校在華語文的教學輔導上，未能認真做好那些該做好的事。更沒有建立起一套較為完整的輔導教師改進教學的制度，盼有關人士能認真反省改進。

八、教師盡責就不會有督課問題

所謂督課問題，就是指普遍誤解和誤用了督課這個頗具教育意義的活動，而產生弊端的現象。據說我們這裡的督課問題由來已久，近年來惡化的程度尤為嚴重。不少有識之士，對督課問題的困擾，也曾多方謀求解決辦法，只是往往「道高一尺，魔高一丈」，多次徒勞無功，而竟陷束手無策的境地。不少人對督課深惡痛絕，視之為學校教育上的一大毒瘤。華文學校的華語文教學所受毒害尤為顯著，咸認督課實乃華語文教學成效難彰，學生華語文程度低落的最大原因。如果事實果真如此，為什麼我們不趕快動員全部的力量，來消滅這個危害華語文教學，甚至華文學校聲譽的大禍

患──督課問題呢？怎可因為我們過去的努力未能產生預期的成效，就輕易放棄再努力呢？長期這樣逆來順受下去，總不是辦法。相反的，卻該去進一步設法找出過去用來解決督課問題的辦法，何以無效？是否有未能「對症下藥」的地方？或是未能治標與治本雙管齊下？或是根本還沒找出真正的「病源」或「病根」來，只有這樣鍥而不捨的追索下去，才能真正找出解決問題的有效辦法來。

　　基於這些想法則可進而檢視一下過去我們在解決督課問題上所做過的種種努力。可是由於極難找到可信的文字資料，所以僅能經由親身的觀察與訪問來掌握其大要。例如有些學校對教師督課全由教學行政負責人直接負責，在華語文學科方面的督課問題，則全由華語文主任負責。有的華文學校則由校長或由校長與華語文主任共同負責。所採取的辦法每須視負責人對督課問題的看法與態度而定。因此，有的採取任由有關教師自行處理的不聞不問的政策，有的採取嚴格管制的辦法。其中有一再口頭宣示嚴禁教師督課者，有規定不得為自己所教的學生督課的，也有將所有需要督課的學生，集中於課後在教室內督課，其教室與教師全由學校分配，收費亦由學校統籌處理，顯然這些辦法都是屬於治標的。放任的辦法固然無法解決督課問題，但嚴格管制也僅能在責任上做些形式上的交待，實質上管制得越嚴格，衍生出來的弊端也可能越多。因為嚴格管制必須要有夠水準的「執法者」。而且過份嚴格的管制，在執行上也可能是極難行得

通的。筆者過去就曾見過一位學校裡的神父，為了到自己學校附近去「抓」違犯「禁令」去督課的教師，而疲於奔命。其真正的結果卻是無意中製造了一些厚顏無恥，造假與說謊都能面不改色的學校教師，嚴重影響一般教師的聲譽；而這類不肖教師的逍遙「法」外，更助長了學校教師督課的歪風。其實說穿了，要不是「出家人」，又有誰會那麼拼命的去做那種吃力又不討好的事呢？所以除了在萬不得已的情況下，只好打隻「小蒼蠅」表示交差之外，雷聲大，雨點小是最常見的現象。可是換個角度來看，華語文教師來源本就嚴重匱乏，若不是為了學校教師的職位可以在督課「市場」上，取得個攻守的據點，做督課財源的保障，還會有誰甘願到學校去教華語文？不少華語文教學的主管有鑒於此，也不得不睜一眼閉一眼，偶爾在表面上虛晃幾招也就夠了，誰會去認真思考「治本」的問題呢？

相對的說，運用管制考試題目的辦法來解決教師督課的問題，卻是較能觸及督課問題之「要害」的措施。因為學生要找人督課，就是為了能順利通過考試，得到自己想得到的分數。能夠早些知道考題，針對考題花上些死記的功夫，當然就可以萬無一失。可是考題何處來呢？通常只有教課的教師才可能知道考題。所以學校教師，只要手上有考題，就不愁招不到督課生。考題就是督課行業最大的「資本」。因此管制考題就是管制這種「資本」，掌握督課「生意」的財源和命脈。但執行起來當然並不容易，管制考題的方法和技術

雖能推陳出新，但總還是無法完全避免引發出來的，防不勝防的「後遺症」。例如早期「命題權」的爭奪就像場永無止息的戰爭。考試出考題本是教師份內的工作，把它看做是一種權利（RIGHT 或 PRIVILEGES），甚至是一種權力（POWER）之後，爭執自會發生。妥協的結果不外：⑴由有關教師集體分工命題；⑵由有關教師輪流命題；⑶由某一二具「實力」之教師主導命題；⑷由各教師分別命題後交由主任自各份考題中選取部份合成考試卷內的考題；與⑸逕由主任負責命題等幾種辦法。其結果是把考題變成了「機密」或「最高機密」。如何保密又成了極難解決的大問題。再者，這些做法雖然確能打破個別教師獨攬「命題權」的局面，使參與命題或擁有「命題權」的教師多了，但是從命題到變成試卷上的考題，還有一段漫長的過程。從命題、評選、核定、打印或抄寫、校對、到印製試卷，甚至保管與分發都可能要有更多的人參與或經手，所以洩密或洩題的可能性就極大。最常見的是一些並非擔任教學工作的教師的人，也會因有取得考題或知道考題內容的機會，而變成頗為權威的督課師。其中真箇是無奇不有，難以盡述。如此一來非但未能解決督課問題，反而把局面弄得更為複雜，更難處理了。

　　自上舉各點足證，要想解決督課問題，就還得更深一層去探究何以考題會有那麼大的威力？學生家長明知靠死背考題得來的分數，並不代表孩子的「真才實學」，為什麼卻仍不計成本的去走這條路？這其中的關係和道理，也許學生家

長並不清楚，可是教師們總該知道，讓分數確能代表學生的
實質學習效果，本是教師的責任。保證能把學生教好、教
會，也是教師責無旁貸的事。如果教師確能這樣盡責去教
學，還會有什麼督課問題呢？因此我們說：教師盡責就不會
有督課問題。

九、督課教師與教師督課

　　上個月在「菲華教育」專欄上讀到戴樺寫的「督課教師
的無奈」一文，聯想到幾年前，中正學院前院長邵建寅先生
應粵僑早餐會之邀，作專題演講的講稿上，談「華文教育的
路向」時，指出修讀華文的學生，華文程度低落的四大原因
之一，就是「督課風氣盛行，妨害兒童教育之發展」。不過
從他的說明中，顯然所說造成學生華文程度低落的原因是
「教師督課」，似與戴文中所指的「督課教師」並不是同一
回事。因為邵先生說：「督課的作用為在課外督促兒童學
習，且可使教師增加收入，補貼家用，本來未可厚非，乃為
人所濫用，有收督課生至十數人者。該等教師既視督課為主
業，何能專心教學。」從這段說明中，可以明白看出：邵先
生認為「教師督課」是造成學生華文程度低落的四大原因之
一，而並不是說「督課教師」是造成學生華文程度低落的原
因，兩者全然不同，應予明確劃清界限。

　　所謂「督課教師」，通常都不是學校裏的現任教師，而

常是一些想要賺取學費或津貼生活的大學生，或是一些家庭主婦，利用課餘或處理家務之餘，所從事的兼差。在有些考試競爭激烈，格外是升學競爭壓力特別大的地方，例如：日本、香港、台灣、新加坡，或是中國大陸，對於督課教師的需求也格外大。專任的督課教師負有為學生複習、整理、加強，甚至重新教授某些已經在學校裏學過的課業。規模大的就如同學校，不過只是「補習班」而並不是學校，有的還必須接受其政府的監督或管理。通常不准學校現任教師兼任督課教師是為了保障學校教師的教學品質和專業形象。實際上，真正的專業教師是不屑於去做督課教師的。

　　談到教師督課，用不著多做解釋，本就是大家都非常清楚的事。簡單的說，就是現任的教師利用課餘去給學生督課。其缺失似乎早已超過了應有的好處。更由於「教師督課」在我們這裏極為普遍，當然並不限於華文一科，因此有人逕稱之為「督課症」。在華文方面，不但是像邵先生那樣知名的教育家反對「教師督課」，指出「教師督課」的種種弊端，就是成功的商業鉅子陳永栽先生也曾多次語重心長的，指出現任華文教師課餘為「錢」而督課的不當。嚴格的說：督導學生把學校裏安排好的課業，在專業教師有計劃的督導下，學會、學好，本就是學校現任教師份內的工作；也正是學校教師應有的績效責任（ACCOUNTABILITY）。而且學校行政和學校教學行政的負責人，也該負責督導自己學校的教師，徹底盡到自己該盡的職責；否則豈非讓學生家長

白白爲孩子付學費，而得不到應有的教育效果，而必須另付一份錢去請人督課。這無異是對教師和學校的一大諷刺，身爲教育工作者又怎能不深自警惕呢！

一○、值得重視的另一類督課

在我們這裡，督課之風甚炙，而且歷久不衰，儼然成爲學校教育上的一大特色。可惜督課的流行，並未使莘莘學生受益，反而讓他們飽受督課之苦與督課之害。所以談起督課，若干學生家長均感煩惱萬分，卻又無可奈何；逆來順受，似已成爲大家所不能不採用的唯一對策。我菲華教育界諸先進及若干有識之士，對督課風氣，莫不深惡痛絕，並視督課爲學校教育上的一大毒瘤。雖口誅筆伐不斷，但督課惡風，肆虐如故。不但小學生要督課，幼稚園的孩子也要督課，讀到中學四年級畢業班的中學生還是要督課。華語文科目需要督課，英語、菲語、數學、自然科、社會科，幾乎每個學科全都需要督課，而且據說中學生督課還是按科目計酬的。督課儼然已成爲頗爲興隆的生意，督課的市場化和商業化，對於學校正常教學所造成的傷害是無可言喻的。最顯著的是督課的意義慘遭扭曲，其教育意義全失，長期下來，已使純樸大眾誤認爲督課乃造成學校教育失敗的罪魁禍首，卻全然不知督課的價值與必要。其實造成學校教育失敗的眞正罪魁禍首，該是那些假藉督課之名，而行「謀利」之實的

人。有識之士不該助長這些人的氣燄，而應及早設法使督課
能儘快恢復其原有的面貌。

　　什麼是督課的原有面貌呢？大家都知道，所謂督課是從
TUTOR 這個詞演變來的。中國人把 TUTOR 譯為「私人教
師」或「家庭教師」，而其拉丁字源 TUT 本為「看」（WA-
CTH）的意思。從教育的意義上說，則是個別教學的意思。
這正是中國人傳統中最古老的教學方式，其教學成效是最踏
實不過的。所以過去在私塾裡讀書的孩子，並沒有形式上的
升級或留級，更沒有現在學校裡通用的月考、期考等形式的
考卷和考試，可是教師卻可以百分之百的了解學生的品德與
學業的境界與程度，採用最適當的態度、方式、方法和教
材，使學生確實有效的獲得真才實學。然而採用了西方學校
教育制度中的班級教學後，配合著所有的有關安排，教師只
好把一個班的若干個學生，當做一個學生教。雖然也深知適
應個別差異之需要的重要，但是也僅能用所謂「個別化」教
學的方法來彌補。然而個別化教學畢竟並不是一個教師對一
個學生的個別教學，所以能產生的實質效果，依然十分有
限。尤其是在教師的教育專業素養不足的情況下，個別化教
學的成效更難達預期。這就是許多學生接受學校教育效果極
差的主因，也是這些學生需要私人教師或家庭教師，來協
助、來實施個別教學或輔導的理由。不過由於現代的專業教
師已逐漸具備了班級教學的掌握能力，可在課堂教學中，運
用各種有效的策略與方法，培養學生的自學能力，使需要課

後另尋私人教師或家庭教師進行個別輔導的人數降至最少。所以實際上，督課只是少數學生所需要的，可能只有部份初入學校的小學低年級學生才需要督課，而且在這類個別輔導活動中，本就可由父母或家長來做。可惜在工商業日漸發達的現代社會裡，父母均需工作的小家庭漸多，而親子間相處時間日少，相互間的感情也日益淡薄，孩子們的疏離感（ALIENATION）自亦與日俱增，嚴重影響孩子們的正常發展與學習。如果這些孩子能夠找到一位真正關心他們的私人教師或家庭教師，來跟他們談談，與他們建立起相互信賴的友誼，孩子們不但可在學習上，得到適當的協助和輔導，而且在人格成長與發展上，也將受益無窮。這類的「督課」正是我們所說的另一類的督課。

上個月底，在武力鎮報（MANILA BULLETIN）的副刊上，讀到一則發自路透社（REUTERS）的消息，推介一本鼓吹以督課來救治社會百病的新書。那就是美國洛杉磯加大（UCLA）社會學教授JEROME RABOW的新著TUTOR-ING MATTERS - EVERYTHING YOU ALWAYS WANTED TO KNOW ABOUT HOW TO TUTOR。據稱該書認為只要能有足夠的合格督課教師，就足以達成戰勝貧窮，減少犯罪，促成各族群、各階層人民的融洽相處，提昇全民生活素質的要求。還說，只要每週「督課」兩小時，就足以將世界改觀。因為該書作者認為今日人類社會之沉淪，是由於過去人們過份低估了人們相互間推心置腹之了解的重要，所以他認

為「督課」正是挽救世道人心的上策。他肯定「督課」在教育活動上的重要，更強調「督課」應有的個別教學的作用與價值，可是他也十分關心該如何去做「督課」工作的問題。該知道如何督課之後，才能去督課，才能產生督課應有的效果。在他的構想中，督課是件具體的「教學相長」的教育工作，不但必會裨益於被「督」的學生，同時也必會同樣的裨益於「督」人的教師。被「督」的學生得到的是真心的關懷，和學習上的協助與指導；而「督」人的人所得到的是對別人的了解與同情，和自己的進德修業，以及對人生的真實體驗。不過我們在這裡必須提醒讀者的是，在這樣的說明中，所有要去做這種私人教師或家庭教師的人，全都是充滿活力與理想的大學學生。這是我們這裡的那些為學生督課的學校教師，所無法想像和企及的。

總之，我們所提出來的這種所謂「另一類的督課」，簡單的說，是以輔導或協助孩子在情緒的、社會的和人格的發展上，得到適切的經驗為目的的，絕非僅重視學生在學校裡的考試分數。所引用的例證雖全來自先進的美國加州，但這類的督課畢竟還是人類現代社會中，所共同需要的。說不定，像我們這種相當落後的發展中國家，更該及早為未來想想，千萬不能為我們的督課問題已病入膏肓，而心灰意懶，卻正該立即反省，另謀出路才對。

一一、家庭教師的過去與未來

　　家庭教師在菲華教育的萌芽時期，確曾扮演過頗為重要的角色。展望未來，至少在教學華語華文方面，家庭教師或亦將有其舉足輕重的地位。只不過在當前的菲華教育中，卻沒有家庭教師，只有督課教師和學校的教師去督課的現象。所以在這裏只能談談家庭教師的過去和未來，而沒有辦法去談家庭教師的現在。

　　從教育歷史上看，家庭教師的由來甚久，古羅馬時代任用的教僕（PEDAGOGUE），八世紀宮廷學校的教師，都可以說是家庭教師的代表。在中國，家庭教師則源於家塾，相傳周代以二十五家為一閭，閭有巷，巷首門邊設家塾，用以教授居民子弟。後稱延師在家教授子弟為家塾，以別於公家所設立的學校。家塾又叫私塾，是中國千百年來，民間最為普遍流行的一種教育方式，這種私塾裏的教師，就是典型的家庭教師。此外，史記申公傳記載：申公「歸魯，退居家教，終身不出門」，實即在家教授學生，是另外一種型式的家庭教師。簡言之，過去中國之家庭教師可大別為兩類：即受聘於私人之家庭為師，與教師在自己家中教授學生兩類。在菲華教育發展初期，家庭教師即兼有此兩種典型，功不可沒。據顏文初先生之大作云：「華僑或有來時兩袖清風，去時腰纏萬貫……由是不得志科場之落拓文人亦思投筆南行

……乃南荒炎服，習俗迴殊，定遠多才，暫屈記室。有同鄉親屬關係者，各集三五少年，於工餘飯後，或星期暇日，請其教授千字文，或寫信要訣。」後來則「邀內地讀書文人，有與同宗或戚屬關係者，渡其出洋，既充教師，兼任書記。此時期教師，可謂先有特約，而後來就，其學生則皆固定矣」。於此足見，家庭教師實菲華學校創建之先鋒。

　　撫今思昔，展望來茲，怎不感慨萬千？放眼今日全菲各華文學校之華文教學，其能名實相符者，實甚鮮見。泰半僅重華語文教學之形式，是以莘莘學子，十年寒窗苦讀，但在華語文之聽、說、讀、寫各方面，均難達到其預期之成效。記得七十年代，僑校菲化期間，即曾有人呼籲，如欲子女多習華語文，應即仿照中國私塾的辦法，延請華文家庭教師，定時在家教授。當時雖未獲認同，但自目前華文學校的實際狀況看，家庭教師或果能於不久之將來，成為華語文教學之主力。請拭目以待。

一二、再談家庭教師的未來

　　上週談到家庭教師的過去與未來，但對家庭教師的未來闡述不多，僅指出當前華文學校之華語文教學成效不彰，似可採行僑校菲化初期，部份人士提議華語文教學應採用中國過去私塾的辦法，延請華語文家庭教師，定時在家教授華語文的構想，並且預期家庭教師或可於不久之將來，成為華語

文教學上的主力。其間之論據何在，願申述之。

首就當前各華文學校中，華語文教學之實際狀況言，缺失不免，且皆有目共睹。舉其著者如：華語文教學之目標空泛不具體，其教材呆板枯燥不切實際，教學方法陳舊無法迎合學生的學習興趣，教師素質參差，教學行政督導不力，甚或以教學時數不足，家庭未能全力配合等理由來說明華語文教學成效不彰的緣由，亦無不言之成理。但尚有若干因素似乎迄未受到大多數關心華語文教學成效問題的人士的重視。例如：從成本效益的角度來看，除了投注在進華文學校學華語文的學雜費之外，還常需另找督課教師，再付一筆可觀的督課費。在時間方面，幼稚園階段不計，小學至中學亦共達十年之久，每天以政府規定之兩小時計算，十個學年下來，學生花在學華語文的上課時間亦可高達四千小時，也就是每天兩小時，每週五天計十小時，每學期二十週計兩百小時，每學年兩學期計四百小時，十個學年計共四千小時。試問僅就金錢與時間這兩項的龐大投資來看，只能得到目前我們華文學校中學畢業生的華語文學習的這種成果，又怎能不設法及早彌補這項虧損呢？

如果從另外一個角度來看，目前華文學校裏，全部的學生都修習華語文的仍然不少，專設華文部，在下午上課的華文學校，至今依然盡力維持當年華僑學校的架勢。從修習華語文的學生人數上看，倒也差強人意，可惜在實質上，真正用心學習華語文的學生其實並不多，在華語文教師的心目

中，真正可以教也可以學中文的學生就更少了。換句話說，華文學校裏學華語文的學生雖不少，但華語文教師所能關注而認真教導，而又教好學好中文的學生並不多。再加上我們這裡的學校教育，從來就重視分數和名次，而且華社裏為了鼓勵孩子學習華語文，又都習慣用比賽的辦法，結果也無意中誘導了學校和教師全力集中在極少數的學生身上，去培養或訓練明星式的學生，為學校爭取榮譽，卻全然忽略了，甚至無視於可憐的絕大多數，讓他們白白耗費了寶貴的金錢和時間，而沒有學到什麼。這實在是對於高唱民主，平等或教育機會均等的現代社會的一大諷刺。從這些殘酷的事實來看，似乎把教華語文的責任交在華文家庭教師的手上，卻可能是較為經濟而實惠的辦法。因此，我們預期華文家庭教師將會有光明的未來。

　　當然家庭教師教授華語文固然可以擺脫許多形式上的規定和限制，真正去追求教學實效，但家庭教師的品質仍然是重要關鍵，顯然並非目前華文學校中所有華語文教師都能勝任。但在家庭教師自負盈虧，全權為其教學成效負責的前提下，交給明智的學生家長去決定取捨。至少給那些想學華語文而又無法在華文學校裏學到華語文的孩子，多個選擇的機會。至於家庭教師究能在華語文教學上發揮多少作用，恐怕也只能看家庭教師自身的投入和努力了。

附錄

析論菲華師資培育之新途徑

盧　增　緒

菲華教育學會

摘要

一、本論文乃繼一九九七年五月及八月先後發表於國際師範教育研討會（加拿大多倫多）與亞太地區師範教育會議（中國北京）之兩篇有關菲律濱華語文教師培育研究論文的後續研究成果。其研究主題爲近六年來在菲華學校實施之「駐校督導教學」。該措施始於菲華巨商陳永栽先生資助下，自中國大陸及台灣地區延聘華語文教學專家來菲，駐在若干所華文學校，負責督導其華語文教學。六年來應聘來菲之專家雖僅三十餘人，但所駐華校已遍及菲國北中兩大地區；駐校督導時間自數月至兩三年不等，其影響所及尤以與華語文教師在職進修有關部份最受關注。本研究則逕以菲華師資培育之新途徑視之，而進行研究。

二、本研究係植基於過去進行菲律濱華語文教師培育課程研究之所得，深感現行之師資培育課程，不論職前教育或

在職教育,均嫌與華校華語文教學之實際,差距過大,落實不易,實施數十年,仍成效難彰。現有實施華語文教師職前教育之培育機構,如中正學院,雖設有全額獎助學金,但仍因種種主客觀因素的影響,亦乏人問津。新進華語文教師並無任用資格之要求,教師素質之日趨低落,實難避免。衡諸現實,積極改進並推行現任華語文教師之在職教育,當可爲目前菲華師資培育唯一可行之途徑。「駐校督導教學」之實施,或可於此有所作爲,但其具體行動與問題,仍待認眞檢討,本研究主旨在此。

三、本研究因乏有關之參考文獻,乃採訪談與問卷方式搜集資料。訪問及通訊問卷之對象有三:

1.主辦機構,如校聯、商總、晉總之有關主管人員;

2.實施「駐校督導教學」之華校校長、華文主任及部份教師;

3.駐校督導教學之專家。

面訪者限於大岷地區。外市(省)及已離菲之駐校督導教學專家,則採通信及問卷方式進行。

四、本研究以訪問及通信所獲資料爲主體,進行分析,輔以背景之說明與改進之意見,撰寫成文,盼能有助於「駐校督導教學」與華語文教師在職進修之實施與發展,進而能作爲菲華師資培育開創新途徑之參考,其內容有六:

1.引言

2.背景

3.挑戰

4.實施

5.評析

6.結語

壹、引言

　　師資培育本就是攸關學校教育實施成敗的一個重要環節。回顧菲律濱華社自十九世紀末葉，開始創建華人學校以來，雖已滿百年，但在師資培育方面，卻始終未能探索出一條較為有效的途徑來。華校創建之初，所有華校教師全部來自中國，師資培育的重任亦全由中國國內有關機構代表負責，本地亦無自行培育師資之需要與能力。自菲律濱於一九四六年脫離美國統治正式建國後，因戰亂而播遷來菲之華人不少，其中亦多熱心教育之知識份子，加以諸種主客觀因素之影響，華校足可吸引足夠有識之士獻身教學工作，華校非但無虞教師匱乏，反而因華校人才眾多，而造成菲華學校教育史上的輝煌時期。但是不幸的是在這段時期中，華校的發展卻也潛存著極大的危機，一則是國際政治造成的中菲兩國間的斷絕往來，和菲國政府嚴格限制華人入境的措施；再則是菲國政府對於華校的督察和管制，和菲律濱社經發展的遲滯所形成的教育實施落後，華校教師亦多有流失，而補充不易。中正師範專科學校及中正學院教育學系的創設，都是因

應華校自中國延聘教師之途徑斷絕後之所需，而力圖於本地自設師資培育機構的具體作爲。其師資培育的體制與內容，則全部師法中國之師範教育，逕以培育華僑學校之教師爲目的，自屬當然。但自一九七六年，所有全菲之華僑學校均全盤菲化爲不折不扣的菲律濱學校後，華校改稱華文學校，實質上則僅指開設華語或華文一科外語課的菲校，而華文學校所需之華語文教師，不論在教師地位或擔任華語文教師的基本素養上，顯然均已大異往昔，但歷經艱辛所建立的師資培育體制，卻不易適時調整，改弦更張。爲華校培育師資而設的中正學院教育學系，亦難避免日趨凋零的命運，雖曾廣設獎助學金名額，然問津者仍寥寥可數，最後竟陷入無人就讀之窘境。究其主因或自華校全盤菲化後，華校對華語文教師之任用，已全無學歷或資格之要求，爲接受正規的教師職前教育投注時間、精力與金錢，顯無必要，亦屬浪費。因此，近二十餘年來，新進華語文教師雖多，但自其任教之華語文科的有關專門知識，和從事教育工作的專業學養來看，均難符應有之最低水平。識者曾有加強現任華語文教師之在職教育以求彌補之議，實甚可取。

　　客觀的說，近三四十年來，菲華教育界對華語文教師在職進修活動之推動，從未稍懈，其中每年暑期爲所舉辦之教師研習班或進修班而動員之人力、物力和投注之金錢均極爲可觀。然而由於舉辦多年，因襲舊章者多，創新變革者少，對於時轉勢移及瞬息萬變之現實，似亦漸失其應具之調適能

力，常有形式大於實質之譏。菲律濱中正學院有鑑及此，曾於一九九三年，針對在職華語文教師之實際需要，試辦一至二年制密集式在職教師進修班。不幸卻因種種配合條件不足而未能持續。筆者曾就菲華師資培育課程問題進行綜合探究，並撰成論文兩篇，先後於一九九七年五月在加拿大舉行之第十七屆國際師範教育年會，及於同年八月在北京舉辦之亞太地區國際師範教育會議中提出（LU, R.T. 1997a, 1997b）。前者重在分析並批判現行菲華師資培育課程之得失，後者則著眼於如何突破過去華社保守傳統之局限，期能以菲律濱大社會爲對象，與諸著名之菲律濱大學及師範院校合作開設華語文教師之培育學程。或因該兩文均係以英文撰寫與發表，流傳未廣，而未獲菲華教育界之重視。

　　就整體而言，最近十年間，菲華師資培育所面臨之衝擊最大也最顯，因此有關之興革也較爲積極與具體。菲律濱華文教育研究中心和菲律濱華文學校聯合會的先後正式成立，是推動菲華師資培育改革力量走向組織化的代表。一九九一年，北京語言學院呂必松教授應聘來菲主講華語教學，提出以「第二語言」教學華語的學理，拓展了菲華師資培育方向上的視野，也爲菲華師資培育的改革開創了空前所未曾有的契機。不過實際上較爲具體的影響，則在於促使各華文學校當局，逐漸敢於面對當前華校華語文教學成效不彰的事實與責任，並願謀求改進之道。最近數年間，在菲律濱華文教育研究中心及菲律濱華文學校聯合會的主導，和菲華巨商陳永

栽先生的資助下，由中國大陸地區和台灣地區邀聘華語文教學專家來菲，駐在若干華文學校專負督導華語文教學之責。這種「駐校督導華語文教師教學」的辦法，雖少先例可循，但各方對於此一創新卻期望甚殷。自師資培育之觀點言，似亦可以菲華師資培育之新途徑視之。爲求能對此一新措施有較爲深入之瞭解，乃自其形成之背景、面臨之挑戰，及其實施之實況進行研究，並進而分析其實施成效與得失，期能爲菲華師資培育制度之發展與改進，提供參考之依據。至於有關此一新措施之實施狀況，則因並無可資參考或依據之文獻或資料，唯憑專訪有關人士徵得之口頭表達資料爲依據。專訪之對象又以主辦單位之主管，聘有駐校督導教學專家之華文學校校長、華文主任、與接受教學督導之部份華語文教師和駐校督導教學之專家。訪問乃以大岷地區之華文學校爲主，外省市及已離非之專家則以通訊方式徵詢意見，惜以聯絡不易，回覆具體意見及提供資料者尤少。但自制度建立之立場言，仍可自邀聘華語文教學專家駐校督導華語文教學之構想與實施經驗中，解析其前因後果，藉明其成敗之機，自亦應有其價值。基於此，乃依背景、挑戰、實施、評析與結論諸重點，探討如次。

貳、背景

首自當前菲律濱華文學校實施自國外延聘華語文教學專

家，駐校督導學校教師之華語文教學辦法的主要原因而言，無疑是基於各華文學校的實際需要。但是何以有此需要？卻顯然是無法由一般的學校經營之正常狀況下的觀念，去加以理解和說明的。因為根據一般正常狀況下的學校經營理念來看，學校教師教學的督導本就是學校經營中，最為重要也最為基本的一項業務。學校校長、教務主任、學科主任教師等均應責無旁貸的，為學校教學任務之順利達成，緊密組織成一個有機而又完整的教學督導體系。教師教學的督導工作，如何能假手學校教學體制外的「局外人」，的確是極難想像的。可是我們今天的華文學校卻真正有這樣的需要，何以如此？就只能從這種需要的形成背景中去瞭解了。

　　由於目前的華文學校乃脫胎於原有的華僑學校，自一九七六年起全盤菲化僑校算起，華文學校也僅有二十五年的歷史。加以自純為中國學校的僑校，一夕間被動的改制為菲校，所以不論在學校經營的宗旨上，或是在辦學的經驗上，均不免有調適上的困難。回首過去，長達七十五年華僑學校輝煌發展所塑造的學校傳統形象與觀念，無疑是今天華文學校的寶貴資產；但展望未來，卻變成了今天華文學校的沉重負擔。因此至今仍然有不少華文學校竭盡全力去維持著過去華僑學校時代的架勢。例如把華語文課集中在下午進行，成立所謂的華文部，設華文部的主任，乃至包括教務、訓育和總務各部門的主任，更有所謂的華文校長。然而在華語文教學的實質上，卻日趨空洞，進退失據，對於華語文教學成效

的江河日下，竟束手無策。所謂華語文教學的督導問題，正是在這樣的氛圍中日形嚴重的。如果深入探究其緣由，當知絕非一端，然具體言之，約可舉出如下數點：

一、華人心態保守，舉止遲緩。最顯著的例證是，中國人素有重視子女教育的傳統，視捐資興學乃功德無量之善舉，更深信教育乃百年樹人之大業，絕不該要求能有立竿見影之功。所以菲律濱華社本此信念辦學，真可謂百年如一日，從未改變初衷，但問耕耘，不問收穫的全力奉獻。不論在辦學理念上，或在學校經營的實務上，泰半蕭規曹隨，一仍舊貫，咸信乃理所當然。殊不知自第二次世界大戰結束以來，舉世各國莫不因社會的開放、教育的普及、經濟的發展、知識的爆炸、科技的進步和政治的民主諸因素的激盪，而全然改觀。學校教育的意涵和學校經營的觀念也都產生了革命性的改變。可是所謂學校企業化的經營理念，卻迄今仍難在我們的華文學校裡，產生任何積極的作用。在教學督導方面，每因華人多未能洞悉「尊師重道」之真諦，僅拘泥於其表面意義，而導致若干學校行政人員怯於運用學校在教學行政上應具之組織力量，若干教師則盲目的自我膨脹，抵制教學行政上督導教師教學的措施。所以概括的看，我們今天的華文學校的教學督導工作，仍然停留在相當封閉的狀態裡，「人治」色彩依然十分突出，所謂正常的規章制度多屬空洞的形式，任何實質上的變革亦均滯礙難行。

二、菲華教育界人力不足，華校教育之專業領導乏人。

菲律濱本就是個以工商業界為主的社會，華社尤然。華僑學校創建初期，菲華教育界固多一時碩彥，但無不自中國延聘而來，且常無久居之計，流動性頗顯。二戰前後羈菲而託身教育界者或迫於現實，或亦屬權宜之計，俟機轉入工商業界發財致富，縱非其初衷，然主流社會價值之壓力實無由抗拒。因此教育界人力之流失現象日顯亦日劇，志願獻身於學校教育者已寥若晨星。迨僑校菲化，華文學校之華語文課已正式改為外國語中的一門選修科目後，又適值菲國經濟發展遲滯，如全無旁鶩專以在華校教授華語文為職業，自無賴以養家活口之可能，華校華語文教師之匱乏乃益趨嚴重。近年來幸蒙菲中建交及中國實施開放攻策之賜，部份華語文教師缺額尚可由來菲之中國人填補。然品類參差，尤顯華語文教學督導之重要與必要。

　　通常學校教師教學之督導，理應由學校校長負全責，可惜目前菲國校長人選匱乏的情況比教師不足來得更為嚴重。依據見諸報端之資料顯示，公立中小學無校長主持校務者甚多，有合格校長之公立小學尚不及四分之一，公立中學有合格校長者亦僅及半（MANILA BULLETIN, 1998, 1999, 2000）。華校物色校長困難自難例外（椿齡，1998，盧增緒，1998a）。量上的嚴重不足，自然在校長的品質上也更難做任何要求。何況菲國高等教育雖極發達，但學非所用及用非所學的情況卻極為普遍。為適應現代社會分工，各行各業均有專業化的需要，教育專業化的行動直到近幾年間才算起

步，然而在菲華教育界卻似乎至今仍無警覺之跡象。至於政府對中小學校長資格之要求與規定，因諸種主客觀條件均具極大的彈性，華社自有其因應對策。不過平實而論，目前全菲百餘所華文學校校長中，具正規之教育專業背景者，實在極爲罕見，而僅憑直接參與華校教學，長期累積主觀經驗而辦學者則較多。至於有因其他淵源而任校長職者可姑且不論，但自整體言，缺乏教育專業背景之校長多，往往在校長角色認定上出入頗大，極難符合現代學校經營上的基本要求。例如：校長在學校裡的領導（LEADERSHIP）角色，常會有僅重行政領導（ADMINISTRATIVE LEADERSHIP）卻輕忽了教學領導（INSTRUCTIONAL LEADERSHIP）的現象。因此學校教師教學的督導，在群龍無首的狀況下，極難有效落實，更遑論教學督導體制的確立。就華語文教學的督導言，有不深諳華語文之華文學校校長，委由華文部主任或教務主任主理華語文教學者，亦多有因主理者缺乏教育專業素養，而無法有效實施教師教學督導者。任由華語文教師各自爲政，自是其是者，更所在多有。因此寄望於由國外延聘專家駐校負責督導教學，自亦合乎常理。

　　三、華文學校之華語文教學自成體系，但組織鬆散，又不與校內其他學科之教學溝通，有關教學之華語文資訊相當貧乏，自不免陷於孤立，不論在教學督導的觀念上，或在方法上，均無法追隨現代教學專業進步之步調而同步發展。因爲在現代社會中，學校教育乃公衆事務，教學又是學校教育

的核心，舉世各國無不對其學校教學之實施，訂有直接或間接的監督或管理的辦法，並建立全盤的監督體制，其監督或管理亦莫不以學校之教學爲其主要領域。例如在課程上訂有指引或標準，在人員上設督學、校長、主任等組成教學行政體制，期能透過完整的教學督導體制，隨時掌握學校教育實施的方向與成效，並做適時的檢討與改進。菲國在教育的表現上雖非先進，但在體制上已具美領時期所建立的基礎，所有公私立學校均納入國家教育主管當局之監督體系，其教學行政體制亦均具規模。華文學校爲私立菲校，本不例外，但其華語文之教學依規定乃一外語選修科目，除有每日以兩小時爲限的規定外，他如教材、教法、師資等全由學校全權負責。因此華語文教學本有足夠之自由與自主的發展空間，但如經營不善或竟任由其自生自滅，當非正途（靈德，1998a，1998b）。是以近年來又有建立強有力的領導機構之議，但宜否建立？能否建立？乃至如何建立？都是值得深思的問題（正負，1999，2000）。況且強有力的領導機構之建立亦非朝夕可期，而華校之華語文教學督導問題已日趨嚴重，借重外聘專家或亦爲應急所需，姑妄試行之辦法。

參、挑戰

　　由上節背景之分析可知，自國外延聘華語文教學專家駐校督導教學之實施，必非易易。而且從採行此一措施的過程

看，似始於馬尼剌僑中學院，又尤以一九九四年自中國廈門大學海外教育學院聘請專家，駐在其分校督導其華語文教學最具代表性，次年即推廣至大岷地區數所華文學校。原多採駐校一學期的辦法，最近兩年（一九九八及一九九九兩學年）則又有請專家定期巡迴數校進行教學督導的辦法。其實施形式內容或有不同，但著眼於協助華語文教師改進其教學之用心，則並無二致。然就其實質言，所面臨之挑戰甚大，舉其最顯者，可有如下兩端：

第一大挑戰實來自廣大華社普遍對此一新措施，抱有高度期盼所產生的壓力。近二十多年來，大家眼看著華文學校的華語文教學成效，逐年急劇下降，送子女到華文學校去學華語文，十年下來，孩子對於華語文的聽、說、讀、寫，沒有一項能學到。大家都說華語文教學要改革，有關當局也不斷地舉辦華語文教師的進修活動，從國外聘來主講教師進修課的專家也不少，投注的金錢、時間和人力都極為可觀，但結果卻半點也擋不住華校華語文教學成效的江河日下。不少人歸咎於教師進修或講習未能與各華校所獨有的特殊情況發生現實的結合，因此參加進修或講習的教師，不論在進修中學得多成功，也無法使進修中所學到的教學學理、方法和技術在自己學校裡產生效用。如今能自國外聘得華語文教學專家，駐校督導教學，自然能夠依據各校所獨具的條件和狀況，協助華語文教師改進教學，達到提昇華語文教學成效的目的。同時聘有華語文教學專家駐校，還可以彌補若干華校

缺乏此類專業人員的缺失，或亦可使這類華校在所聘專家駐校期間，設計並建立起較為適當的華語文教學督導辦法或制度來。當然這都是極為艱鉅的大工程，該如何面對才能不負重託，正是空前的大考驗。

　　另外一個大挑戰則來自當前華校華語文教學方向上的大改變。如前所述，今天的華文學校乃脫胎於華僑學校的菲校，其華語文課只是一門選修的外國語，但由於匆促改制，所有有關教學目標、教材、教法，乃至教師培養等實質內容，均不及做適時的設計與調整。直迄改制十餘年後才迫於教學上失敗的經驗，開始進行思考與改變。一九九一年正式提出應以「第二語言」來教學華語文的學理之後，華校的華語文教學才算開始有了步入「正途」的機會。然而這種空前的轉變也是華語文教學方向和政策上的根本改變（盧增緒，1998b，1998c）。格外是有關「第二語言」教學的道理，對於我們的華語文教師來說，更是從未聽說過的新事物，如何說清楚都已不容易（椿齡，2000），又怎敢想像如何把這種新學理付諸行動，去建立有效的華語文教學督導制度呢？

　　從現實的實施面來看，去接受這類的大挑戰，多少總要有些突破性或革命性的想法和決心，而且還得有許多有關的條件或因素相配合，否則無論如何都是極難成為具體的行動的。因此所謂「駐校督導教學」的實施與推動，主要的還是靠幾所較為積極的學校之努力，後來才有華社社團的參與與協助。前者如僑中學院和中正學院，後者如華文學校聯合會

和晉江同鄉總會。其中以僑中學院及其分校實施最早，投注最力，影響也最廣。而華社中則以華文學校聯合會所推動者較廣，曾遠及宿務市之東方學院與怡朗之華商中學。不過「駐校督導教學」的推行仍須以學校爲本位、爲主體。究竟能否把這種新辦法發展成菲華師資培育的一種新途徑，還是要看推行的學校對於當前所面臨的這些嚴峻的挑戰的認識與做法。如果確有學校能在這方面獲得突破與成功，才能爲全菲華文學校樹立典範，爲深受長期困擾的菲華師資培育眞正創造出另闢新徑的契機。其中最爲關鍵的，可能正在於如何針對這些空前的挑戰，去訂定出具體的因應策略與方案來。

肆、實施

論「駐校督導教學」之實施，應先格外說明所謂「駐校督導教學」係僅指接受校外資助，自國外延聘華語文教學專家，駐校一段時間，專負督導校內教師華語文教學之責，卻不正式納入校內教學員額者而言，其有列爲學校正式員額擔任教學或教學行政工作者，則不包括在內。

自其實施之時間言，則始於一九九四學年度，至一九九九學年度共六學年。施行之學校包括僑中學院分校等約共二十六校，且多集中於大岷地區，屬其他省市者則僅三校。依所獲資料顯示，聘自國外之駐校督導華語文教學專家共三十二人，其中聘自中國大陸地區者多達三十人，來自台灣地區

者僅兩人。依此類華語文教學專家之原工作機構言，來自北京語言文化大學者一人，來自北京師範大學、泉州華僑大學，及廈門大學海外教育學院者各五人，其他十六人則分別來自中國（包括台灣地區）之中小學或幼兒（稚）園及其他教育機構。「駐校督導教學」之時間，最長者達三學年，短者則爲一個學期。至於實施的實際狀況則每因校因時而異。然大體言之，依其六年來實施之經驗看，可有如下各種：

　　一、如前所述，僑中學院及其分校實施「駐校督導教學」最早、投注最多，影響也最廣，或與接受菲律濱華文教育研究中心之積極協助有關。自一九九四學年度起迄今，連續六個學年，從未間斷。先後所聘「駐校督導教學」之專家達十二人，佔六年來全菲華校所聘專家的三分之一以上，且其中又有連續在校督導達三年之久者。自其實質言，則與採用該校與菲律濱華文教育研究中心所主編之新課本密切相關。「駐校督導教學」與使用新課本之要求相結合，實爲其特色。此外，其實施與其原有之教學行政運作之配合亦較爲緊密，遠非其他華校所能企及。其實施之方式大致有二：一是平時與教師研討教學之活動，包括編寫教案及備課活動；一是每兩週舉行一次之講習，由駐校督導專家講述有關學理或知識。這些方式也都是若干聘有駐校督導專家的學校，所認同及模倣採行的。

　　二、中正學院於僑中學院正式推行「駐校督導教學」的第二年所實施的同類措施，或亦即該學院原有之短期教師培

育之另一型態。其與過去所辦卻未能持續完成之「教師進修班」的最大不同，則在於增加了「駐校督導教學」的功能。可以算是將過去「教師進修班」與「駐校督導教學」兩者合而為一的辦法，理應足以糾正過去教師進修辦法常會偏重學理的講授，卻不易與本地華語文教學實務相結合的缺失。其實施方式為上午「講習」，由所聘國外華語文教學專家講授某些已排定的教育學科，由大岷地區各華校之在職華語文教師報名參加聽講，為期一學年，大體與過去所辦之「教師進修班」無殊。而下午則在中正學院負責督導該校華語文教師教學，且僅及於小學部和幼稚園，中學部則未予督導。所聘駐校「講習」與督導教學之專家共兩人，皆來自台灣地區。

三、菲律濱華文學校聯合會於一九九五與一九九七兩個學年度，曾為其部份會員學校延聘「駐校督導教學」之華語文教學專家，先後共七人，「駐校督導教學」之學校共十二所，且及於大岷地區以外之菲中部宿務市之東方學院與怡朗市之華商中學。駐校時間則以一學期為原則。其督導之方式則大致與僑中學院所實施者雷同，惟其實施之實質，除亦採用僑中學院新編課本之學校外，均難如僑中學院之嚴謹。同時其駐校督導教學之時間由一學年縮短為一學期，加以所聘專家均來自中國大陸地區，其暑期多至七月始開始，是以來菲常遲於本地學校開學之時間，因此安排在上學期實施「駐校督導教學」之學校，督導之時間更短，宜如何安排則多由學校與應聘專家商定，結果自亦因校而異。

　　四、晉江同鄉總會於一九九八及一九九九學年度亦爲華文學校自中國延聘督導華語文教學之專家，協助各華校華語文教學之改進。兩學年共延聘專家四人，每學年兩人。其實施方式顯與上舉三種方式不同。其特點在兼採數種不同之形式，且所採各種形式均顯著傾向於傳統之教師在職進修的要求。例如：舉辦較大型之教師進修講習，由所聘專家主講某教育專題，大岷地區各華校在職教師以及社會人士，均有參與之機會。再如在實施「駐校督導教學」方面，採巡迴方式，每學年所聘專家二人，一人負責中小學之教學督導，另一人則負責幼稚園部份。每人每週駐在一所華校一日，實施該校之華語文教學督導，每週即可分別在五所華校督導教學。每學年督導五所華校，兩學年可在十所華校實施「駐校督導教學」。其駐校時間顯較全學年或全學期駐在同一所學校者爲短，但其「駐校督導教學」之實施，仍兼顧上午「講習」及下午督導教學之方式，並無多少改變。

伍、評析

　　依據上節所述六年來全菲約有二十六所華文學校實施「駐校督導」華語文教學之梗概，固然極難驟然論斷其成敗，但爲策勵來茲，如能及時察其效應，明其得失，自亦有其意義與價值。然「駐校督導教學」並非孤立事件，其牽連甚廣，涉及因素也極多，因此其評價亦應自其有機之整體考

量,未可囿於片面。在研究方法上,更不能執著於量化研究
(QUANTITATIVE RESEARCH)之框架,而應兼顧品質研
究(QUALITATIVE RESEARCH)之要求。本乎此,可評析
如下。

「駐校督導教學」之實施,確具鼓舞華語文教學之士氣
的作用,亦為菲華師資培育上開創結合教學理論與教學實際
為一體之契機。據參與「駐校督導教學」實施有關人員之一
般反應,咸認「駐校督導教學」的新措施所帶來的新面孔
(國外聘來的專家)和新希望(華語文教學的改進),均具
激勵現任華語文教師產生「今是昨非」和重新出發的企圖
心,並且具體的表現在「備課」與編寫教案的積極加強上。
這對本具惰性和極易滋生職業倦怠的教學工作來說,非僅必
要而且也極具價值,當然值得肯定。但僅憑「新鮮感」所引
發的「三分鐘熱度」,仍然是不足以在華語文教學的改進上
產生實效的。

談到教學理論與教學實際兩相結合的問題,由於這原本
就是師資培育上,一直深受困擾的部份。近世以來,先進國
家倡導教師在職教育的優越性,成立教師中心,強調學校本
位的師資培育制度的重要,在在著眼於教學上理論與實際的
密切結合,而其關鍵則在於其實施上的完善設計與規劃。這
在我們實施的「駐校督導教學」中,亦有類似的顯現。例如
前述僑中學院之實施,係與其新編課本之採用相結合,故成
效較顯;而中正學院之實施則因其上午之「講習」課與下午

所進行的教學督導，不論在內容上或在參與「講習」與接受
督導的人員上，均不相同，是以見諸報端的誹議亦多。而其
遭受批評最多者，則均集中於其上午所實施的「講習」課，
以其全然承襲原有之教師暑期進修班的形式，全無與教學實
務相結合的跡象與可能。於此足見「駐校督導教學」之實
施，雖足為教學理論與實務相結合開創契機，但其成敗卻仍
須靠事先的設計與規劃。由於目前各華文學校的教育專業人
力嚴重不足，學校在設計與規劃上並無最起碼的基礎，所以
常會心餘力絀，似乎也只有委由外聘之督導專家代為全權處
理，這對實質提昇華語文教學督導成效，和建立正常的教學
督導制度來說，必然都會增加不少難度。

　　雖然「駐校督導教學」的實施，確已將教師的暑期進修
帶進了平時，也已將暑期進修中的理論講授帶進了個別學校
的教學實務中，使教學的理論與實際間的距離縮短，也使教
師有了從教學實際中去瞭解和驗證教學理論的機會。但是能
否獲得真正的效益，仍要看各所華文學校在「駐校督導教
學」上的實質運作了。

　　回顧六年來，若干華校及社團對「駐校督導教學」之實
施均不遺餘力，但在實際運作上，美中不足尚待設法檢討改
進處仍然不少，其中較顯者如：

　　在運作的基本型態上，大體可有以下三種類型：

　　㈠全為實施「駐校督導教學」，才有具體的教學督導的
要求，因此全部有關教學督導的工作，全都由駐校專家做

主。這似乎充份證明其過去的教學督導並未眞正發揮過多少功能，所以「駐校督導教學」反而可能會獲得較多教師的關注。但卻怕會等駐校督導教學的專家離校後，教學督導的工作也就跟著停止了。如果我們都眞能把教學督導當做我們當前培育華語文教師所必需也最經濟實惠的途徑，藉「駐校督導教學」的實施，爲我們建立起較爲妥善的教學督導制度來，豈非一舉兩得？深盼各華校均能善於把握此一良機。

㈡「駐校督導教學」的辦法與學校原有的教學督導措施並行不悖，似乎最爲常見。通常均視駐校專家爲客卿，其主導之所有有關措施，雖皆衷心尊重，但並未視爲久計。爲維繫學校教學之順利運作，原有之教學督導辦法，或可暫予精簡，甚至暫停，俟「駐校督導教學」告一段落後再行恢復。是以兩者溝通與交流均不多，而若干「駐校督導教學」活動亦常會因而傾向於教學理論的講解與研討，使「駐校督導教學」之設計，不易在實際教學上充分發揮其效能。

㈢將「駐校督導教學」納入學校的正式體制或取代學校原有的教學行政體制，其實質無異於自國外延聘華語文教學專家，正式擔任其華語文教學行政的主管。這在建立較爲完整的教學督導制度上，固然可能較爲順暢，在謀求教學理論與教學實務相結合上，也可能較爲容易；但是由於來自國外的專家，往往由於對本地華校的社會大環境瞭解不深，在前瞻性的規劃上，常會有不易配合之困難。因此採取此一類型而又表現突出的，常僅限於幼稚園階段。因幼教階段在教學

上所受法令約束較少，若干採此類型督導教學之幼稚園，幾可以中國國內之幼兒（稚）園爲典範，於兩三年的幼教階段，讓幼兒學會流利的中國話（格外是閩南話），所以深受華社肯定。但是這樣的華語文教學成效，對於未來小學和中學階段的華語文學習，將會產生何種影響，目前雖難斷言，但至少這類幼稚園的華語文教學，似乎較近於「第一語言」，而非「第二語言」的教學，這顯然與目前倡導以「第二語言」教華語文的主張，是會產生配合上的困擾的；更何況這類的教學督導，其「駐校」的意義已不大，宜否屬「駐校督導教學」，不無疑問。

　　在實施「駐校督導教學」時間的長短上，顯然也是影響其督導成效的一項因素。六年來，除僑中學院外，大體不外一學年、一學期和於一學年內每週駐校一日三種型式。原則上說，全學年或全學期均駐在一校，自應有利於駐校專家去確實瞭解學校、教師、學生與教學實況，以及規劃督導教學有關諸項工作。但在實施上，如果不能眞正面對學校現實，訂定具體有效的督導方法與內容，卻可能因爲時間越長，而越易產生厭倦心理，損及督導教學之實質。不過如果僅由於無法延聘足夠之督導教學專家時，則每週駐校一日亦未必不能發揮其應有的功效。然而根據筆者訪問資料顯示，對此一問題表示具體意見者幾近於零，或與其參與「駐校督導教學」實施之主動性不強有關。但據部分參與「駐校督導教學」實施時間較長之受訪者表示，駐校督導專家經常更換實

甚不宜。於此足見「駐校督導教學」之實施,究應屬暫時性的權宜之計?抑或為華校未來仍將繼續採行的一種師資培育的正軌?迄未明確。不過永遠依賴自國外延聘專家來督導我們的華語文教學,當非上策。因此「駐校督導教學」之實施實應「從長計議」。

此外,在筆者的訪問中,亦有人表示延聘駐校督導教學專家時,應以通閩南語者為優先。從表面上看,這也許只是代表某些人的小問題,但實質上,卻與「駐校督導教學」實施的規劃、執行與成效息息相關。況且六年來以大岷地區為主的「駐校督導教學」實施,尚有此類意見之反映,若再推廣及於大岷地區以外的諸省市,其情況當更為顯著。如果深入去看,「駐校督導教學」之專家不諳閩南語,是否即代表專家與接受督導的教師間,會有溝通上或瞭解上的距離或困難呢?萬一不幸,事實上果真有這種困難,那就必須警覺了。因為駐校督導專家與教師的溝通,和對實際教學情況的瞭解,正是其督導教學工作之規劃與執行的基礎與起點,更是其督導教學成敗之關鍵。更進一步來說,如果不能設法讓「駐校督導教學」的實施成功,又怎能期望去建立健全的教學督導制度,擔負起致力於教師在職教育的重任,真正成為菲華師資培育的新途徑呢?

綜上所論足見實施六年來的「駐校督導教學」,有待檢討改進處尚多,舉其犖犖大者,可有如下諸端:

一、主導或主辦「駐校督導教學」之機構或學校當局,

首須自政策面對「駐校督導教學」，做較長期的全盤考量，認眞思考「駐校督導教學」在改進華語文教學，以及在華語文教學的未來發展上應如何定位，然後才能據以研擬具體實施計劃，付諸行動，也才能避免陷於形式，徒然虛耗寶貴的社會資源。

　　二、「駐校督導教學」應重視教學活動的整體性，應顧及教學上有關的每個環節，不可偏廢。靈德先生曾於其所撰「怎樣督導華語文教學」之專文中，列舉十項原則性的說明，頗具參考價值（靈德，1998c）。「駐校督導教學」之設計如能確實呼應該文所列十項原則之要求，自可提昇其實施成效。如仍僅侷限於課堂教學之技術、方法或部份學理之範疇，則必事倍功半，徒勞無功。

　　三、此間倡導以「第二語言」教華語文之努力已近十年，雖廣獲認同，但迄今少具體行動。「駐校督導教學」之規劃與實施，理應採用此一教華語文之新取向，始能爲此間華語文教學突破困境，再造生機。延請國外教學專家來菲駐校督導，自應以延聘具「第二語言」教學之經驗與背景者爲優先；否則誤以中國國內「國語文」之教學，爲此間菲校華語文教學之典範，其鑿枘可知。

　　四、「駐校督導教學」之計劃、執行與檢討均應與學校原有之教學行政作業相調適、相結合。學校當局應爲駐校專家，提供有關學校教師、學生、教學行政等之詳實具體資料。駐校專家亦應於展開督導教學活動前，花費一段時間對

學校教學實況進行較深入之瞭解。此類準備工作如未能適度
加強，其困擾必多。

　　五、「駐校督導教學」之實施，因無前例可循，理應依
試驗研究之要求進行。舉凡有關事先之計劃、計劃執行之過
程，以及執行後之檢討或 s 評鑑（又稱評價）等，均應保存
完整之文字資料，俾能作續辦之依據與參考。主辦及資助當
局更應於適當時機，以「研究報告」之形式，將辦理之經驗
公諸華社，藉供擬試行「駐校督導教學」之華校參考其中有
關檢討或評鑑部份之資料，尤具提醒續辦或新辦該種「督導
教學」之華校，認清問題免蹈覆轍之作用。

陸、結語

　　在這日新月異的現代社會裡，人們面對著變幻難測的未
來，總希望多些主宰自己命運的力量。近世以來，在教育的
領域裡，所謂掌握變遷（MANAGED CHANGE）與有計劃
的變遷（PLANNED CHANGE）分外受到重視與肯定，也正
是基於這種想法。可是看看我們菲華教育的師資培育問題，
幾乎是百年如一日，「以不變應萬變」的保守心態主導著
「萬變不離其宗」的師資培育方向；相形之下，近六年來在
部份華校實施的「駐校督導教學」，已可算是空前的突破
了。如又果能以此為起點，使其實施逐漸發展為教師在職教
育的主體，進而成為菲華師資培育之新途徑，實為菲華教育

之大幸。具體而言，過去靜態社會中，獨重職前教育的師資培育制度，顯已證明全然無法滿足當前動態社會的實際需要。近三十年間，大學本位的師範教育（UBTE - UNIVERSITY - BASED TEACHER EDUCATION）也面臨空前未有的挑戰。其顯著的新趨向就是重新調整教師在職教育在教師培育上的地位，於是教師在職教育日受重視，以學校教學為本位的師範教育（SBTE - SCHOOL - BASED TEACHER EDUCATION 或稱 FBTE - FIELD - BASED TEACHER EDUCATION）的主張亦日受肯定（NELSON, J. L., PALONSKY, S. B. AND CARLSON, K., 1990, pp.232-242）。這對中國的師範教育早已造成某種程度上的衝激（LU, R. T. 1993）。菲華師資之培育本亦應有所警覺，然而實際上，由於華社投注於教育之專業人力極度貧乏，有關文獻與資訊都全付闕如，其改革行動自亦極難落實。因此其結果非僅遠遠落後於國際社會，甚至在菲律濱大社會中，也無法達到其他學科教師的一般水平。

淺顯的說，在師資培育上所謂大學本位與學校本位兩者間之不同，最主要的僅在於前者較重理論，而後者則強調實際。應如何追求兩者間的協調與結合，才是當前眾所矚目的焦點。可是在菲華師資培育上，不論是理論還是實際，基礎均極薄弱，輕忽學理，實施又多趨於形式是最為普遍的現象。例如，我們都知道教師在職進修的重要，年年也都舉辦教師暑期或平時的進修班或講習班的活動，但是始終都未曾

見到過什麼具體的進修或講習的成效。雖時有消極的批評與慨嘆，卻無積極的檢討與改進。究應何去何從？又見問道於盲者多，訴諸專業之研究者卻難得一見。深陷在如此不利的氛圍中，不論有什麼驚人的新措施，都不免會使人為其未來的走向捏一把冷汗。我們對於這次「駐校督導教學」的實施，雖全力肯定，但評論上仍力求嚴肅客觀，並著眼於其基本觀念之澄清與樹立。析言之，「駐校督導教學」所可能遭遇到的困難，實即來自過去行之有年的教師在職進修措施，如僅改變其形式而不檢討其基本觀念，其無益於實際可知。依筆者所見，目前實施之「駐校督導教學」，只是把過去實施的教師暑期進修活動，縮小其規模，分散到學校裡去，在平時實施而已，所以在實際的教學實施上所能產生的真正幫助仍難符理想。其問題之主要癥結仍在於未能就如何「督導」，與「督導」的實質內容等問題做認真的思考。大體上仍沿襲過去教師進修的想法，延聘專家駐校「督導」，視專家若學者或大學教授，其督導則以「講學方法」為典範，這正證明我們仍然深信大學本位之師資培育的辦法。多少年來，我們最為推崇的教師在職進修方式不外就是，要求教師到大學去修讀學分或學位，或聘請大學教師來為教師主講進修課程。如果把「駐校督導教學」也看做是一項教師進修的活動，似乎也同樣未能跳出這個惑人的窠臼。對於教學實施如何與教學理論相結合的問題，顯然也並無顯著的突破。所以我們認為要想使「駐校督導教學」真能發揮教師在職進修

的作用，並進而成爲菲華師資培育的一條新途徑，最爲重要的就是由聘來駐校的專家與學校校長、華文主任，共同瞭解校內華語文教師在教學上有待加強的是哪些觀念、知識和技能，然後根據這些瞭解去安排其應有的優先順序，設計督導活動的步驟與進程。只有根據教師的實際需要，去安排教師進修的內容，才能產生眞正有助於教學改進的效果，也才能達成使教師在實際教學的活動中，瞭解並驗證教學理論的目的，發揮教師從做中學的，以學校實際教學爲本位的師資培育制度的精神和優點。所以我們極力呼籲「駐校督導教學」之實施，應有事先完善的規劃、具體的詳實方案、切合實際的執行步驟、和嚴謹的實施成效評估。否則我們又怎能寄望於「駐校督導教學」的實施，會是我們建立華語文師資培育新途徑的契機呢？

　　總之，「駐校督導教學」的實施，確實是近年來菲華教師進修和師資培育上的顯著變革。或亦確具「窮則變」的性質，但是卻並非必然會有「變則通」的保障。如何有效掌握這種變革，期能有計劃的去導正這種變革的方向，才是我們面對「駐校督導教學」之實施，所必須認眞思考的課題。

參考書目

正負　1999、2000　怎樣建立強有力的領導機構（上）
　　　（中）（下），菲律濱世界日報，菲華教育，第九十
　　　四、九十五、九十六期，1999 年 12 月 22 日，12 月 29

日，2000 年 1 月 5 日。

椿齡　1998　「義務代理校長」說明了什麼？菲律濱世界日報，菲華教育，第四期，3 月 10 日。

椿齡　2000　怎樣把第二語言教學講清楚，菲律濱世界日報，菲華教育，第一〇六期，3 月 15 日。

盧增緒　1998a　華語教學的教育政策，菲律濱世界日報，菲華教育，第十期，4 月 21 日。

盧增緒　1998b　該把華語文教學的道理講清楚，菲律濱世界日報，菲華教育，第十八期，6 月 16 日。

盧增緒　1998c　培養華校校長才是當務之急，菲律濱世界日報，菲華教育，第四十一期，11 月 24 日。

靈德　1998a　華語文教學必須督導嗎？菲律濱世界日報，菲華教育，第三十六期，10 月 20 日。

靈德　1998b　誰來督導華語文教學？菲律濱世界日報，菲華教育，第三十七期，10 月 27 日。

靈德　1998c　怎樣督導華語文教學（上）（中）（下），菲律濱世界日報，菲華教育，第三十八、三十九、四十期，11 月 3、10、17 日。

LU R.T. 1993 Does University - Based Teacher Education Really Work in China, the 7th Annual Conference, USA-SINO Teacher Education Consortium, Beijing, China。亦載台灣師範大學學術講演專集，第十一集，pp.75-92，民國 84 年。

LU R.T. 1997a On Chinese Teacher Training Program in the Philippines, a paper presented at the 17th Annual ISTE Seminar, May 3-10, St. Catherines, Ontario, Canada。

LU R.T. 1997b Chinese Teacher Training Program in the Philippines Revisited, A Keynote Address at the International Conference on Teacher Education in the Asian - Pacific Region, Aug. 19-21, Beijing, China。

MANILA BULLETIN, Nov. 15, 1998, p.14; June 27, 1999, p.15; July 17, 2000, p.23。

Nelson, J. L., Palonsky, S. B. and Carlson, K., 1990。

Critical Issues in Education, McGraw - Hill。

後　記

　　先夫盧增緒這本書的問世，得到菲律濱中正學院前院長邵建寅教授的全盤籌劃，並惠賜弁言，陳義維、施淑好、柯里沓、林厚坤、洪我柏與吳勝利諸學長聯絡出版事宜，張燦昭先生精心編排，洪我柏學長設計版面，楊適嘉女士校對，菲律濱中正學院校友總會與國立台灣師範大學菲律濱校友會出資協助出版，使我非常感激，特在此向他們道謝。

戴　麗　華

二〇〇三年元月十八日

國家圖書館出版品預行編目資料

菲華教育論叢 / 盧增緒著；菲律濱中正學院校
　友總會暨國立台灣師範大學菲律濱校友會編,
　-- 初版-- 臺北市：文史哲, 2003【民 92】
　面： 公分
　ISBN 957-549-529-2 (平裝)

1.僑民教育–菲律濱–論文,講詞等

529.3391　　　　　　　　　　　　92017962

菲華教育論叢

著　　　者：盧　　　增　　　緒
主　編　者：菲律濱中正學院校友總會暨
　　　　　　國立台灣師範大學菲律濱校友會
封 面 設 計：洪　　　我　　　柏
校　　對：楊　　　適　　　嘉
出版暨發行：文　史　哲　出　版　社
登記證字號：行政院新聞局版臺業字五三三七號
印　刷　者：文　史　哲　出　版　社
　　　　　　臺北市羅斯福路一段七十二巷四號
　　　　　　郵政劃撥帳號：一六一八○一七五
　　　　　　電話 886-2-23511028・傳真 886-2-23965656

定價新臺幣四四○元

公 元 二 ○ ○ 三 年 十 二 月 十 五 日 初 版